MILAGROS
más que nunca

Títulos del autor
publicados por Editorial Atlántida

LA VIRGEN, MILAGROS Y SECRETOS

LÍBRANOS DEL MAL

EL ÁNGEL, UN AMIGO DEL ALMA

MILAGROS, MÁS QUE NUNCA

Víctor Sueiro

MILAGROS
más que nunca

EDITORIAL ATLANTIDA
BUENOS AIRES • MEXICO

Diseño de tapa: Peter Tjebbes
Supervisión de arte: Claudia Bertucelli
Diseño de interior: Natalia Marano
Editora: Emilia Ghelfi
Correctora: Mirta Carriquiri

I.S.B.N. 950-08-2636-4

A Rosita, Rocío, mi mamá y Alfredito.
Porque en más de un momento de sus vidas
obraron algún milagro en la mía.

A Rosita, Rocío, mi mamá y Alfredito.
Porque en más de un momento de mi vida
obré algún milagro en las de ellos.

Porque el amor y la esperanza son el padre
y la madre de los milagros.
Que ambos los acompañen a ustedes, los
lectores, los que me dan de comer y de soñar.

Agradecimientos y afectos

Como siempre, les debo mucho a muchos. Elijo a los especiales.

- **Familiares de este libro:**

Mirtha Legrand, la madrina habitual. Una dama. Donde sea que ella esté, siempre estará la cabecera de la mesa.

Monseñor Roque Puyelli, el padrino. Hace ofertas que uno no puede rechazar. La fe, por ejemplo.

Monseñor Jorge Bergoglio, el tutor. Demuestra al país lo que la ciencia enseña: sólo los cardenales machos cantan. Y lo hacen como se debe.

Dr. Roberto Bosca, el tío. Nos da todos los gustos cuando colabora, nos consiente. Lo admiramos.

Lic. Sebastián Bagó y doctores Hugo Skare, Raúl Tear, Luis de la Fuente y su equipo. Hermanos. Siempre están. Y, coherentes con lo suyo, tienen remedio para todo.

Jorge de Luján Gutiérrez y Jorge Fernández Díaz, amigos del barrio. Nos criamos juntos y ellos tomaron el mal camino, son directores periodísticos. Igual los quiero.

- **Hermanos colegas:**

Gente de medios de todo el país que me apoyaron de una u otra forma en mi libro anterior, sin siquiera pedírselo. Gracias. Muy en serio.

Jorge Rial, Marcelo Tinelli, Rony Vargas, Mario Pergolini, Oscar Gómez Castañón, Rolando Hanglin, Teté Coustarot, Héctor Larrea, Oscar Cesini, Mario Mactas, Liliana López Foressi, Laura Ubfal, FM Chicos especiales Escuela Melodía, Claudio Corvalán, Lucho Avilés, Gabriela Cociffi, Gabriel González, Miguel Woites, Luis Ventura, Antonio Carrizo, Marcela Coronel, Luis Pedro Toni, Diego Wirtz, Fanny Mandelbaum, Eduardo de la Puente, Marcelo Gantman, Gustavo Cirelli, Luis Novaresio, Julio Orselli, Miguel Tesandori, Carlos Bermejo,

Nicolás Winazki, Carlos Sáez, Adrián Rimondino, Carlos Mut, Giselle Masou, Leandro Miller, Pablo Sirvén, Juan Alberto Badía, Guillermo Andino, Federica Pais, Gustavo Lutteral, Alejandra Ponce de León, Alejandro Seselovsky, Horacio García Belsunce, Silvia Fernández Barrio, Radio Comahue, Jorge Jacobson, Ernesto Medela, Miguel Vendramín, Alicia Pedrelli, Osvaldo Benmuyal, Gabi Galaretto y Susana Fontana.

• **Sólo pensar en ellos hace mi vida mejor:**
Mónica Castellano; los Trepat; los Lauría; los Intrieri; Rafa y Ceci; Costi y Marina; Constancio Vigil; Dr. Dardo Fernández Aramburu; Jorge y Sarita; Dr. Roberto Cambariere; Dra. Elizabeth McAdden; Baby Etchecopar; Renée Sallas; los Palagruto; los Giménez (La Palmera); Cholo y Silvia; Agustín Salinas; Jorge Cupeiro; los Morales; los Angeletti; los Salmoyraghi; Dra. Ana Anzulovich; Dr. Yuri Turanza y su equipo; Dr. Carlos Nicoli y familia; Pepe Fechoría; Juan Alberti y familia; Luis y Liliana Imperial; Mariana Lotter; los Nacuchi; Silvia, Morena y Rocío Rial; Elsa Terraza; Diego Pérez; José María Listorti; Miguel Ángel Rodríguez; Marta Buchanan; Horacio de Dios; Dr. Juan Sutín; los Avilés; los Fernández; los Pérez Loizeau; Georgina Barbarossa; Mario Gavilán; Arturo Riat y familia; Marcela Tinayre; Ana Castro-nuovo; Solange Capria; Débora Parodi; Marcela Guerrero; los Curutchet.
Y Nelly Aceto, que está haciendo reír a los ángeles.

• **Los atlantes:**
Son un sol. Aunque no los veamos, siempre están. Cálidos y luminosos. Me enorgullece trabajar con ellos.
Jorge Naveiro; Emilia Ghelfi; Rafael Pannullo; Claudia Bertucelli; Peter Tjebbes; Mirta Carriquiri; Adriana Figini; Mónica Banyik; Natalia Marano; Mariel Urbano; Fernando Diz; Nicolás Arfeli; Jorge González; Federico Catalano; Mariela Pizzo; Bernardita Bonanni; Alberto Hughetti; María Laura Zalazar; Claudia Sierra; Amalia Ugolini; Laura González y la gente de Fontanarrosa y asociados.

Advertencia

Todos los testimonios relatados en este libro son absolutamente reales, así como los nombres de sus protagonistas, sin excepción. Sólo la intervención de Mariano es algo difícil de explicar, aunque el autor afirma que, sin él, no hubiera podido escribir estas páginas ni tampoco las de sus obras anteriores. También Pedro y el doctor Lucas serán ubicados en algún rincón del alma del autor o algún rincón del alma de ustedes mismos, los lectores. Estar, están. El resto es bellamente real y extraordinariamente cierto. Las entrevistas están registradas en sus correspondientes grabaciones y hay infinidad de testigos de cada una de las maravillas que aquí leerán, comprobando que en la vida de cualquiera puede estallar el milagro cuando menos se lo espera o cuando más se lo necesita. Ahora mismo, tal vez. O mañana, mejor mañana, para empezar a acariciar la idea desde ya, antes de verlo.

ANTE TODO

Dios nos habla. Todo el tiempo, pobre.

Lo que pasa es que nosotros no queremos, no sabemos o no podemos escucharlo. Pero necesitamos oírlo, eso no me lo van a negar. Y bueno, Dios nos habla. Lo hace con signos, con señales. ¿Qué podemos pretender? ¿Que venga a casa a tomar un cafecito para charlar un rato? La razón cambia todo el tiempo, todo el tiempo. Hasta junio de 2001 la ciencia juraba que las células del corazón humano no se regeneraban jamás y ahora resulta que sí. Las religiones no cambian pero se adecuan. En la liturgia católica, por ejemplo: antes era "el pan nuestro de cada día dánoslo hoy" y luego fue "danos hoy nuestro pan de cada día". O el fin de las misas en latín, lenguaje de exorcismos y otras limpiezas durante siglos, lenguaje de la Iglesia. O comulgar recibiendo la hostia consagrada en la mano. O tantas cosas.

La razón cambia y la religión se adapta, es decir que también cambia y no siempre para bien. Pero lo que nunca cambia y es igual a lo largo de toda la historia del mundo espiritual es la fe. Ése es otro cantar. La fe es inalterable, granítica e irremplazable. También lo son la esperanza y el amor, la caridad. Cuando Dios nos habla, nos muestra esas cosas. Las señales y sus hermanos los milagros tienen que ver siempre con alguna de esas tres virtudes teologales o con las tres. La fe, la esperanza y el amor son, entonces, el idioma de Dios.

Geraldine Chaplin personificó en una película a la Madre Teresa. Para promocionar su estreno estuvo en Buenos Aires. El 24 de marzo de 1999 el periodista Jorge Jacobson le preguntó en una entrevista por televisión si haber hecho ese papel le produjo algún cambio en su vida real. Ella respondió: "Yo, antes, durante muchos años, quería cambiar el mundo y ayudar a la gente tomando posiciones políticas. Después de haberme metido en la piel de la Madre Teresa, comprendí que hay un camino paralelo que yo no había transitado nunca pero que era el mejor: simplemente, si alguien llora, hay que consolarlo; si alguien tiene hambre, hay que darle de comer; si alguien necesita hablar, hay que escucharlo".

Sencillo y perfecto. Hay que dar lo que el prójimo necesita. Hoy en día, tal como está el mundo, tal como está mi amado y deshilachado país, mi noble y castigado pueblo, lo que más necesitamos todos son milagros. Y, por fortuna, siguen ocurriendo cada día. Tal vez más que nunca.

Los testimonios de este librito son estremecedores, tan llenos de fuerza que aumentan las nuestras con sólo leerlos. Una vez más quiero dejar en claro que los nombres y apellidos de sus protagonistas son reales, así como cada dato que les concierne. También insistiré en que las palabras de esas personas han sido respetadas al pie de la letra aun cuando, en casos, tuviera que sacrificar alguna regla gramatical. Ocurre que respeto muchísimo a esa gente y, además, pienso que es infinitamente más fuerte una frase desprolija pero caliente de tan real que una correctísima pero fría y sin encanto de tan retocada.

En las páginas que siguen van a encontrar señales y milagros. A veces juntos, otras separados, siempre extraordinarios pero, sobre todo, llenitos de amor, de esperanza y de fe. Lo que leerán está ligado de manera inevitable a mi religión católica, porque la amo, pero como nadie tiene los derechos de autor de Dios, la idea es que sirva para todos ya que el Señor no les pide la licencia de conductor a los que deciden transitar los caminos de la fe.

Éste es el momento de mostrar maravillas, más que nunca. Estos días en los que el color gris y el negro parecen estar de moda en las almas, son los mejores para mostrar milagros que ocurren hoy.

La Biblia dice que los milagros suscitan la fe, la fortifican, ciegan a los incrédulos e iluminan la mente de los que están dispuestos a oír y aceptar la palabra divina. Si hay escépticos, burlones o soberbios que nos llamen ingenuos, agradezcamos con una sonrisa. El diccionario dice que "ingenuo" es alguien "sincero, candoroso, sin doblez". Y agrega otra acepción, la que se daba en el Imperio Romano: "persona que nació libre y sigue siendo libre". Somos eso, queridos lectores, somos eso. No dejemos nunca de ser ingenuos. Sinceros, candorosos, sin dobleces, libres y para siempre. Ojalá sea contagioso.

Víctor Sueiro
Agosto de 2001

1

Alienten al de pantaloncitos blancos

—*Yo no fui* —dijo mi ángel.

¿Y quién pudo ser?, pregunté desorientado.

—*A ver, repetime lo que dice...* —pidió.

Dice: "No aflojes. Hay milagros".

El texto estaba impreso en la tarjeta con caracteres bastante grandes. No había firma ni remitente. Tampoco podía rastrear el origen porque no tenía sellos de ningún tipo. Ni de ninguna tipa, nunca se sabe, ya que estoy un poco veterano pero aún hay quien opina que soy seductor. Mamá, por ejemplo. Y nadie más, que yo sepa.

No aflojes. Hay milagros. En ese momento pensé que si escribiera un libro nuevo usaría esas cuatro palabras que llegaron en un momento más que oportuno ya que no era un gran día. Para ser riguroso, en verdad tampoco era una gran semana y ni hablemos del mes. Era una de esas épocas en que uno se siente el guante derecho cuando el izquierdo se perdió para siempre. Crisis, ya saben. El que no pasó por alguna no imagina lo que se pierde. En el amor, lo más lindo de las pequeñas discusiones cotidianas es la reconciliación, nadie lo duda. El momento en que uno deja escapar todo el cariño que tenía atado y amordazado en un rincón del alma como un rehén del orgullo estúpido. Y lo libera en la reconciliación para que se exprese por todo lo que no lo hizo durante la peleíta, más maravillosamente tonto y meloso que nunca. Pasa casi lo mismo cuando uno se confiesa, acto que por algo llamamos también "reconciliación", esta vez con Dios. Uno se saca el peso, vuelve a empezar con el kilometraje a cero. A veces pienso que mi religión, la católica apostólica romana, es un poquito facilista en algunos aspectos. Algunos hacen desastres, se los cuentan al cura, reciben la absolución y se van tan contentos a seguir con los desastres. Así siempre. Se olvidan que, para que aquello sea válido es imprescindible un arrepentimiento profundo. Pero el tema es otro, ahora. La reconciliación es adorable, decía. Y con el fin de una crisis pasa lo mismo: al terminar se abren los cielos. Claro que mientras dura es un tour por los infiernos. Por eso al recibir aquella tarjeta fue como si alguien me cerrara los ojos suavemente y besara mis párpados con la misma presión que ejercería en ellos una mariposa. Lo que el texto decía era cierto, eso fue lo que más soplaba mis heridas. Era y es rigurosamente cierto que hay milagros y que, aunque más no sea porque esperemos uno, no hay que aflojar. El mensaje era directo y bello, razón por la cual pensé enseguida en que podía venir de alguien como Mariano, mi ángel de la guarda.

—*Te agradezco.*

Ese mismo que se mete en mis textos para decir "te agradezco" o cualquier cosa que cruce por su mente. Y eso mientras yo escribo.

—*Cualquier cosa que cruce por su mente.*

Perdón, ¿quisiste decir que yo escribo cualquier cosa que cruce por mi mente?

—*No, jamás. Me cortaría la lengua antes que hacer eso.*

No tenés lengua. Yo no te escucho con mis oídos.

—*Bueno, las manos. Me cortaría las manos antes de...*

No tenés manos. Para escribir aquí te metés en las mías. Y no te cortes ninguna otra cosa porque no tenés nada físico, sos un espíritu puro, tal como te define el Catecismo de la Iglesia Católica.

—*Fue una metáfora. Quiero decir que sólo repetí tu frase asintiendo. Si después quedó medio irónica es una casualidad.*

Vos no creés en las casualidades. Más aún: muy a menudo, vos y tus colegas son quienes las inventan.

—*No tengo colegas. Compañeros. Esto no es un trabajo. Al menos cuando a uno le toca alguien como vos. En ese caso es un placer...*

Mariano, a veces, se muestra tan halagüeño que me desconcierta. No sé si es piropo real o ironía. Si bien casi todos son así, a mí me tocó un ángel especialmente travieso e inteligente. Como sea, es mi mejor compañero, un amigo del alma, literalmente hablando. Me acompaña a todas partes, me apuntala cuando estoy por caerme, espera ansioso que le pida ayuda y me sugiere actitudes sin pisar el delicado terreno de mi libertad de elección, tal como ocurre con el ángel de cada uno de ustedes. Es un extraordinario servidor.

—*Eso. Como un valet parking que estaciona emociones, ¿no?*

Mariano sabe muy bien que no quise decir eso, pero ocurre que él es especialmente susceptible y, además, tiene la desventurada costumbre de enfundarse mis dedos y escribir lo que desee, tal como lo está haciendo ahora con su extraño sentido del humor. Yo no lo vi nunca, lamentablemente, a pesar de habérselo pedido en más de una ocasión. Los ángeles pueden y suelen corporizarse y pueden también...

—*Perdón. Ese librito ya lo escribimos.*

De acuerdo, pero cuento pequeños detalles para los que no hayan leído *El ángel, un amigo del alma*. No sea cosa que alguien crea que yo hice extraños conjuros o metí en una cacerola pezuñas de cerdo, hojas de la parte más alta de un enorme eucalipto, sangre disecada de buey tuerto y patas de rana que compré especialmente en una tienda de deportes, logrando así que aparecieras. Quiero que quede muy en claro que al ángel de verdad, el que figura en el Catecismo Católico, en las Sagradas Escrituras y en las principales religiones, no hace falta convocarlo de maneras esotéricas simplemente porque... decilo vos mismo, por favor.

—*Siempre estoy aquí.*

Así me gusta.

19

—*¿Va a tardar mucho el señor? Sírvase el ticket. Mi nombre es Mariano, pregunte por mí al volver a buscar su emoción. Se la estaciono cerca, quédese tranquilo.*

Bueno, hoy tenemos uno de esos días, parece ser.

—*Galle... Gallego querido... ¿Qué te pasa? ¿Es que perdiste el sentido del humor?*

Creo que sí. O, al menos, está medio machucado. Son épocas difíciles para todos. Lo económico aprieta, lo social asusta, lo humano entristece, lo familiar resiste como puede, las lealtades tambalean, lo moral agoniza, lo ético enloqueció, las mentiras reinan, los medios de comunicación apestan, los miedos crecen. Generalizar sería injusto, pero nadie puede negar que hay mucho de eso en demasiados sitios. Y aunque a uno no le toque ninguna de esas cosas en lo personal, es imposible ser feliz en un mundo donde te rodea tanta desazón, tanta bosta.

—*Con poner un punto en "desazón" hubiera sido más que suficiente. Digo yo, Galle.*

Marianito, vos sabés que las cosas no se arreglan usando palabras muy elegantes.

—*Está bien. El caso es que entraste en crisis. Estás triste.*

Sí, eso es. Esperame un momentito...

—*No, no, no. Sé que querés leer todo lo escrito hasta aquí, vas a creer que suena muy depresivo y querrás borrarlo.*

Bueno, bueno. Pusiste en funcionamiento tus poderes.

—*No, simplemente te conozco mucho. Vas a pensar que tu crisis puede contagiar a los lectores y dejarías de ser el que lleva la bandera de la esperanza, pero te equivocás. Ellos están aguardando que el clima de este texto se dé vuelta. Igual que en medio de un combate de boxeo en el que los partidarios del de pantaloncitos blancos, que viene recibiendo una paliza inolvidable, aguardan con el aliento contenido que el hombre reaccione de repente y saque a relucir una calidad de golpes que le darán una inobjetable victoria por orsai...*

Por nocaut. El boxeo no es lo tuyo, Marianito.

—*Y la tristeza no es lo tuyo, Galle.*

Touché. No empecés a golpear bajo, no me rasques las emociones que después no sé qué me pasa en los ojos y al final no puedo ver bien lo que escribo.

20

—En las tribunas, las plateas, las camas, los livings, los aviones, los ómnibus, los subtes, los trenes, las playas, las oficinas, las salas de espera y una enorme cantidad de otros lugares, hay mucha gente que contiene el aliento esperando que el gordo pelado con anteojos y pantaloncitos blancos se levante como en cámara lenta, apretando los dientes y con fuego en los ojos para darle una paliza a la desesperanza, para derrotar a su crisis que es la de todos. Por eso no debés borrar lo escrito. Porque fuiste sincero aunque duela, como siempre decís, y porque así te sienten ahora, más que nunca, como uno más de ellos y no como un papanatas que vive en una nube ajeno a los problemas de la gente y aconseja encender sahumerios o hacer relajación del upite para borrar todos los problemas. Me parece maravilloso que sepan que a vos también te duele la vida y te dan bajones; que no sos el gurú imperturbable, ni el literato que mira desde arriba a los mortales, ni un vendedor de ilusiones; que lo tuyo no es autoayuda sino fe, que sos igual que todos. Salvo que en el reparto de misiones a vos te tocó la de dar ánimo y, en ese caso, tenés que darle aire al tuyo, hermanito. O callarte para siempre. Hacé lo que vos aconsejás: meté piña, no bajés los brazos, peleá.

"No aflojes. Hay milagros", ¿no?

—Correcto. Los lectores están esperando tu reacción. Ponete de pie, plantate bien parado en el centro del ring, sacudite los pantaloncitos blancos y peleá con juego limpio. Como no estás en el bronce sino que sos uno más de la familia, si ganás, ganan ellos. Si ganás, ganan todos. ¿Entendés?

Sí, entiendo. Y tenés razón. Pero hay un par de cosas que quisiera aclarar.

—Adelante, vamos Galle, fuerza, vamos.

No me pareció necesario lo de gordo pelado con anteojos porque no suena mucho a luchador, boxeador, karateca, gladiador o algo así. Además, todavía no soy calvo.

—Bueno, cuestión de tiempo... Media hora, cuarenta minutos, alguito más y ya pasaste a la categoría, pelado.

Pelado tu madrina.

—¿Vos sabés quién es mi madrina? ¿Vos sabés quién es la madrina de todos los ángeles?

No me importa y reitero lo dicho.

—*Nuestra madrina natural es la Santísima Virgen. La Mamita, como vos la llamás...*

Sí me importa y retiro lo dicho.

—*Siempre me gustó tu firmeza.*

Otra cosa: ¿escribiste "upite" o me pareció?

—*Escribí upite, sí, y no tiene nada de malo. Es un argentinismo por completo aceptado y aceptable. Buscalo en el diccionario y vas a ver que dice: ano de los pájaros. Mi frase fue una sátira, que yo sepa ninguno de esos gurúes de papel recomendó aún algo así, pero es posible que sólo se deba a que no se les ocurrió.*

Por último: dijiste no sé qué de un papanatas que vive en una nube... ¿vos no vivís en una nube?

—*No, Galle. Así nos dibujan los chicos. Mi casa sos vos.*

Sos un zalamero y siempre me ganás por el lado del cariño. Lo peor es que me gusta que así sea. Muy bien, tenés razón, voy a dejar todo como está. Estoy demasiado viejo para empezar a ser hipócrita.

—*Ah, olvidé eso: viejo. El viejo, gordo, pelado, con anteojos, de pantaloncitos blancos. Ahora sí. No solamente parecés ser igual que todos, sos mucho más lamentable.*

Pasaré eso por alto.

—*Y bajo. No puse que, además, sos medio bajo.*

¿Medio bajo también? Uno ochenta, para que sepas...

—*No te hablo del precio de la camisa que llevás puesta, prefiero no mencionar tu elegancia porque sería otra cosa para agregar y...*

De acuerdo, uno setenta y dos. No está mal.

—*Un verdadero gigante.*

Como sea. No me importa mi aspecto, creo que ya lo sabés. Detesto los espejos, creo que deben saberlo todos con solo verme. Eludo los espejos, me dan miedo o bronca o algo. Es como si temiera que el que se refleja allí saltara encima mío para atacarme de sorpresa, o como si una fuerza extraordinaria me chupara sin remedio allí adentro, o como si un día el yo que allí aparece no repitiera mis gestos sino otros muy diferentes, o —tal vez lo peor de todo— es, también, la terrible sospecha de que una mañana voy a mirarme y no voy a estar allí. Los espejos no me gustan y no me miro. Tan poco me miro que, si un día lo hiciera con detenimiento, no me asombraría mucho descubrir que soy negro o chino. Apenas me conozco por fuera. Eh, oíme.

—*A tus órdenes, amo. Has frotado la lámpara y aquí estoy con...*

Oíme en serio. Me estoy dando cuenta de que el ánimo empezó a mejorar. No digamos que estoy diez, pero me pondrían un siete fácilmente. Esto de tu ayuda funciona, ¿eh? Y más con estas discusiones domésticas llenas de humor. Hasta me dio por esa cosa de los espejos, haciéndome el misterioso. ¿Querés que te diga?... El viejo, gordo, pelado, bajito y desgarbado de pantaloncitos blancos empezó a darse cuenta de que lo que pasa todos los días es mucho menos importante que lo que pasa toda la vida. Y va a salir a pelear con todo, a demostrar empezando por él mismo que lo más importante de nuestra vida nos puede ocurrir en cualquier momento. Vos tenés razón: si yo me pusiera a escribir sobre los milagros como si todo estuviera fantástico y viviéramos en Disneyworld sería el emperador de los imbéciles. Y un hijo de una gran...

—*¿¿Eh??*

...confusión. Hijo de una gran confusión, ¿qué creías? Ya me calcé los guantes, Mariano, y voy a pedirte lo de siempre, entonces: luz y fuerza, eso que suena a sindicato pero que es mucho más. Aún me cuesta un poco arrancar, te aviso.

—*¿Qué te frena?*

No sé. Las circunstancias, tal vez. Creo que puedo sentirme un poco idiota si en medio de tanta cosa concreta y dura yo me pongo a mostrar lo sobrenatural. "No aflojes. Hay milagros". Está muy bien, pero no sé si es el mejor momento para hablar de lo que no se ve. Ya que vas a ayudarme, contestame: ¿es momento de hablar de lo invisible cuando lo visible es tan feo?

—*Galle... Ustedes, los humanos, se la pasan buscando siempre. Buscan con angustia. Los caminos pueden ser un psicoanalista, un puesto ejecutivo que creen importante, un título que los jerarquice, las medicinas alternativas, lo que ven en las películas olvidándose de que son películas. Y admiran cuerpos flacos y armoniosos, familias que se muestran perfectas, hombres con imagen de triunfadores, mujeres que manejan el poder con soltura, profesionales que hacen gala de una absoluta seguridad en sí mismos, gente ganadora. La mayoría de ellos, sin embargo, esconden enfermedades, secretos dolorosos, hipocresías, fachadas mentirosas, llantos a solas, dudas enormes y —sobre todo— miedos. Muchos miedos. Y el miedo es el cáncer del amor. Lo malo es que, por momentos, algunos de ustedes suelen adoptar la conducta de las ratas cuando están acorraladas y muertas de miedo: atacan. A todos, pero en especial a los que tienen más cerca, a los que más aman. Y a ustedes mismos. Arruinando proyectos, matando sueños, apagando el fuego sagrado de la pasión por algo, saboteando el futuro, escupiendo el presente, olvidando el pasado, resignándose al fracaso. Son terroristas de su propio destino. A veces se detienen y es sólo para advertir que se ha perdido mucho tiempo, algo irrecuperable, como sabés. Se sienten destruidos y no tienen ni la menor idea de cómo juntar los pedazos. Más aún: dudan de que hacerlo sirva de algo porque piensan que no sabrían en qué lugar colocar cada pieza para armar una vida nueva, una vida buena. Quisieran ser en lugar de estar, pero no saben cómo lograrlo. Hay ruinas por fuera y por dentro. Están destrozados, tirados en un rincón de un callejón desconocido, vistiendo ropas viejas, sucias y ajenas, deseando que todo eso sea una pesadilla pero sabiendo que no lo es. Aunque no estén así, así se sienten, así tienen el alma. La esperanza pasó a ser nada más que una palabra. Sienten más miedo que nunca. Miedo a todo y a todos. Aún tienen fuerzas pero no saben cómo reflotarlas. Y bueno. Ése, exactamente ése, es tal vez el mejor momento para esperar un milagro. El mejor momento para empezar a creer en ellos.*

¿Vos me mandaste la tarjeta, Marianito?

—No. Ya te lo dije, yo no fui.

Y le creí, claro. No sólo porque es mi amigo sino porque los ángeles no pueden mentir, así de simple. Tal vez fue una señal, pensé. Esa simple frase impresa en una tarjeta del tamaño de una postal bien podía ser una señal. Esa noche tuve curiosos sueños. Y allí empezó todo.

2

Tras el símbolo perdido

Soñé con fragmentos de historias, aquellas que vengo escuchando y escribiendo desde hace once años. Como en un flash la vi a Giselle Lynch, de nueve años rubios y hermosos, sonriendo paradita en una nube, tal como se había dibujado ella misma poco antes de partir junto a su Creador. Nítidamente apareció la hoja que dejó escrita en una composición con tema libre donde hablaba con naturalidad de su muerte, de su despedida, de Jesús y María y de que "las puertas grandes del cielo me están esperando". No estaba enferma, nada hacía prever su muerte física. Lo ocurrido fue un accidente de esos imposibles de imaginar. El 2 de octubre de 1989 Giselle, que lo había anunciado de mil maneras, partió en paz hacia Dios. El 2 de octubre, día de Todos los Ángeles. Luego les regalaría a sus magníficos padres, Marián y Eugenio, una señal que no dejaría dudas sobre su nueva vida y aniquilaría hasta al peor de los escepticismos, incluyendo el de su papá, un hombre lleno de fuerza y de ternura. Brilló en el cielo para ellos dos en medio de una noche cerrada en el campo de la familia en Alem, provincia de Buenos Aires.

Al despertar busqué mi librito *El ángel de los chicos* y releí con avidez el relato de los Lynch y ese paso a la gloria de Giselle. Me emocionó mucho, mucho. Y entendí que era uno de los casos que más me habían conmovido y que más claros dejaba los signos que a veces ocurren sin que los entendamos. Las señales.

También soñé con un hecho que me impactó mucho y publiqué en otras ocasiones. Lo vi a Gonzalo Fernández, cayendo a los tres años y medio desde un quinto piso, golpeando contra cemento sin que eso le provocara ni siquiera un moretón y contando luego con naturalidad y media lengua que "una señora con un vestido celeste como mi chupete y largo hasta los pies" lo había agarrado en su caída, en medio del aire, y lo había depositado suavemente en el suelo. Hoy tiene unos 13 años y es un muchachote muy saludable que me llama de cuando en cuando. Sigue siendo mi caso preferido si es que vamos a hablar de la fe y lo inexplicable, de esas cosas que cambian lo esperado. Los milagros.

Alguien puede preguntar por qué Gonzalo salvó su vida y Giselle no. No lo sé. Si pretendiera responder eso estaría inventando y no me gusta. Tal vez Giselle debía estar con Dios para algo y Gonzalo en el mundo para alguien, ¿quién se atreve a juzgar esas cosas? No yo.

Lo cierto es que en mi sueño, en ambos casos, la muerte había estado presente y había sido derrotada. En Gonzalo por la vida y en Giselle por la vida eterna. Milagros y señales. Ésa era la receta, ése el punto clave para luchar contra lo que nos agobia.

Si con eso se podía vencer hasta a la muerte, se podría vencer a lo que sea que nos pongan por delante. Milagros y señales. Algo que nos puede ocurrir a cualquiera, cuando menos lo imaginemos.

—*Ya entendiste.*

Más o menos, pero supongo que vos me metiste ese sueño con los recuerdos de la maravilla y también imagino que en algo me ayudaste a escribir lo que acabo de hacer.

—*Un poquito. No se lo voy a contar a nadie.*

Acabás de escribirlo. Lo leyeron todos.

—*No nos detengamos en pequeños detalles.*

Está bien, vamos a lo grande. Voy a rastrear milagros, ¿sabés? Voy a buscar señales. Voy a demostrar que toda esta cosa que nos pasa es muy menor y absurda comparada con lo trascendental. Quien sea que me haya mandado la tarjeta tiene razón: no aflojes, hay milagros.

—*¡Muy bien! ¡Ése es mi amigo!*

Voy a buscar el símbolo de los milagros. Hay uno, físico y palpable.

—*Perdón... ¿usted me está hablando a mí, caballero? No nos conocemos, ¿no es cierto?*

Ah, claro. Cuando digo algo que te gusta soy tu amigo y si escribo algo que no te cae bien, ni siquiera me conocés.

—*Es que me pareció que dijiste algo parecido a una barbaridad. Tal vez escuché mal, mis oídos no son buenos...* —ironizó mi ángel.

Vos no tenés oídos. Y lo que dije no es una barbaridad.

—*¿Podrías repetírmelo?*

Voy a buscar el símbolo de los milagros, dije desafiante pero no mucho.

—*¿Ah, sí? ¿Un símbolo físico, querés decir? ¿Algún yuyito, velas de colores, barajas mágicas, algo de eso?*

No te pongas en gracioso. Hay un símbolo físico.

—*¿Dónde lo venden? ¿Es caro, Galle?*

Estoy hablando en serio. Después de esos sueños que tuve, busqué información en mis libros, rastreé datos hasta que saltó éste. Está en el Antiguo Testamento.

LA SERPIENTE DE BRONCE

En el penoso éxodo del pueblo judío a la Tierra Prometida, guiados por Moisés, hubo momentos muy tensos ya que había pasado mucho tiempo y la caminata por el desierto no era precisamente un paseo. Uno de esos momentos es clave para los milagros, en especial los de sanación. La gente vociferaba contra Jehová y Moisés porque su fastidio era ya muy grande. Hubo un castigo por esas quejas y "serpientes ardientes" se desparramaron entre ellos, mordiéndolos y provocando muchas muertes. El pueblo andante se arrepintió de su rebeldía y se lo hizo saber a Moisés, quien oró por ellos. Para no meterme en honduras, a partir de este tramo de la historia, simplemente voy a reproducir lo que cuenta la Biblia palabra por palabra. Se trata de Números 21, 8-9. Atención que lo que sigue es muy sugestivo:

"Y Jehová dijo a Moisés: Hazte una serpiente ardiente y ponla sobre un asta, y cualquiera que fuera mordido y mirare a ella, vivirá.

Y Moisés hizo una serpiente de bronce y la puso sobre un asta y, cuando alguna serpiente mordía a alguno, miraba a la serpiente de bronce, y vivía".

La cosa no termina acá, no vayan a creer. O, mejor dicho, crean más que nunca. Ocurre que en el Nuevo Testamento, en el Evangelio de Juan, muchos siglos después, habla el mismísimo Jesús aludiendo a aquel objeto de manera muy especial:

"Y, del mismo modo en que Moisés levantó la serpiente de bronce en el desierto, así es necesario que el Hijo del Hombre sea levantado para que todo aquel que en él crea no perezca, sino que logre la vida eterna". (Juan 3, 14-15)

Muchos entienden que Jesús aludía a su propia crucifixión, en la cual sería levantado en su cruz y desde entonces y para siempre los que en Él creyéramos levantaríamos también los ojos buscando la sanidad del alma, poniendo nuestra fe en su sagrada imagen y logrando con esa fe la vida eterna. Aquella serpiente de bronce del Antiguo Testamento adquiría, entonces, una importancia aún mayor.

—*Admito que no deja de ser interesante...* —susurró Mariano.

No eran ni velas de colores ni barajas mágicas ni yuyos esotéricos. Es la serpiente de bronce.

—*Perdón... ¿dijiste "es", en presente?*

Sí, en presente, hoy, en nuestra época, ahora, ya. La serpiente de bronce tiene que estar en alguna parte, ¿no?

—*No. No necesariamente. Aquello ocurrió hace unos 3.500 años, no sé si esto te dice algo.*

Está bien, sos un derrotista. La estrella de televisión Susana Giménez preguntó en una oportunidad si los dinosaurios que iban a mostrar en un centro de exposiciones estaban vivos, seguramente sin recordar que han desaparecido del planeta hace 65 millones de años. Eso es confiar, eso es dulce inocencia, a ver si aprendés un poco, eso es tener vuelo y mandarse al frente. Vos te asustás por nada más que 3.500 años y encima no se trata de algo vivo. Es un objeto. ¿Acaso no se mantienen momias egipcias de hace unos 4.500 años?

—¿*Vivas?*

No te hagas vos el vivo.

—*Mejor sigamos... Señoras, señores y ángeles cercanos: el detective de Dios, el admirador de Philip Marlowe al que, por eso, algunos amigos míos llaman Felipe para castellanizarlo y subdesarrollarlo, vuelve a una loca aventura: "El regreso del zopenco"... ¿Debo entender que vas a ir a buscar la serpiente de bronce?*

La serpiente de bronce o cualquier otra cosa que sea el símbolo indiscutible y absoluto del milagro.

—¿*Y por dónde vas a empezar?*

Por una breve declaración, para ubicarnos. Decir que nadie puede ni siquiera rozar con la imaginación la inmensidad del universo. En él hay millones de galaxias, en cada galaxia hay millones de sistemas solares y en cada sistema solar hay cientos de planetas. Nuestro sistema solar es de los más chiquitos, con apenas nueve planetitas de cuarta. Uno de ellos es el tercero después del Sol, la Tierra. Un planeta menor. Es tan minúsculo y patético en medio del universo como un grano de arena en el desierto. Y no es una comparación antojadiza ni exagerada, es tal cual. Esto no lo discute ni el más escéptico de los científicos. En ese grano de arena vivimos unos seis mil millones de personas. Si uno acepta esto está dispuesto a aceptar prácticamente cualquier cosa.

—*Un milagro no es cualquier cosa...*

Lo sé y no me interrumpas. La vida de cada uno de nosotros está llena de señales, signos que nos son puestos frente a nuestras narices por alguna razón que a veces nos supera. Señales que nos advierten, nos traen fragmentos del misterio, nos ayudan, nos confortan, nos ponen en alerta. Todo esto siempre y cuando sepamos entender esas señales. Y también hay milagros. Ahora viene la parte en que me ayudás a explicar.

—*No. Vos sos el detective de Dios, ¿no es cierto? Y te encanta. Así que salí a la calle a buscar respuestas.*

¿Una ayudita?

—*De vez en cuando vas a encontrar algún mensaje en tu e-mail, tu correo electrónico. Siempre decís que los libritos los escriben entre todos, vos y los lectores. Bueno, ahora será así más que nunca. Digamos que son como aliados míos...*

¿Otra ayudita?

—*La clave de lo que salís a buscar está contenida en algo que te diré y deberás tener presente: paz serena.*

¿Paz serena? Bue. ¿Una ayudita más concreta?

—*Andá al hospital de Vicente López. El doctor Lucas va a estar esperándote. Preguntale lo que quieras. Sabe mucho de milagros y de señales.*

Respiré profundamente. Estaba otra vez en lo mío y eso solo me devolvía buena parte de las fuerzas. No necesito halagarlos, pero les doy mi palabra de que pocas cosas me hacen sentir tan bien como trabajar para ustedes, encender una luz para sus caminos que también son los míos, rastrear alivios, mostrar ejemplos. Lo primero que hice fue sentarme frente a mi computadora para ver si lo que me había contado Mariano ya estaba funcionando, eso de los mensajes. Y sí, estaba funcionando.

3

Allá vamos

Tal vez me esté poniendo viejo en serio. O quizá la vida me regaló tanto bueno y tanto rudo que, finalmente, estoy empezando a ser un ser humano. Lo cierto es que, como ya es costumbre cuando escribo, yo estaba solo como la luna, aislado y rodeado de libros que eran mucho mejores que éste que estaba gestando, cuando encendí mi computadora y busqué en mi correo electrónico la confirmación de lo prometido por Mariano. Sin que siquiera tecleara nada apareció un envío de Cecilia, una querida amiga que es un baldazo de luz sobre las sombras. La primera aliada de Mariano, pensé. Recuerden que yo venía de transitar esos días en los que al mundo se le borraron los colores. Si bien ya había empezado a recobrar las fuerzas, aún estaba un poco más sensible que lo habitual, con la piel del alma alerta y reponiéndose de mi batalla interior. O tal vez, como dije al principio, simplemente me esté poniendo viejo. Lo cierto es que, cuando leí aquel envío de Ceci, mis ojos se llenaron de lágrimas. En el final de aquel relato lancé un involuntario gemido y un hipo de angustia me mandó un golpe de aire como si me hicieran boca a boca en el alma. Era uno de esos textos que circulan por Internet y que te mandan los amigos. Textos de autor desconocido pero que a uno le dan ganas de conocerlo. Éste, el de mi emoción inmediata, parece tener su origen en los Estados Unidos. Y dice así:

JIM REPORTÁNDOSE

En una ocasión, cerca del mediodía, un sacerdote estaba dando un recorrido por su iglesia y se detuvo discretamente junto al altar mayor para ver quién se había acercado hasta allí a rezar. Precisamente en ese momento se abrió la puerta y entró un hombre que hizo fruncir el entrecejo al sacerdote. El recién llegado, que caminaba por el pasillo central hasta el altar, llevaba sin afeitarse varios días, su pelo estaba revuelto y seco, vestía una camisa rasgada y un abrigo gastado cuyos bordes habían empezado ya a deshilacharse.

El hombre se arrodilló, inclinó la cabeza, permaneció así por apenas un par de minutos, se levantó y se fue.

Durante los siguientes días, el mismo hombre, al mediodía, llegaba a la iglesia, se arrodillaba como siempre por un breve lapso y volvía a salir.

El sacerdote lo observaba como al descuido sintiéndose un poco temeroso porque empezó a sospechar del visitante, pensando que podía tratarse de un ladrón. Un día no aguantó más. Se paró en la puerta de la iglesia y, cuando el hombre se disponía a salir, le preguntó a boca de jarro: "¿Qué haces aquí?". El hombre dijo que trabajaba en una fábrica, que tenía media hora libre para el almuerzo y que aprovechaba ese momento para rezar. "Sólo me quedo unos instantes, sabe, porque mi lugar de trabajo queda un poco lejos. Así que me arrodillo frente a la Cruz y digo: 'Señor, sólo vine nuevamente para contarte lo feliz que me haces cuando me liberas de mis pecados; no sé rezar muy bien pero pienso en Ti todos los días, así que, querido Jesús, éste es Jim reportándose'".

El cura, sintiéndose un verdadero tonto, le dijo a Jim que estaba bien y que sería bienvenido a la iglesia cuando quisiera. Lo despidió con verdadero afecto y volvió a entrar al templo. Avergonzado por sus dudas y sospechas, el sacerdote se arrodilló ante el altar, sintió derretirse su corazón con el gran calor del amor y encontró a Jesús. Mientras las lágrimas corrían por sus mejillas, repetía desde el alma la plegaria de

Jim: "Sólo vine para decirte, Señor, qué feliz he sido desde que te encontré a través de mis semejantes y me liberaste de mis pecados. No sé muy bien cómo rezar, pero pienso en Ti todos los días. Así que, querido Jesús, éste soy yo reportándome".

Pasado un tiempo, el sacerdote advirtió que el viejo Jim llevaba varios días sin ir a la iglesia. Comenzó a inquietarse y terminó yendo a la fábrica a preguntar por él. Allí le dijeron que estaba enfermo, que los médicos estaban muy preocupados por su estado pero que, aparentemente, todavía tenía alguna chance de sobrevivir.

La semana que Jim estuvo en el hospital trajo muchos cambios para el lugar ya que él sonreía todo el tiempo y su alegría era contagiosa para todos. La jefa de enfermeras no podía entender por qué Jim estaba tan feliz ya que nunca había recibido flores, ni tarjetas, ni visitas. Hasta que llegó el sacerdote. La enfermera lo acompañó hasta el lecho de Jim y ya a su lado, con él oyendo, le dijo al cura: "Ningún amigo ha venido a visitarlo, él no tiene adonde recurrir". Sorprendido, el viejo Jim dijo con una sonrisa amplia y franca: "La enfermera está equivocada. Ella no sabe que, todos los días desde que estoy aquí, llega al mediodía un querido amigo mío, se sienta a mi lado en la cama, me agarra las manos con suavidad, se inclina sobre mí y me dice: 'Sólo vine para decirte, Jim, qué feliz fui desde que encontré tu amistad y te liberé de tus pecados. Siempre me gustó oír tus plegarias y pienso en ti cada día. Así que, Jim, este es Jesús reportándose'".

En poco tiempo llegaría este mismo envío de una decena de remitentes diferentes, ustedes, los aliados de Mariano. El relato es simple pero tal vez por eso me emocionó tanto. Por eso y porque era perfecto para iniciar la búsqueda. Cerraba los ojos y me veía a mí mismo arrodillado y lleno de energía diciéndole a Jesús desde el alma que allí estaba yo otra vez, ansioso por ganarme su amor, preparado para la misión nueva. Reportándome. Al hacerlo, algo crece por dentro. Y uno comienza a ver las cosas invisibles. A una querida amiga le pasó, fue a reportarse y a la vez a pedir ayuda, alguna señal de que era escuchada. Y ya lo creo que la tuvo. Si quieren les cuento.

4

Andrea Del Boca.
De cómo hay que pasar por momentos muy difíciles para encontrar al fin señales que uno espera

(O cómo conocí en esta entrevista

a alguien que creía conocer)

(Testimonio de hoy)

Ella es tan linda y está tan llena de luz y de colores que, más que una mujer, parece la vidriera iluminada de una juguetería. Todos ustedes conocen sus ojos enormes que hablan cualquier idioma sin necesidad de que ella diga una sola palabra. Aunque tiene una boca perfecta para decirla, cuando quiere. Y lo hace, porque a pesar de tanta dulzura, tiene un carácter como para andar regalando voluntades.

Sepan disculparme, pero no puedo evitar contarles que hemos estado juntos en la cama. Incluso hay fotos que lo documentan: ella cerca de la cabecera, con las piernas cruzadas como un buda bellísimo y yo recostado sobre unos almohadones. Fue en su casa y sus padres estaban en otra habitación. Yo tenía poco más de veinte años y ella alrededor de cinco, creo. Recuerdo bien ese reportaje para la revista *Gente* porque me parece que fue allí donde me cautivó para siempre.

ANDREA DEL BOCA cautiva a millones de personas, no soy algo especial. Hace un par de años estuvo en Israel —donde la televisión la hizo una de las más grandes estrellas del país— y cuando quería salir a disfrutar del lugar era necesario que fuera acompañada por tres soldados porque no podía caminar ni un paso sin el acoso cariñoso de sus fans. También es una estrella en buena parte de Europa y, desde ya, es número uno en América y, obviamente, en la Argentina. Presentarla, entonces, y decir que es una gran actriz y todo eso es como contar que el fuego quema o que el agua moja. Lo que quisiera decir, sí, ya que tengo el placer de conocerla desde que era muy chiquita, es que es una muy buena persona con una muy buena familia. Y una mujer de fe, como verán.

Ahora sí, les aseguro que vale la pena conocer algo que le ocurrió y que tiene señales tan transparentes como ella misma.

UN DÍA MUY PARTICULAR

—¿Cuándo ocurrió, Andre?

—Esto fue en el año 98. El domingo de Pascuas.

—En Nueva York.

—Sí. Yo me había ido a Nueva York desde fin del año anterior, con mamá, con papá, con mi hermano... Estaba en un momento de mucho replanteo en mi vida. Especialmente en cuanto a mi carrera. No sabía si era esto lo que quería, al fin de cuentas.

—¿No sabías? Ya eras un éxito desde hacía unos 30 años, ¿adónde estaba la falla?

—Mi carrera me gustaba, pero no me gustaban algunas reglas del juego que no comparto pero que muchas veces tuve que aceptar. Por eso me fui a estudiar a la Universidad de Nueva York las carreras de dirección y producción.

—No termino de entender. Vos ya eras una estrella. Indiscutible.

—A veces te juro que no es tan lindo ser una estrella. Yo sé que son las reglas del juego, pero me dolían mucho —y si ocurriera hoy sería igual— las agresiones que de pronto hay que recibir de los medios, el hecho de que se metan hasta en las cosas más privadas de tu vida. Eso hizo que dejara de sentir el amor que siempre tuve por mi carrera.

—Perdón, yo no sabía nada de esto y me estoy enterando ahora, pero creo que invadir tu vida privada casi con crueldad es una pésima interpretación de lo que llamás "las reglas del juego".

—Es difícil sentirlo en carne propia. Yo tenía... tenía una sensación como de mucho asco. Pensaba: "Yo di mi vida a esta carrera y de repente aparecen diciendo cosas muy desagradables sobre mí, sobre mi salud". Me sentía como si estuviera observada desde algún lugar oculto y me decía a mí misma que yo no me merecía eso. Mi trabajo puede gustar o no, lo pueden criticar todo lo que quieran, eso sí son las reglas de juego, pero meterse en mi vida tan profundamente no era justo. Siempre tuve una vida bastante normal, con errores como cualquier persona, pero normal. La angustia que me provocaba no poder hacer nada para evitar que hurgaran en mi vida privada, que despedazaran mi intimidad, que dijeran cualquier cosa impunemente, fue superior al placer de crear un personaje y disfrutarlo. "Me retiro", me dije. Y quise empezar una nueva carrera.

—Es curioso. Estoy seguro de que la mayoría de la gente, incluyéndome, imaginamos que siempre tuviste una existencia maravillosa, intocable, rodeada de algodones, viviendo entre burbujas, desayunándote con el éxito que te sigue acompañando a nivel internacional, tocando el cielo con las manos y, por consiguiente, siendo completamente feliz.

—Yo soy un ser humano como cualquier otro, que sufre, que le pasan cosas. En esa época yo venía de una separación que siempre duele pero no tuve ni siquiera tiempo para elaborar el duelo porque estaba trabajando y no podía bajar los brazos, no podía darme tiempo para llorar.

—Uno sospecha que una estrella está rodeada de gente que lo único que hace es tratarla bien y darle todos los gustos, mimarla.

—La gente que te ama hace eso, nadie más lo hace en serio y por sentirlo. Sólo la gente que te ama siempre, sin que importe lo que vos seas. En ciertos momentos hay mucha soledad cuando una está trabajando dentro de un estudio, porque aunque llegues a miles de personas, nunca llegás a conocerlas, no llegás a verles las caras. La gente, el público, es el que te recarga las baterías para seguir adelante, pero ese efecto no lo tenés todo el tiempo. Cuando no están, la soledad te muerde.

—Así te sentías...

—Sí. Me dije: "Yo no me siento parte de este sistema; si éstas son las reglas del juego, yo no las quiero jugar". Lo hablé con mi familia y ellos, como siempre, me entendieron y apoyaron en mi decisión de irme a estudiar a Estados Unidos. "Tratá de reencontrarte", me dijeron.

—¿Como entra la fe en esta historia?

—Yo me cuestionaba mucho. Le pedía a Dios una respuesta.

—Todos lo hacemos cuando no sabemos qué hacer.

—Soy muy devota de la Virgen porque, como buena madre, es la protectora de todos ¿no? Me da la sensación de que siempre nos está cuidando, cubriéndonos con su manto.

—Buena sensación. Y cierta: es la Mamita.

—Sí, es verdad... Y bueno, resulta que yo siempre iba en Nueva York a la iglesia de San Patricio. Hay dos lugares que los siento míos y es adonde voy siempre: uno es el Santo Sudario, que queda entrando a la izquierda, y el otro es un altar de la Virgen que queda detrás del altar mayor. Cada vez que he tenido problemas, cosas que me cuestiono, voy allí. En general voy cuando no hay misas, en horarios donde hay menos gente. No es que me molesten las personas sino que quiero tener una charla como más personal con la Virgen...

—Disculpame... ¿antes de aquello tenías con la Virgen ese tipo de charlas personales, como vos las llamás?

—Sí. Recurro a Ella muchas veces. Totalmente, totalmente.

—Ese domingo de la Pascua de 1998 pasó algo así...

—Venía pasando desde hacía un tiempo, ya. El domingo anterior había ido a misa a Santo Tomás, otra iglesia de Nueva York que queda sobre la Quinta Avenida. Pero el de Pascua fuimos, mamá y yo, con la intención de entrar a la Catedral de San Patricio. Se nos hacía difícil porque había muchísima gente, colas interminables, entradas cerradas, el templo ya colmado. Le dije a mamá: "Bueno, no importa, tenemos nuestros rosarios y podemos rezar aquí, en la calle". Mamá insistió en intentar. Fuimos a una de las puertas laterales, sobre la calle 51 y allí había gente que estaba esperando desde hacía horas pero habían dicho que esa no la abrirían. Sin embargo, apenas llegamos, la abrieron y de repente, un poco sorprendidas, nos vimos en el interior de la iglesia. Fuimos al Santo Sudario, yo encendí una vela y me puse a rezar. Traté de aislarme de todo lo que me rodeaba. Sufría con mi conflicto y se lo contaba a Jesús. Por un lado estaba llena de dudas, no sabía si estaba bien o no la decisión que iba a tomar, me sentía enojada conmigo misma porque no me gustaba toda la situación. Y, por otro lado, le decía: "También creo que ésta es la misión que me mandaste en este mundo, ¿no?... Yo he pasado por muchas etapas, la niñez, la adolescencia, la mujer, y me has brindado esta posibilidad que creo que no se le da a muchas personas". Más allá del placer que me dio siempre la actuación, yo creo que es una misión. Algo que hace que tenga la responsabilidad de transmitirle a la gente desde un momento de alegría hasta otro donde puedan reflexionar sobre algún tema. Siento, siempre, ese compromiso con la gente. Por eso tantas dudas, tanto tironeo entre dejar o no dejar mi carrera.

—¿Qué le pedías a Jesús?

—Yo siento una comunicación muy directa con Jesús y con la Virgen. Siento dentro de mí que me están escuchando, lo sé. Esa imagen del Santo Sudario me daba la sensación de mirarme en forma directa. "Dame una señal —le rogué—, necesito una señal. Necesito saber si debo seguir este camino, por favor mostrame qué hacer de alguna manera". Lo pedí desde el fondo de mi alma, con mucha fuerza, con mucha entrega. Y, casi enseguida, fue como si volviera a poner los pies en la tierra y le dije con algo de desencanto: "¿Qué te estoy pidiendo? ¡Qué tonta! Esas cosas las tiene que resolver una sola. ¿Qué señal pretendo? ¿Qué señal me podés dar? No me vas a apagar las luces, no se van a cerrar las puertas, ¿qué señal me podés dar?". Sentí que le estaba pidiendo un imposible.

—Nunca se sabe.

—Sí, pero es que a veces te dejás llevar por la fe y pedís cosas. Y después, en el momento racional, decís: "Pero qué tonta, ¿cómo me va a avisar?, ¿cómo me va a decir?, ¿de qué manera?"... En ese momento mamá me dice por qué no vamos al altar de la Virgen, ese que está detrás del altar mayor. Por supuesto que la catedral estaba llena, con gente parada en todas partes. Al querer llegar nos encontramos con un cordón grueso, rojo, que cerraba el paso. Y un hombre de seguridad nos dice que hasta que no termine la misa allí, no se puede pasar. Ya me iba para otro lado cuando aparece una señora que no conocíamos y abre el cordón para que pasemos. Apenas dimos unos cuantos pasos por ese pasillo, apareció otro hombre que nos paró y nos dijo lo mismo que el primero, pero la mujer le dio la orden de dejarnos seguir y el hombre obedeció. Algo muy raro, en especial en Estados Unidos, porque allí, si hay una norma que cumplir, no hay nada ni nadie que pueda evitarla. Si te dicen que no es no. Con lo de la puerta lateral que se abrió cuando no debía abrirse, con esa señora que parecía tener algún poder y nos eligió para que siguiéramos, parecía que había alguien que nos iba abriendo camino y todos nos dejaban pasar sin discutir...

—Y allí no se trataba de que fueras Andrea Del Boca...

—Por supuesto que no. Era todo en inglés, no eran personas que me podían reconocer o algo por el estilo... No, nada de eso. Allí parecía que había algo mucho más fuerte que nos abría puertas.

"DAME UNA SEÑAL"

—Mamá fue para un sector y yo me quedé sola, con mi rosario, frente a la Virgen. Siempre miro a la Virgen con mucho amor, pero esta vez era con amor arrobado y entrega total. Le rezo y empiezo a pedirle una señal a Ella, a la Madre. Cierro los ojos y le digo: "Yo sé que soy una tonta por pedirte una señal pero no puedo evitarlo". Porque seguía mi conflicto entre lo racional y la fe pura, sin condiciones. Y necesitaba una ayuda tan gigantesca como la de Ella para decidir qué hacer con mi carrera, lo que significaba decidir qué hacía con mi vida.

—Allí empieza lo inexplicable...

—En ese momento siento que alguien me toca el brazo, alguien me agarra del brazo. Yo no abrí los ojos de inmediato y seguí con la cabeza inclinada porque pensé que era mamá.

Cuando abro los ojos despacito y me doy vuelta a un costado, veo que era una muchacha, joven, que me mira con fijeza y con mucha beatitud, con gesto cariñoso. Yo estoy sorprendida y la miro pero sin pronunciar una sola palabra, sin saber qué estaba ocurriendo. La muchacha joven me sonríe y me dice: "Jesus loves you"...

—Jesús te ama...

—Exacto. El tono fue el de una afirmación, como diciendo "sabés que Jesús te ama". Yo me quedé mirándola muy sorprendida. Ella me sonríe, me suelta el brazo, y sin dejar de sonreír se va, se mezcla con la gente. Yo estaba muy emocionada y muy confundida a la vez. Levanté los ojos para mirar otra vez a la Virgen y le digo: "Es la señal, es la señal que te estaba pidiendo, lo que yo estaba buscando es esto". Y al mismo tiempo me digo a mí misma: "Pero qué tonta que soy, ¿cómo puedo pensar que puede ocurrir algo así? A lo mejor fue una coincidencia...". Qué sé yo, es esa lucha que uno tiene cuando todo encaja demasiado bien y te cuesta aceptarlo tan tranquilamente. Se le buscan pelos a la leche, es más fácil aceptar cualquier estupidez que leés o te cuentan que algo así que se da de una manera tan difícil de explicar con palabras. Porque una cosa es contarlo y otra vivirlo. Yo estaba pidiendo ayuda y enseguida me llega un mensaje de alguien que me tranquiliza sólo con tres palabras y un gesto profundamente cariñoso. Hay que aprender que cuando se necesita y se pide una señal, el mensaje que llegará será con algo pequeño, algo cotidiano...

—Disculpame. Antes de seguir... ¿cómo era la chica?

—Era una mujer... ¿cómo te puedo explicar?... Era común. Tenía todo lo maravilloso y sano de una mujer común. Tenía pelo oscuro pero de piel blanca... No era latina, eso seguro. Cuando yo me cuestionaba con la razón lo que había pasado pensaba que en una de ésas era latina y me conocía y por eso se había acercado, pero no. Sin dudas no era latina.

—De haberlo sido y conocerte, te hubiera hablado en español...

—Claro, por supuesto, hubiera sido una manera de acercarse más. Pero no era sólo eso. Su aspecto, su forma de caminar, su actitud, todo lo suyo no tenía nada que ver con lo de una mujer latina.

—Era joven, dijiste.

—Sí. Tendría... no sé... unos veinte años. Era una mujer muy joven. Jovencita, era. Y tenía mucha paz, la cara de ella tenía mucha paz. Y su sonrisa también.

—¿Qué hiciste cuando se fue?

—Me preguntaba: "Dios mío, ¿qué fue esto?", y me angustiaba mucho, lloraba mucho. Era angustia, sí, pero también sentía que ese llanto me limpiaba por dentro, que necesitaba aferrarme a eso y dejaba que pasara.

—Si no cambiaron las normas, eso se llama emoción.

—Seguro. Una emoción muy fuerte. Yo me había separado un poquito del altar de la Virgen y estaba llorando apoyada en una columna. Tenía toda la cara empapada... En ese momento siento que alguien me abraza pero no de frente como los hermanos o como los amigos. Me abraza de costado, de una manera protectora como las mamás... ¿Viste cuando una tiene a su bebé en brazos y lo apoyás contra tu pecho y lo mecés de una manera protectora? Ahora me doy cuenta mucho más con mi hija ¿no?, pero ya en ese momento la sensación era exactamente ésa. Sentía que, en silencio total, yo estaba siendo consolada por mi llanto, por mi angustia. Y yo me dejo estar. Ahí ya ni me planteaba si era mi mamá o alguna otra persona. La sensación era como de mi madre ¿no?, pero no lo sabía y no me preocupaba porque sentía que me estaban cuidando. Lloraba con mucha angustia pero, poco a poco, empiezo a sentir esa sensación de notar que la angustia se va, desaparece despacito, una se va calmando y se puede respirar más profundo. Entonces empiezo a abrir los ojos y la miro. Era otra mujer. No era mi mamá.

—¿Tampoco era la anterior, la jovencita?

—Tampoco era la anterior. La anterior se había ido, yo la había visto cuando se había ido hacía apenas un instante. Era otra.

—¿Cómo era ésta?

—Era joven, también. No sé. Tanto a la primera como a ésta se hacía difícil saber cuánto tendrían. No tenían edad, no sé. Tampoco su vestimenta revelaba algo, eran mujeres comunes en el mejor sentido de la palabra, mujeres simples, diáfanas. No se las veía ni ricas ni pobres ni jóvenes ni mayores. Solamente una cosa llamaba mucho la atención... Vos sabés cómo son los norteamericanos y los no norteamericanos que viven en Estados Unidos y especialmente en Nueva York: no se dan mucha confianza entre ellos, nunca hay un acercamiento físico aun en el cariño. Yo he estado en Navidad y en otras fiestas muy importantes para ellos y se saludan, "Merry Christmas", pero hasta ahí. No es ni bueno ni malo, es una costumbre. No son de abrazarte ni de ninguna otra manifestación física de afecto, son muy medidos. Jamás te tocan. La primera mujer me había tomado del brazo y luego la otra me abraza y me contiene de una manera impresionante, tanto que me aflojo, me dejo estar, y siento que la angustia cede.

—¿Y qué pasó con ésta?

—Abro los ojos, la miro, veo que no era mi mamá, ella me sonríe con mucho afecto y mucha paz y me vuelve a decir lo mismo: "Jesus loves you".

—¿No estaría allí y escuchó lo que te dijo la otra?

—No, para nada. Con la primera estábamos muy cerca y me habló bajito, era algo íntimo que nadie más pudo escuchar. Además yo no había visto a la segunda en ningún momento y habían pasado varios minutos desde un encuentro y el otro... Yo también pensé en estas cosas que vos me planteás pero no, no tenían nada en común con respecto a mí. Y las dos me dicen exactamente las mismas tres palabras, como si la frase fuera reafirmada para que yo no tuviera dudas: "Jesus loves you".

—¿Vos qué hiciste en ese momento?

—Yo la miré como incrédula. Sí, creo que así fue mi mirada, la de una incrédula que quería preguntarle: "Pero ¿qué es lo que me estás diciendo?". No se lo dije porque no me salían palabras. Pero quería preguntarle con los ojos: "¿Qué es exactamente lo que me querés decir?". Y ella pareció entender perfectamente esa pregunta que solo pensé, sin decirla. Sonrió más todavía y con un tono... ¿cómo te puedo explicar?, ¿viste ese tono que le ponés a alguien cuando le repetís una cosa con mucho cariño y es como si le dijeras: "Pero por qué no entendés si es tan simple"? Con ese tono, con ese mismo tono maternal y hasta un poco risueño, volvió a decir la frase: "Jesus loves you"... Era como una afirmación, como si me estuviera diciendo con mucho cariño: "No seas tontita, creé porque es así"... Y, como la primera, sin dejar de sonreír se separó de mí y se fue. Yo me quedé paralizada. No podía ni... no sé, nada. Pensé: "Ésta es la señal, evidentemente. La primera fue la señal y como yo dudé, le puse todas las barreras de lo racional, lo presuntamente adulto, después vino la reafirmación con esa segunda muchacha". Yo pensaba en eso y en ese exacto momento en el templo comienza una música muy suave, muy celestial, como de los ángeles era. Y yo me senté y temblaba toda. Y vino mamá que se asustó y me preguntaba: "¿Qué te pasa? ¿Qué te pasa?". Ella había estado adelante y no tenía ni idea de lo que había pasado. A mí no me salían las palabras y, en cuanto pude, le conté, atropelladamente.

—Decididamente no eran mujeres que te habían reconocido... Me siento como la mona planteándote estas cosas, pero quiero que entiendas que es como mi obligación buscarle pelos a la leche, disculpame.

—No, al contrario. Son las mismas cosas que yo también me pregunté y que fui descartando. Si hubiese sido alguien que me reconoció me hubiera hablado en mi idioma o me hubiese dicho "Andrea" o cualquier otra cosa relacionada con mi carrera. No hubo nada de eso. Yo sentí con una claridad impresionante que me estaban reafirmando que Jesús me amaba y que no tenía que angustiarme, que tenía que parar la máquina con lo de dejar avanzar tanto a la razón y debía dejarme llevar por mis sentimientos. Por otro lado, no hay manera de explicar por qué las dos mujeres, que no estaban juntas y que aparecieron con varios minutos de diferencia, me dijeron exactamente la misma frase. La misma, ¿entendés?

—La primera vaya y pase, es cierto. Especialmente teniendo en cuenta que estaban en una iglesia. Pero que la segunda diga lo mismo ya es mucho, en especial cuando los católicos solemos usar mucho más el "que Dios te bendiga" pero muy poco el "Jesús te ama"...

—Exacto. Ésa fue otra cosa en la que pensé luego, buscándole cinco patas al gato. "Dios te bendiga" es el deseo más habitual, casi una forma de saludo para el católico, pero yo nunca había escuchado a nadie y mucho menos a un desconocido y muchísimo menos a dos en el término de minutos decir aquel "Jesús te ama". Y el tono. No te puedo transmitir el sentido de ese tono en sus voces: todo paz y, a la vez, una certeza absoluta, nada de tono de consuelo o de "qué le vas a hacer, ya va a pasar"; al contrario, era confirmarme ese amor, era "por qué te vas a hacer problema si Jesús te ama y Él nunca abandona a los que ama". ¿Se entiende?

—Maravillosamente. Y me encanta lo que entiendo. ¿Qué sentías vos?

—Fue una sensación de tanta paz, de tanto placer, de tanto amor, de tanta... y yo me dije que tenía que vivir a pleno ese momento, tenía que dejarme llevar, conocerme más, saber que tenía una fuerza que yo no conocía y empezar a buscarme más como mujer. Creo que era justamente ése el cambio que yo estaba necesitando. Fue un momento importantísimo en mi vida personal, me hizo crecer en lo profesional y fue muy bueno para mi sentimiento religioso. Si bien yo siempre tuve mucha fe, alguna vez me sentí rodeada de presiones que en la vida les ocurren a todos y cometí la torpeza de preguntarle a Dios: "¿Y por qué? ¿Por qué me dejaste sola?". Aquello también sirvió para darme cuenta de que nunca te deja solo.

—Un par de años después, esa reafirmación de la fe ¿tuvo algún peso, también, en tu embarazo? Me refiero, con todo respeto, a tu situación de madre soltera y, encima, archifamosa...

—Desde el primer momento en que me enteré que estaba embarazada no tuve dudas de tener a mi hija. Hubo una etapa en la que se presentó una situación difícil en la cual corrí el riesgo de perder el embarazo y fue necesario un reposo absoluto para que se afirmara y pasara el peligro. Seguí al pie de la letra las indicaciones. Si no hubiera ocurrido lo de Nueva York, hubiera hecho lo mismo, lo sé. De todas formas, aquellas señales fueron tan firmes que no dudé ni un instante en dejarme llevar otra vez por lo que sentía. Jamás se me pasó por la cabeza otra cosa que no fuera tener a mi bebé. Mi situación, durante el embarazo, no era fácil, pero si de algo estaba segura era de que yo iba a defender esa vida con uñas y dientes. Yo lo sentí desde el primer momento como una bendición, como un premio que Dios me daba diciéndome: "Bueno, esto es lo que va a marcar tu vida para siempre como persona, como ser humano". Mi familia me apoyó sin condiciones desde que se los conté, pero hubo mucha gente, mucha gente, que no pensaba igual y me lo decían. No dudé ni un segundo. Ya no era cosa solamente mía, yo tenía que proteger y defender los derechos de ese ser humano que llevaba dentro mío, sobre todo el derecho a vivir.

—Estoy orgulloso de ser tu amigo, Andrea. Imagino que no es fácil ser madre soltera y mucho menos con tu fama, pero es digno, es noble.

—No lo sé. Sólo sé que ni pensé en otra opción. Cuando el médico me habló del peligro de un aborto espontáneo por ese problema que había surgido, me acosté como él me dijo, crucé las piernas con mucha fuerza, me encogí en posición fetal como para imitar y proteger a ese garbancito que llevaba en mis entrañas y le prometí que iba a defenderlo con mi propia vida. También aquello lo tomé como una señal. Jesús, la Virgen, me habían bendecido con algo tan maravilloso como un hijo, pero el problema que surgió, la posibilidad de perder el embarazo, era una manera de decirme: "Bueno, a ver si lo querés por egoísmo o porque en verdad vas a honrar a la vida". Mi embarazo era de poco más de dos meses, apenas había comenzado. Si yo tenía alguna duda sobre qué hacer, ése fue el momento de demostrar todo lo que amaba ya a mi hija desde el instante mismo de su gestación, porque la posibilidad de perderla me dio más fuerzas que nunca para defenderla. Porque uno no sabe el exacto valor de algo hasta que lo pierde o, como en este caso, hasta que corre el riesgo de perderlo. Durante tres días me quedé en cama y no hacía ni el menor movimiento, nada. Cuando no tuve más pérdidas y el médico me confirmó que estaba todo bien comprendí que ya había pasado la prueba que significó aquella señal. Sentí dentro mío un alivio y como si le estuvieran diciendo a mi alma: "Fortalecete en esa sensación". Y otra vez el mensaje de: "Hacé siempre lo que sentís que debés hacer y no te vas a equivocar". Lo que yo sentía era eso, respetar la vida de mi hija desde el momento en que supe que estaba dentro mío.

—Y otra vez la Virgen...

—Otra vez, sí. Yo me la imaginaba tapándose las orejitas ante mis pedidos y diciendo: "Otra vez, ay, otra vez"...

—Vos sabés que escucha siempre.

—Sí, claro que lo sé. También apelé a mi abuelita para que intercediera con la Virgen. Le decía: "Abuela, por favor, pedile a María que no le pase nada al bebé, que se aferre bien, que se implante bien, que se pegue bien". Y después el médico me decía: "Está agarrado con los dientes el bebé". En ese tiempo es cuando decidí ponerle Anna, que es el nombre de mi abuela y es también el nombre de la abuela de Jesús, la mamá de la Virgen, la mamá de María.

—Es una hermosa historia.

—Y la cuento, sobre todo, para que le sirva a quien pueda necesitarla ante cualquier dificultad en su vida. Tenemos que rezar el padrenuestro, el avemaría, por supuesto, pero no tenemos que dudar en hablarles como un hijo debe hablar a sus padres. A veces, algunos pueden recitar las oraciones como de memoria y eso no vale nada. Hay que sentir lo que se les dice a Jesús, a María. Hablarles con el alma, no temer pedirles, rogarles ayuda si la necesitamos. Y aprender a entender las señales que nos mandan, los caminos que nos señalan. Ellos siempre están y creo que les gusta que les pidamos ayuda de la misma manera en que a una madre o un padre les gusta que sus hijos les cuenten sus cosas y les pidan apoyo.

—Andy... Gracias, ¿eh? Gracias desde el alma.

—No, gracias a vos por escucharme. Uno no habla demasiado de este tipo de cosas porque no sabe si las van a entender o si van a pensar: "Esta chica está loca". Y por temor, por pudor, por timidez, a veces no se comparte con los demás. Pero la Virgen, en todos sus mensajes, ha pedido que uno trabaje para Ella. Hablar sobre María, sobre Jesús, sobre la fe, es la mejor manera de hacer ese trabajo. Podemos pasar por muchas pruebas difíciles en este mundo, pero no olvidar nunca que Ellos están. Por eso te lo cuento, para que nadie se sienta solo. Y para que aprendamos a pedirles, a hablarles. Yo voy mucho a visitar a la Virgen que desata los nudos y, a veces, alguien me dice: "Ay, pedile por mí". No es así. Yo les digo: "Pedile vos, ¿por qué no le pedís vos?". Y me dicen que porque no saben rezar bien, porque no van mucho a la iglesia, porque esto, porque lo otro. Para hablar con María o con Jesús lo único que hace falta es abrir el corazón. Si entienden eso van a entender muchísimas cosas de la vida, incluyendo las señales.

—Andy, ¿sabés una cosa?

—¿Qué?

—Jesus loves you.

Se ríe y sigue teniendo la misma risa cascabelera que cuando tenía cinco años o no mucho más. Esta charla se llevó a cabo en febrero de 2001. Como a lo largo de toda su vida, Andrea Del Boca seguía peleando por aquellas cosas que ama. Es la mejor manera de pelear por la vida.

5

El doctor Lucas
y la contraseña de Dios

La Guardia de casi todos los hospitales es como un enjambre, con una diferencia: allí no hay zánganos, no hay tiempo para eso. El sonido de una sirena que se apaga como pinchándose en la puerta misma de las emergencias puede augurar que pronto se encontrarán con un hombre apuñalado en el abdomen, un chico que se atragantó con la tapa de una gaseosa, una mujer pariendo, alguien con su corazón dando las hurras finales o un millón de casos diferentes, algunos de los cuales son francamente insólitos y difíciles de imaginar.

El hospital de Vicente López es municipal y eso solo podría asustar a cualquiera en la Argentina, aunque —ésta es la sorpresa— es considerado uno de los mejores, situación que crece con la calidad humana de los médicos y las enfermeras. Pensé, al principio, que tal vez por eso el doctor Lucas estaba allí. Luego me incliné a imaginar lo contrario: que ese lugar era tan bueno precisamente porque Lucas estaba allí. Al final de la charla ya había comprendido que ninguna de las dos cosas eran correctas y que en realidad Lucas era más que nada un símbolo del profesional que no olvidó su juramento y que es un orgullo para todos. Lucas, ciertamente, estaba allí ese día y al siguiente en el Tornú y al otro en el San Martín y luego en el Ramos Mejía y en otro y en otro y en otro. Aunque, francamente, la verdad es que estaba en todos al mismo tiempo. Lucas era más que uno. Pero me estoy adelantando y eso no está bien. Me pongo ansioso como chico en calesita, si es que las calesitas aún existen.

—Hola —dijo a mis espaldas. Me volví y allí estaba, un tipo que no voy a describir porque prefiero que cada uno lo imagine como ese médico al que admiran y respetan. Algo hay de Lucas en él.

—Vení por acá —me invitó. Y cruzamos la Guardia donde había un señor al que le estaban dando unos puntos de sutura en la calva mientras él se aguantaba sin pestañear con la trompa hacia adelante delatando su casi indiscutible condición de gallego fuerte; otro en una camilla con una mascarilla de oxígeno y una enfermera que le hablaba tranquilizándolo; una mujer que lloraba con gesto de dolor; gente vestida de blanco y de verde clarito que se movía con agilidad pero con calidez. Seguí al doctor Lucas hasta un consultorio pequeño al que me invitó a pasar. Nos sentamos.

—No sé muy bien por qué estoy aquí —le expliqué—, pero me dijeron que vos sabías mucho de milagros y señales.

—Vamos al grano. Vos ya sabés que la palabra milagro viene del latín *miraculum* y que significa "admirarse".

—Sí, pero si nos guiáramos por eso muchísimas cosas serían un milagro. Qué sé yo, la Novena Sinfonía de Beethoven o La Gioconda...

—¿Y no lo son? —preguntó sonriendo—. Pero ése no es el tema. Mirá, la definición amplia dice que "el milagro es un hecho insólito que supera la esperanza y la capacidad de quien lo observa".

—¿Y en un sentido más religioso?

—Allí talla Santo Tomás. Es más directo, más simple, más claro: "El milagro es aquello que ha sido hecho por Dios fuera del orden de toda la naturaleza creada...".

—Ésa me gusta más. Oíme, ¿vos sabés algo de la Serpiente de Bronce?

—Sí, claro, la del Antiguo Testamento.

—Ah, vos sí que sos culto. No como un amigo mío que...

Sentí como una palmadita en la nuca. Digo palmadita para hacerla fácil, porque me impulsó la cabeza hacia adelante como si estuviera dando un picotazo al aire. Lucas me miraba fijamente con ojos divertidos.

—Bueno, no tiene importancia lo de mi amigo. Contame qué sabés de la Serpiente de Bronce. La busco porque necesito un símbolo del milagro.

—Paz serena —me dijo sin dudar.

—¿Vos también?

—Quien quiera oír que oiga, hermano. En cuanto a lo del símbolo de Moisés con el que la gente se curaba con sólo mirarlo, olvidate. No es lo que importa. Mirá... —dijo señalando un pequeño afiche pegado en la pared. Tenía un texto sobre vacunarse de no sé qué pero, más que nada, estaba ilustrado por el dibujo de una serpiente enroscada sobre un cetro o un palo o un... asta. El símbolo.

—No te emociones —aclaró Lucas—, eso se llama caduceo y es símbolo de la medicina desde la época de los griegos antiguos. Ellos simbolizaban con eso al que creían que era algo así como el dios de la medicina, Esculapio. Incluso algunos creían que si estaban enfermos bastaba con soñar con Esculapio para curarse...

—Ah, muy científico.

—¿Científico?... La medicina es la menos exacta de las ciencias. Hace apenas un siglo y medio se creía que era buen remedio para muchas cosas desangrar a los pacientes. En esos tiempos al doctor Carlos Finlay sus colegas lo llamaban "el loco de los mosquitos" porque aseguraba que esos insectos transmitían la fiebre amarilla, algo que resultó rigurosamente exacto pero los que creían saber todo despreciaban esa teoría sonriendo con sorna. También a Pasteur lo llamaban loco y hubo médicos que lo denunciaron por hacer experimentos con animales. Y a Pavlov, por sus pruebas para detectar los reflejos. Y, en un principio, a Harvey, un médico al que miraban raro porque aseguraba que la sangre circulaba y tenía como centro del sistema al corazón y no al hígado, como decían todos hasta ese momento, en el siglo diecisiete. Pensá que parece ser que los primeros en usar anestesia fueron los médicos del Imperio Romano pero, sin embargo, los que llegaron luego desecharon y olvidaron ese sistema llamándolo salvaje y peligroso, prefiriendo el que se usaría durante los siguientes mil quinientos años: sostener al paciente, un buen golpe en la cabeza, darle a beber alcohol en abundancia y tratar de cortar rapidito, acompañados por aullidos y gemidos. ¿Científico?

—Bueno, no siempre fue así.

—Claro que no. Fue mucho peor. Durante siglos todos estaban convencidos de que las enfermedades eran castigos que mandaba Dios. "Algo habrá hecho", se decía de un tipo que se revolcaba de dolor. ¿No te suena? La medicina no era bien vista. Recién doscientos años antes de Cristo la cosa mejora un poco: en el Antiguo Testamento, en Eclesiastés 38, 2, se dice que "el médico obra por Dios". Y eso fue un alivio. No, hermanito, la medicina no tiene nada de ciencia exacta y tal vez por eso sea la más apasionante y bella de las profesiones.

—¿Y los milagros? ¿Los médicos creen en milagros?

—Posiblemente más que nadie, ellos los ven a menudo. El hombre mismo es una imagen del milagro. Galeno, uno de los padres de la medicina, afirmaba hace más de mil ochocientos años que la naturaleza y el cuerpo humano eran las mejores pruebas de la divinidad. Guido de Chauliac, en su obra *Grande Chirurgie*, del año 1363, escribe que hay cuatro ventajas en la ciencia anatómica y que la mayor de ellas es la de demostrar sin dudas la potencia de Dios. El doctor Paulesco cierra su impresionante tratado de biología de fines del siglo diecinueve escribiendo que "el hombre de ciencia no debe decir 'Creo en Dios' sino 'Scio Deum esse', 'Sé que es Dios, que Dios existe'". En el siglo...

—Ya está, ya está... Entiendo, pero son cosas de hace mucho tiempo.

—El agua también lo es y la seguís bebiendo.

—Me refiero a que la pregunta tiene que ver con hoy.

—Las cosas no cambiaron mucho, salvo que hoy hay un temor mucho más grande a parecer menos científico si uno se demuestra como aceptando los designios del Creador. Pero vos conocés a montones de médicos que no negarían jamás la intervención de Dios en algún momento.

—Es cierto. A vuelo de pájaro recuerdo a Santiago Valdés, Luis de la Fuente, Raúl Tear, Luis Serrano, Alberto Acámpora, Carlos Siverino, Roberto Cambariere, Jorge Ramos, qué sé yo, un montón...

—Son todos excelentes profesionales y no tienen miedo de creer en algo más que en la ciencia fría. Fíjate que todos ellos tratan a los pacientes con amor. Si tuvieran miedo no podrían hacerlo porque el miedo es el cáncer del amor.

—Segunda vez en el día que me dicen esa frase...

—Lo único que hay que tener en cuenta en estos casos donde la ciencia y la fe pueden convivir es lo que esos excelentes médicos practican, la prudencia. Ni el más lanzado de los místicos puede creer que todo lo que no se entiende es un milagro, no es así.

—¿Y cómo es?

—Se siente. El milagro es la contraseña de Dios.

—Hay quienes piensan que quien tiene fe no necesita el milagro para creer y quien no la tiene no entenderá el milagro, por lo tanto no sirve para nada...

—Eso es como decir que no hablemos más porque los hombres ya saben de la palabra dicha y los sordos no escuchan.

—Es decir que hay milagros, hoy, ahora...

—Siempre. Son más habituales de lo que todos creen. Y no vayas a pensar que se dan nada más que en santos o gente consagrada. De casi cuatrocientas personas que han sufrido las heridas de Jesús, los estigmas, en toda la historia, solamente tres fueron sacerdotes. Dios, por Su voluntad que no se discute y que siempre tiene un propósito, puede hacer que ocurran milagros en cualquiera, aun en aquellos que no creen en Él.

—Los que no creen en Él miran al milagro como algo absurdo, ridículo.

—Y peores adjetivos. Porque el racionalismo introdujo la idea de que el milagro es contrario a la ciencia. Y eso sí es absurdo. Va más allá de la ciencia, pero jamás estuvo en su contra e incluso se sirvió de ella como aliada. Decime, ¿por qué vuela un avión?

—No lo sé muy bien, pero básicamente porque el hombre logró manejar las fuerzas de la naturaleza y...

—Perfecto. Lo mismo ocurre con infinidad de inventos que no sólo se aceptan sino que se usan a menudo sin discutirlos. La clave de todos ellos es ésa: el hombre manejó y a veces alteró en algo las leyes de lo natural. Pensá en algo: si el hombre puede hacerlo, ¿te parece que le estaría vedado a Dios? El milagro es una alteración de las fuerzas de la naturaleza. Es un "invento" de Dios.

—Una cuestión de fe.

—Seguro. Y, como tal, ni siquiera vale la pena ponerse a discutirla. Lo mejor que podrías hacer es aguantarte un poco la gallegada y no enojarte con los que no aceptan los milagros. Te alterás y no es bueno para tu salud, te lo digo como médico. Es una cuestión de fe, sí. Creer sin ver. Confiar. Un amigo mío, Pablo, dice: "Sé en quién he confiado; en Cristo que ha vencido a la muerte y es capaz de darnos la vida".

—¿Hay algún milagro que recuerdes?

—Sí, muchos. Pero hay uno en especial y nada tiene que ver con las sanaciones ni con mi profesión... En los primeros años del cristianismo un hombre le rogó a la Virgen María que le permitiera hacer una pintura de ella. Era un hombre piadoso y María aceptó. Ese cuadro deambuló luego por muchos sitios, siempre protegido por cristianos que lo defendían ocultándolo del enemigo. A menudo lo guardaban en cuartos pequeños y secretos, colocando algunas velas encendidas a su alrededor. Con el paso del tiempo y el hollín de esas velas, la imagen fue oscureciéndose y lo hizo de tal forma que ya comenzaron a llamarla "la Virgen Negra". No se sabe por cuántas manos amorosas pasó, pero la descubrieron en el año 1382 y fue llevada como una auténtica reliquia a un monasterio polaco, en Czestochowa. En 1430 el pueblo y el monasterio son atacados por los bárbaros que arrasaban con todo, borrachos de ira e ignorancia, con el odio en sus rostros y sus almas. Y allí se da un extraño milagro en defensa de la imagen de aquel cuadro... Un grupo de esas fieras armadas entra al monasterio y llega hasta el lugar donde está la imagen. Uno de los invasores, con su espada ensangrentada, lanza una estocada contra el cuadro de madera. Ríe enloquecido y, con la intención de continuar hasta destruirlo por completo, vuelve a lastimar la imagen con otro golpe de su espada. Y, al hacerlo, cae como fulminado a los pies de la pintura, sin vida antes de tocar el piso. Los otros bárbaros dan un paso atrás y huyen de inmediato sin comprender lo ocurrido. La imagen se había salvado.

—¿Qué pasó después con ese cuadro?

—Todavía está allí, en el monasterio Jasna Góra, de Czestochowa, en Polonia. Aún la llaman "la Madonna Nera", la Virgen Negra, y muchos católicos peregrinan sólo para verla y honrarla...

—Esperá un poquito... Que yo sepa, el único que pintó a la Virgen con su consentimiento fue un tocayo tuyo, Lucas, uno de los cuatro autores de los Evangelios. La leyenda dice que lo hizo sobre una madera que hacía muchos años había preparado el joven carpintero Jesús, al que Lucas nunca conoció pero escuchó las historias de Él que le contó María mientras ese hombre la pintaba... Y era médico, viejo. Lucas era médico.

—¿Y?

—El asunto ese de tu amigo Pablo. ¿Cómo era el apellido? ¿Pablo qué?

—¿Qué tiene que ver?

—¿Cómo qué tiene que ver?... Oíme, Lucas le dedicó su Evangelio a un tal Teófilo. Eso aparece en el primer versículo y fue siempre un misterio. Nadie supo jamás quién era ese Teófilo, salvo que el nombre significa "amigo de Dios", "el que ama a Dios". Nadie lo supo en estos casi dos mil años, salvo el mismo Lucas, por supuesto. Decímelo vos, ahora: ¿quién era Teófilo? Porque vos lo sabés, ¿no?... No podés mentir, doctor, acordate.

Se abrió la puerta del pequeño consultorio y una enfermera joven, bonita, morena, luminosa diría, sonrió con dulzura y se dirigió al doctor Lucas.

—Doctor, creo que tiene una emergencia.

—Sí, sí, claro. Gracias —dijo mientras se ponía de pie rápidamente, me palmeaba el hombro, sonreía un poquito como despedida y hacía un gesto elocuente que quería decir algo así como "la culpa no es mía, ya ves, me tengo que ir". Yo estaba mudo, mirándolo. Se paró bajo el marco de la puerta y se volvió hacia mí.

—Paz serena —me dijo—. No te olvides. Ése es el símbolo verdadero del milagro... Quedate con el libro que está sobre la camilla, puede servirte. Y no busques más allá de lo debido, buscá respuestas en la gente, en los hechos.

Un segundo después se había ido. Yo tenía el alma llena de preguntas y de sospechas, que no será gran cosa para un investigador pero, ustedes estarán de acuerdo, es mucho mejor que no tener nada.

—*No es tan así* —aclaró Mariano, mi ángel, apareciendo por primera vez desde el capítulo 2, lo cual sí es bastante milagroso. Apareciendo es sólo una manera de decir, yo nunca lo vi, no sé cómo es, me pone un poco nervioso que así sea y a veces tengo ganas de ponerme firme y hacer algo pero no se me ocurre qué. Apareciendo no, entonces. Irrumpiendo. Rompiendo.

—*¿Rompiendo?*

Rompiendo el silencio, ¿no?... Y decime para qué interrumpiste ahora mis pensamientos y mi librito.

—*Me hice presente en la continuidad de nuestro librito porque dijiste que era mucho mejor tener algo que no tener nada.*

¿Y? ¿No es así?

—*No lo creo. Depende de qué hablemos. ¿Qué tal tener diarrea, por ejemplo?*

Ah, muy fino lo tuyo, muy delicado. Ojalá que nadie esté leyendo esto a la hora de comer.

—*O tener miedo, o tener un grano en la parte interior de la nariz, o tener una condena de 20 años de prisión... ¿No elegirías no tener nada? Al fin de cuentas Dios creó todo de la nada...*

Eso es cierto, pero por algún inconveniente en los papeles no quieren darme el diploma de Dios...

—*No seas hereje, fue sólo un ejemplo teológico, una manera de reforzar tu confianza en Él. En Dios se cree con una entrega total, sin la más mínima duda, sin preguntas. No hay otra forma. Y Él devuelve siempre esa confianza multiplicada.*

No puedo estar más de acuerdo, Mariano, vos lo sabés. Pero también sabés que a veces la gente se siente apretada, mal, como cercada por unas fuerzas invisibles que nos tirotean el alma con tristezas. No es fácil para nadie seguir confiando en ese caso.

—*No. Nadie dijo que fuera fácil. Simplemente es mejor.*

Explicame eso un poco...

—*Dentro de un rato tenés una entrevista, pero antes fijate si hay algo en tu computadora. Si querés explicaciones y respuestas, ya te lo dijo el doctor Lucas: buscá en la gente, en los hechos.*

Hablando de Lucas, decime...

—*Ahora no, ahora no. Andando, que vas a llegar tarde.*

Hice un gran esfuerzo y puse la mente en blanco para que Mariano no pudiera leer en ella algunos párrafos que le estaba dedicando y que no eran muy agradables. Blanco, blanco, blanco y otro leve pero firme sopapo en la nuca que me hizo picotear el aire como antes. El método para pensar en secreto no parecía servir de mucho. Tomé el libro que había dejado Lucas sobre la camilla, busqué mi auto estacionado a dos cuadras de allí, llegué a mi casa, revisé mi correo electrónico y luego llevé a cabo la entrevista acordada. No tengo más remedio que admitir que Mariano tenía razón. Allí había respuestas. Véanlo.

6

El hombre que confiaba en sí mismo

(Y en nadie más)

La primera en mandarme este relato fue Marcela Guerrero, joven y fresca como el día cuando apenas sale el sol y con tantas cosas por hacer como ese mismo día que se empieza a estrenar con ilusiones. Luego se sumarían más aliados de mi ángel enviándome la misma historia. Es muy buena. Me tomé la licencia de redactarla a mi manera, cuidando que mantuviera todo lo que significa, que no es poco. Disfrútenlo.

Había una vez un alpinista que estaba obsesionado por conseguir llegar a la cima de una montaña y se preparó durante años para hacerlo. Pero era sumamente egoísta y aquella obsesión era tan enfermiza que no quiso compartir con nadie su aventura. Era un hombre joven pero con ambiciones viejas, viejas y desmedidas. Su soberbia era tan grande que le tapaba el resto del mundo, al que no podía ver ni le importaba hacerlo. Se proclamaba a sí mismo como el mejor y afirmaba que no necesitaba ayuda de nadie y para nada.

Cuando creyó que ya tenía todo dispuesto para el ascenso se lanzó al intento. Trepó casi sin descanso y, en rigor de verdad, hay que admitir que lo hacía bien. El joven no era malo en lo que hacía sino en lo que sentía. Llegar a la cima era una manera de demostrarse a sí mismo que él era simplemente superior a la mayoría de la gente. Eso no tenía nada de deportivo, se trataba de leña para la inmensa hoguera de su vanidad.

Trepó y trepó. En eso estaba, solitario y tenaz, cuando la luz del día comenzó a perderse como si el mundo fuera cubierto por una suave tela. Y él seguía trepando. Ya era noche cerrada cuando advirtió que estaba a punto de lograr su objetivo. Sonrió sin alegría pensando en la ostentación que haría con ese triunfo. Una hazaña conseguida por él solo, sin nadie que lo ayudara y sin nadie, también, con quien tener que compartir el éxito. Pero de pronto apoyó mal el pie derecho cuando daba el último impulso para hacer cima. Resbaló. Manoteó el aire buscando una saliente de donde aferrarse pero esa oscuridad absoluta y la nieve que hacía todo resbaladizo le impidieron lo que podía ser su salvación. Cayó irremediablemente, con un silencio que su soberbia le impedía romper gritando su desesperación. A su alrededor todo era sombra, era como caer en el interior de un barril gigantesco. Sólo escuchaba el silbido del viento desplazando el aire en su caída. Por su mente pasaron retazos de su vida, unos pocos buenos, muchos malos, gestos de su egoísmo, actitudes soberbias, miradas de desprecio a los demás, sus propias sonrisas socarronas, su falta de amigos, su ambición desbocada. Pero ni por un micrón de segundo estuvo presente en algo o por algo el arrepentimiento.

De repente se produjo el tirón, seco, fuerte. El extremo de la soga de seguridad había quedado allá arriba, atado a las grampas que él mismo había clavado en la montaña. En el otro extremo estaba él, con el arnés apretado y la cuerda tensa que lo sostenía en el aire. Se bamboleaba con lentitud, como un péndulo gigante que iba dejando de moverse poco a poco. El joven colgaba en medio de la más profunda oscuridad, lo que hacía aún más temible la situación. No podía aferrarse a ninguna cosa, sólo estar allí, colgado en la nada, con un frío atroz y un miedo creciente. La oscuridad era espesa y tangible. Nada más atinó a decir:

—Dios mío... ¡Ayúdame, Dios mío!

Desde el Cielo llegó una voz que parecía abarcarlo todo.

—¿En verdad crees que puedo ayudarte?

—Por supuesto, Señor.

—En ese caso corta la cuerda que te sostiene.

Ni siquiera pensó en cortar la cuerda que lo sostenía en el aire. En lugar de hacerlo, el hombre se aferró a la soga más que nunca.

Al día siguiente, al salir el sol, la gente del lugar se asombró mucho al encontrar a un alpinista muerto, de frío y de miedo, congelado e inerte como una marioneta sin dueño. Más que nada el asombro se debió a que el hombre colgaba en su arnés, con sus manos heladas aferrando la soga que lo sostenía, a menos de dos metros del suelo.

"Porque yo soy tu Dios, quien te sostiene de tu mano derecha y te dice: No temas, yo te ayudo". (Isaías, 41, 13)

Hay gente que sabe eso. Lo que sigue lo demuestra.

Nadie puede explicar
el porqué de cada cosa
(Testimonio de hoy)

Cuando a María Catalina le presentaron a Carlos, ella supo en el acto, durante esa mirada a los ojos, breve pero no débil, que él sería su esposo y el padre de sus hijos. No me pregunten por qué, es lo que ella me dijo y creo que tampoco tiene respuestas racionales. "Presentí el destino" es la explicación de esta mujer dulce que desgrana su relato con cierta timidez, esforzándose en hacerlo porque le cuesta lo suyo pero sabe —y lo dice— que dar testimonio es algo que le está debiendo a la Virgen y a Ella no se le puede fallar.

MARÍA CATALINA GAREIS es médica, en el 2001 tiene 38 años, vive en La Plata, está casada con Carlos que es ingeniero y habla con calma natural.

—Esto comenzó hace casi catorce años, cuando nos casamos y, como todas las parejas, buscábamos tener chicos. Pero había un problema médico.

—¿Estaban seguros de que se trataba de un problema médico?

—Bueno, está documentado. Es cuando empecé a ir a la Rosa Mística, yo soy muy devota de Ella. El santuario queda muy cerca de la casa de mis padres, en La Plata... Desde un primer momento yo no sé si fue una cuestión de fe o qué, pero sentí que tenía como un intercambio con la Virgen. Hablaba yo sola, por supuesto, pero notaba que era recibido lo que yo pedía...

—Disculpame que te interrumpa... ¿el problema médico que se había detectado era irreversible? Vos sos médica, sabés de esas cosas.

—No sé si decir irreversible. Lo que sí sé es que los médicos habían dicho: "Repitan los análisis, con esto que aparece ustedes no van a poder tener chicos, es prácticamente imposible".

—Sin embargo algo ocurría en vos.

—Sí, yo tenía un atraso de dos días en mi ciclo menstrual. Y le rogaba a la Virgen estar embarazada. Poco después, un nuevo análisis determina que el problema que nos impedía ser padres había desaparecido. Para completar el milagro, el test de embarazo da positivo. Tuve algunas pérdidas, pero seguí rezando. Y nació María Rosana. La llamamos así en honor a María Rosa Mística y la bautizamos en su santuario.

—Una linda historia. Gracias por habérmela contado y...

—Pero nosotros también queríamos tener un varón. Hablando con la Virgen yo sentía que me decía: "Sí, vas a tener un varón".

—Y tuvieron el varón, no me digas.

—No. La segunda fue María Belén. Yo le pedía por el varón y la tercera fue María Celeste. Con todo respeto le recordaba a la Virgen lo del varoncito y Ella me decía que me lo iba a dar y vino María Florencia. Y nació otra hija, María Clara. Y otra, María Paula...

—Perdón... Se suponía que no podían tener hijos, ¿no?

—Sí, pero bueno, ya ves... Seis hijas y, finalmente, llegó el varón, Carlos Augusto. El número siete.

—¿Y todo sin problemas, así como así?

—Mirá, tuve dos problemas con los chicos. Problemas graves, me refiero. Uno con María Rosana, la mayor, que cuando tenía un año tuvo una hemorragia digestiva y hubo que internarla en terapia en el Hospital de Niños de La Plata, donde vivimos, con un cuadro muy complicado. Había perdido mucha sangre. Estaba muy mal. Recuerdo una noche muy especial que pasé junto a la nena internada y era como que yo estaba entregada; le decía a la Virgen: "Como vos quieras, ya está, vos me la diste, si te la querés llevar, llevala". Se lo dije desde mi alma, sin miedo. Es curioso, pero decirle eso me dio una gran calma, fue una entrega muy grande, poner toda la situación en las manos de Ella. La nena se salvó y, gracias a Dios, siempre estuvo bien.

—Eso sí que es entrega total. Estabas hablándole de una hija, nada menos. Espiritualmente te pusiste en las manos de la Virgen por completo, esas cosas se dicen fácil, se escuchan fácil, se escriben fácil, pero vivirlas es otra cosa.

—Sí, eso es cierto.

—¿Y tuviste otro problema serio?

—El nene, cuando tenía veinte días, tuvo una meningitis. Por lo general, una meningitis viral como la de él tiene cura fácil, pero en un bebé, a los veinte días de haber nacido, ya es... es complicado, ¿no? Y bueno, también tuvimos mucha fe y salió bárbaro, salió bien.

—Gracias a Dios. Lo que me sigue impresionando es que todo indicaba científicamente que no podrían tener hijos y en diez años tuvieron siete, uno atrás del otro.

—Se lo debemos a la Virgen, se lo debemos a Dios. Nunca podremos agradecerles tener esta familia hermosa.

—Es cierto, pero también se lo deben a ustedes mismos, a la enorme confianza que tuvieron en Dios. Las familias hermosas están hechas por gente hermosa, no hay vuelta que darle. Vos, tu marido, los mismos chicos, el amor que pusieron y ponen, tu fe total cuando le hablaste a la Virgen por María Rosana...

—Además de fe era algo justo. Yo le dije a la Rosa Mística: "Hacé lo que quieras porque ésta es una hija de las dos".

Hay que tener las polleras muy bien puestas para una actitud como ésa. Me quedaba saber algo que me estaba rondando desde el principio:

—María... ¿qué pasaba con tu condición de científica, de médica, cuando aceptaste que la fe te ayudó tanto?

—Mirá, de la misma manera en que yo creo que los milagros existen, he visto también chicos con leucemia a los que les sangraba la boca y la nariz y que terminaban muriendo. Esas cosas me destrozaban por dentro. A una amiga mía que ya no podía tener chicos se le murió un bebé en un accidente terrible hace pocos meses y ahora acabo de enterarme de que, a pesar de su imposibilidad para volver a ser madre, está embarazada. No puedo explicar eso. No puedo explicar por qué a veces se rompen las normas de lo habitual. No puedo explicar por qué unos se salvan y otros no. No puedo explicar qué hay detrás de cada cosa.

—Nadie puede.

—Creo que a la vida uno llega para sufrir y hace lo posible para evitar que eso ocurra pero igual el sufrimiento llega, de una manera o de otra. Si en medio de eso ocurre algo extraordinario que nos salva, si sucede algo inexplicable que nos evita ese sufrimiento, no hay que preguntar por qué. Simplemente hay que aceptarlo como un regalo. Eso, como un regalo. Entonces, hay que contarlo para llevar esperanzas a los demás. Y, después, aceptarlo y agradecerlo toda la vida.

8

Los archivos del milagro

(Primera parte)

Un hombre que fuera enviado por los miembros de una secta de brujos para profanar una hostia consagrada, la lanzó de su boca vomitándola ante el horror de todos los presentes. Quienes lo acompañaban en esa tenebrosa herejía tomaron la hostia del suelo y la arrojaron en medio de las llamas de un enorme brasero. Ante el estupor de todos, la hostia brillaba en medio del fuego pero permanecía absolutamente intacta. Nadie podía entender por qué no se quemaba. Salvo una sirvienta, mujer de mucha fe, que avanzó hasta estar junto al brasero y, con total naturalidad, metió su mano en él con lentitud y sacó la preciosa hostia que estaba más pura y brillante que nunca. La mujer no recibió absolutamente ninguna quemadura.

Lugar del suceso: Amsterdam, Holanda.

Año en que ocurrió: 1345.

Confirmado por: Investigación del Consejo de Regidores.

Autoridad eclesiástica que intervino: Monseñor Jan van Arkel, obispo de Utrech. Luego de un análisis profundo de lo ocurrido, determinó oficialmente que debía considerarse a Dios como el autor del prodigio.

Confirmación oficial actualizada: Congreso Eucarístico de Amsterdam, en esa ciudad, casi seiscientos años después, en 1924.

Éste era un caso breve pero asombroso de los muchos que figuran en el libro que Lucas me diera. Lo había abierto sin demasiadas expectativas, creyendo que sería uno de esos tratados aburridos sobre algo que no me iba a interesar demasiado. Pero me encontré con un tesoro maravilloso, este breve pero antiguo catálogo de milagros comprobados, asombros que nunca tuvieron explicación, fenómenos avalados por las autoridades de la época en que ocurrieron. Muchos de sus protagonistas eran santos o personas consagradas y, tal vez lo más valioso, los avales a esos hechos estaban dados por médicos de primera línea y miembros del clero en todos sus niveles. Es decir la ciencia y la fe, juntos, nada más y nada menos que mi viejo sueño. Voy a reproducir sólo algunos de esos casos, los suficientes. Lo haré atendiendo al tipo de fenómeno y con todos los datos al alcance.

LA LEVITACIÓN

Se trata del levantamiento, el mantenimiento y el desplazamiento en el aire de un cuerpo humano sin ningún tipo de apoyo y sin acción manifiesta de alguna fuerza física. Si bien son bastante comunes los ejemplos que se han hecho públicos sobre este tipo de fenómeno entre los monjes tibetanos, acá vamos a concentrarnos en los ejemplos comprobados en cristianos, en especial en santos. Muchos se asombrarán al leer que tal cosa ocurre en la religión católica sin que se haya contado una y otra vez como sucedió y sucede con los lamas, pero las cosas son así.

SAN JOSÉ DE CUPERTINO ha sido, sin dudas, el caso más extraordinario de levitación en el catolicismo. Vivió en Italia durante el siglo diecisiete y hubo centenares de testigos en cada una de las setenta oportunidades en que se elevó y desplazó por el aire (como mínimo y contando solamente aquellas en las que hubo personas presentes que luego darían su asombrado testimonio).

Para tomar una de las ocasiones en las cuales los testigos fueron hombres de ciencia, basta con recordar aquella en que

José de Cupertino debió ser sometido a una cauterización. Lo que sigue es el testimonio exacto del médico a cargo, el doctor Francesco de Piérpolo:

"El padre José estaba sentado sobre una silla, con la pierna derecha que yo debía operar apoyada sobre mi rodilla. Cuando yo ya estaba aplicando el hierro noté que el padre José estaba arrebatado, en una abstracción completa, como si en realidad no estuviera allí. Tenía los brazos extendidos a los costados de su cuerpo, los ojos abiertos vueltos hacia el cielo, la boca entreabierta y daba toda la sensación de haber cesado su respiración. Esto último me provocó una gran inquietud médica que no duró mucho porque fue reemplazada por mi propio asombro al advertir que el padre José estaba suspendido en el aire, más o menos a un palmo de la silla y sin ningún tipo de apoyo. Di un paso atrás y él permaneció en esa situación. De inmediato intenté bajarle la pierna que mantenía extendida pero no pude hacerlo a pesar de usar la fuerza. Llamé al doctor Carosi y juntos comprobamos el fenómeno. Nos arrodillamos y agachamos para observar mejor y ambos comprobamos que el padre José estaba realmente suspendido en el aire, que parecía no tener un sentido de lo físico y que su arrobamiento era absoluto, como si no estuviera allí en ese momento. Por supuesto no encontramos ninguna explicación científica ni racional a lo que estábamos viendo y que, debo confesarlo, nos conmovía mucho. Esa situación duró unos quince minutos, hasta que llegó el padre Silvestre Evangelista, que vivía en el convento de Osimo. Después de observar lo que estaba ocurriendo sin demostrar miedo o siquiera asombro, llamó por su nombre al padre José y le ordenó en voz normal que volviera a su silla por santa obediencia. El padre José así lo hizo, lentamente, para después recobrar sus sentidos y sonreírnos a todos".

Ésta es la declaración oficial y por escrito del doctor en medicina Francesco de Piérpolo. Algunas aclaraciones que no fueron incluidas en el testimonio para no interrumpirlo:

* El "hierro" al que hace mención es el que, puesto al fuego y una vez que estaba al rojo vivo, era utilizado en las cauterizaciones (tener en cuenta que el episodio ocurre hace unos 350 años). También debido a la época esa operación se realizaba de manera tan precaria, con el paciente sentado en una simple silla y su pierna extendida apoyada sobre la rodilla del médico quien, también, se sentaba en una silla común. Todo esto sin anestesia, por supuesto, pese a lo cual y atendiendo al relato del profesional, José de Cupertino no sólo no emitió ni un mínimo gemido cuando se le aplicara el hierro candente sino que permaneció en ese éxtasis aún hoy inexplicable.

* El "doctor Carosi" al que el testimoniante menciona en su relato era el médico Jacinto Carosi, quien había ordenado la cauterización.

* En el relato se dice que permanecía flotando en el aire "a un palmo" de la silla. Un palmo es la distancia entre el extremo del pulgar y el del meñique al abrir por completo una mano. Unos 25 centímetros.

Ese espacio era imposible para cualquiera pero casi podría decirse que irrisorio en el caso de San José de Cupertino. Otros hechos que lo tuvieron como protagonista así lo demuestran.

Muchos testigos lo vieron volar desde el centro de la iglesia hasta el altar mayor, cubriendo una distancia de unos 30 metros. En muchas ocasiones se elevó desde el piso hasta el púlpito sin ningún esfuerzo. En el año 1645 el Gran Almirante de Castilla visitó el lugar y, al producirse una de las habituales levitaciones del padre José, la esposa del militar extranjero cayó desmayada por la emoción. A menudo volaba sobre los árboles y se detenía, casi con gesto travieso, apoyándose en una ramita débil. El mismísimo Papa Urbano VIII fue testigo directo y testimoniante de uno de aquellos fenómenos.

Cuando fue canonizado, por bula del 17 de julio de 1767, Su Santidad Clemente XIII dejó expresamente señalado en aquel documento papal que "ningún otro santo se le podía comparar a José de Cupertino en su asombroso don".

Dejé expresamente para el final de este breve relato sobre el santo un caso que no sólo es magnífico por el hecho en sí sino que, también, nos demuestra que el milagro puede provocar acercamientos impensados a la religión. Ése puede ser uno de sus fines, provocar acercamientos que se dan por la admiración, pero no es ni debe ser el motivo por el cual alguien sigue formando parte de una creencia. El milagro no es el fin sino un medio. El milagro no es la meta, es un camino más. En el hecho histórico que sigue, eso queda bien en claro.

Juan Federico de Brunswick era un príncipe alemán perteneciente a una de las más importantes familias de la nobleza de esas épocas, gobernantes del ducado que llevaba su nombre. En 1649 realizó una visita oficial por las principales cortes europeas. Juan Federico tenía por entonces 25 años de edad, era un joven muy instruido y lo sobrenatural no estaba en sus códigos de manera especial, pese a lo cual tenía una gran curiosidad por lo que ocurría con el padre José de Cupertino, noticias éstas de las que se hablaba también en su Alemania natal. Tanta fue su intriga que, estando en Roma como parte de sus visitas oficiales, rompió el protocolo y los planes para visitar Asís, donde vivía el sacerdote.

A la mañana siguiente de su arribo se dirigió al convento acompañado de dos chambelanes, es decir algo así como dos ayudantes de gran jerarquía que también pertenecían a la nobleza. Los tres asistieron a la misa que era oficiada por el padre José y, ante sus azorados ojos, lo vieron elevarse desde el altar por sobre sus cabezas, cubrir en el aire y de rodillas una distancia de alrededor de cinco metros y volver de la misma forma para descender en el mismo sitio. Al terminar la ceremonia se fueron, sin hablar siquiera con el padre José. No daban crédito a sus propios ojos y pasaron el día intentando explicaciones que no los convencían. Fue una noche difícil para el corazón y la mente del príncipe Juan Federico. En la siguiente mañana, él y sus dos chambelanes se instalaron en el lugar más cercano al altar mayor en el que el padre José oficiaba su misa. Fue entonces cuando, en el instante mismo de la consagración, José de Cupertino eleva la hostia por sobre su cabeza y también se eleva él a unos cincuenta centímetros del suelo. Queda así, quieto y suspendido en el aire, durante unos cinco minutos. Ante algo semejante, el príncipe se echó a llorar de manera inconsolable. Al terminar la misa fue a verlo de inmediato al padre José con el que conversó durante un par de horas. Juan Federico de Brunswick era de religión protestante, luterano. Luego de aquel día no solamente se convirtió al catolicismo sino que se enroló como miembro de la Orden Franciscana. Al año siguiente volvió a Asís y, ante el padre José y en presencia de los cardenales Faccinetti y Rappacioli, abrazó oficialmente la religión católica para el resto de su vida.

Uno de sus chambelanes, H.J. Blume, era también luterano y, ante la presencia del milagro de levitación del padre José, había dicho que se sentía muy incómodo por algo así que hacía tambalear sus convicciones religiosas. No volvió a hablar más del tema, ni siquiera cuando su príncipe se convirtió al catolicismo. Pero tres años más tarde él haría exactamente lo mismo.

ALGUNOS CASOS MÁS

Hubo otros casos de levitación en el catolicismo, algunos más cercanos en el tiempo. En el siglo diecinueve, por ejemplo, numerosos testigos declararon en su proceso de beatificación que Andreas Furent se elevaba y así permanecía largo rato y a una altura estimada de veinte centímetros en situaciones ligadas a su profunda fe: mientras asistía a una misa, durante el Vía Crucis e incluso orando. La comprobación de estos hechos ya le había valido que la Iglesia lo nominara como bienaventurado, uno de los pasos hacia la beatificación.

Una monja de esa misma época, la Madre De Bourg, tía del obispo francés D'Hulst y cabeza de una comunidad religiosa, se elevaba a menudo a más de un metro del suelo, pero esta situación la incomodaba mucho y quiso tratar de manejarla aunque sin éxito. Según parece, no era demasiado afecta a los milagros en público pero, por alguna razón que escapaba a sus conocimientos y, por supuesto, a los nuestros, comenzaba a levitar frente a testigos sin poder evitarlo.

No ocurría lo mismo con Sor María de Jesús Resucitado, una joven monja carmelita que parecía disfrutar con suave naturalidad del don de la levitación. Era de origen árabe y fueron muchos los testigos de sus vuelos místicos. El principal, al menos para las declaraciones ante las autoridades eclesiásticas, fue el padre Buzy, capellán de su convento. Este sacerdote describió, coincidiendo con muchas otras personas, las levitaciones de Sor María. Dijo que se elevaba hasta el borde del follaje de los árboles y luego "en un parpadeo" se trasladaba hasta el punto más alto en la copa. De allí solía pasearse en las alturas pasando de un árbol a otro y dando la sensación de que se apoyaba en ramitas tan débiles que se doblaban con el peso de sus propias hojas pero no con el de Sor María.

CASOS NOTABLES ENTRE LOS SANTOS

El fenómeno de la levitación, un verdadero milagro ya que rompe por completo con las normas físicas de lo natural, es muy común entre personas santas. Si se me permite, estoy seguro de que sigue siendo algo común en algunos santos de hoy, que los hay, aunque a muchos les cueste creer algo así. Juan Pablo II ha sido uno de ellos y no me parece que se pueda discutir al respecto. La Madre Teresa también. Y mucha otra gente que, aun en silencio, han ofrendado almas y vidas a Dios en alabanza permanente y luchando por dar lo mejor de sí al prójimo. Con respecto a la levitación, hay casos magníficos en la santidad. Puede decirse que todos los que han tenido ese don intentaron mantenerlo en secreto porque ni siquiera sabían cuál era su significado. Hoy hay algunas pautas que permiten sacar mínimas conclusiones:

1) En una abrumadora mayoría, los levitantes no se separaban del suelo cuando lo deseaban ya que el fenómeno se daba por lo general de improviso y sin la voluntad del protagonista.

2) El hecho ocurría casi siempre en momentos de éxtasis religioso, en especial durante la misa, la oración o luego de recibir la Santa Eucaristía. Sin embargo, esta regla no es absoluta ya que existieron casos donde nada de eso fue lo previo.

3) Es evidente que quienes demostraban el don de levitar eran personas cuyos espíritus superaban enormemente a sus cuerpos físicos, dándose esta cualidad —ahora sí— en todos los casos.

4) No se puede hablar seriamente de razones para producirse este peculiar milagro. En algunos casos (como el ya visto de José de Cupertino) ha servido, por ejemplo, para provocar otro milagro: el de conversión. En otros, tal vez sea un sello divino de la santidad de esa persona, quién puede saberlo. Pero, en casi todos, no hay un motivo claro para explicar el porqué de algo semejante. Sólo Dios sabe. Los mismos protagonistas lo han ignorado e, incluso, no han estado demasiado felices de contar con ese regalo que los desorientaba.

SANTA TERESA DE ÁVILA es uno de los casos, probablemente el más claro, en que se da lo apuntado en el último párrafo. Teresa intentaba esconder su don de levitar pero, por alguna razón, no fue posible. Cuando se llevó a cabo el proceso de su canonización, aún estaban con vida muchas personas que la habían visto elevarse espontáneamente. Fueron nueve las que dieron su testimonio detallado e irrefutable ya que eran personas que no se podían objetar por sus propias vidas y lo que se sabía de ellas, siendo en su mayoría monjitas que compartieron con Santa Teresa vida y milagros, literalmente hablando.

En una ocasión fue un grupo considerable de religiosas las que vieron cómo Teresa comenzaba a elevarse inmediatamente después de haber recibido la comunión y, lo que aumentaba el asombro, advirtieron que la santa no quería saber nada con hacer pública esa situación y pretendía evitarla hasta tal punto que se tomaba fuertemente de una reja para no seguir ascendiendo. También era común que, cuando ella sentía que se acercaba una levitación, echara a todas sus compañeras del lugar donde estuvieran y lo hacía rápidamente y sin explicaciones. Pero a veces la cosa ya había comenzado. Es genuino preguntarse si no lo estaría tomando como algo malo, pero la respuesta es negativa. Su resistencia a que eso se hiciera público formaba parte de una condición común a todos los que en verdad tienen un don: un gran pudor para mostrarlo, una humildad que es difícil de calibrar. El que realmente posee un don de Dios para algo determinado no lo niega porque para algo lo tiene, pero no lo exhibe indecorosamente como si formara parte de un circo. La convicción de esto último hizo que yo dudara seriamente de algunos sacerdotes que hacían piruetas seudomilagrosas frente a las cámaras de televisión, tal vez un poquito borrachos de fama y aplauso o —lo que es mucho, pero mucho peor— quizá convencidos de que son ellos los hacedores de maravillas, qué pena, pobrecitos, qué pena. Un milagro es, sobre todo, un acto de amor. Y los actos de amor se llevan a cabo en privado, a menos que el Señor disponga lo contrario por razones que Él conoce. Lo de Teresa fue algo público en varias ocasiones por esa decisión del Señor y de ninguna manera por voluntad de ella, que se resistía de manera obstinada. Sabe Dios cuántas veces le ocurrió en privado y nunca lo dijo. Seguramente muchas, ya que en sus papeles se encontraron, después de su muerte, varios escritos a manera de diario íntimo donde menciona lo que le ocurría con las levitaciones. Allí, al describirlas, dice que cuando se producían en privado y ella no ofrecía ninguna resistencia, la sensación era de una inmensa dulzura, como si su espíritu descansara en las manos de Dios. Cuenta, también, de los momentos en que se oponía por haber testigos y dice que no había forma de hacerlo ya que sentía como si una fuerza gigantesca la elevara muy fácilmente y terminaba por entregarse y recibir, de inmediato, aquel sentimiento de dulzura, según sus propias palabras.

San Ignacio de Loyola, un hombre extraordinario, levitaba con impresionante naturalidad (además de contar con otros dones milagrosos). También Ignacio hizo lo imposible para que no se conociera aquello, pero al igual que a Teresa, no le fue posible lograrlo. En una ocasión fue visto por un hombre llamado Juan Pascal, quien luego sería testigo y testimoniante de esa situación. Contó que San Ignacio estaba orando, cercano al éxtasis, suspendido en el aire a unos treinta centímetros del suelo.

SAN PEDRO ALCÁNTARA iba leyendo un texto sagrado con una concentración tan grande que, sin siquiera advertirlo, al llegar a la orilla del río Guardiana, continuó caminando sobre las aguas sin dejar de leer y siguió en tierra firme en la otra orilla como si nada. En el lugar había muchos testigos cercanos.

SANTA INÉS DE BOHEMIA permaneció durante aproximadamente una hora suspendida en el aire a un metro del suelo, en presencia de una monjita de la Abadía de Castres.

SAN FELIPE NERI estaba muriendo en su lecho y todos los que lo rodeaban, incluyendo a sus médicos, testimoniaron luego que durante un largo rato y hasta el momento mismo de su muerte física, el cuerpo del santo flotó manteniéndose horizontal sobre la cama, a un palmo de ella.

La BEATA MARÍA DE AGREDA pasaba por un trance que fue común a una enorme cantidad de gente consagrada a Dios: levitaba en medio de la oración y de manera inevitable inmediatamente después de comulgar.

En una precaria y por supuesto incompleta "lista de honor" de personas con levitaciones comprobadas —y en la mayoría de los casos reiteradas— están, sin dudarlo, personajes extraordinarios como:

* SANTO TOMÁS DE AQUINO
* SAN FRANCISCO JAVIER
* SAN ALBERTO
* SAN CAYETANO
* SANTA BRÍGIDA
* SAN RICARDO
* SAN FELIPE
* SANTO DOMINGO DE GUZMÁN (el que "inventó" el Santo Rosario, como lo contamos en el librito *La Virgen*).

Y muchos otros, incluyendo a SAN LUIS DE FRANCIA de quien dice la leyenda ya tradicional que estuvo en el aire, a un metro del suelo y en situación de éxtasis religioso, por unos cuatro días. Insisto en que en este caso se trata de un relato que llega a través de los siglos y sin comprobación fehaciente, pero lo incluyo por lo inusual y hasta por lo gracioso, con todo respeto. Si bien conozco mucha gente que está en el aire durante la mayor parte de su vida, cuatro días flotando es en verdad mucho tiempo.

ACLAREMOS, QUE HACE FALTA

Los casos mencionados hasta ahora en este capítulo están comprobados y avalados por testimonios inobjetables. Sólo así se puede confiar en la veracidad y el origen santo de un fenómeno corporal tan extraño. Se han dado (y se dan) casos en los que no se cumple una de esas condiciones e incluso ninguna de las dos.

No hay que dejarse llevar por el primer paparulo que con algún truco circense nos convence de algo que nuestros ojos no pueden creer haciendo que seamos nosotros los que pasamos graciosamente a la condición poco deseada de paparulo. (Nota para los más jóvenes: "paparulo" es una palabra que posiblemente dejó de existir como tal hace uno o dos millones de años, cuando yo era joven, flaco y con pelo. Significa algo así como tonto, despistado, boquiabierto. Se origina en su raíz "papa", que aquí se toma como comida de bebé, algo que se ingiere sin siquiera masticarlo previamente, miren qué clara la alusión: habla de esas cosas que uno "se traga" sin probar antes si sirve o no. Ese vocablo tiene como parientes cercanos a "papamoscas" y "papanatas", el que tiene la boca tan tontamente abierta como para comerse las moscas que andan por ahí o quien deglute con enorme facilidad cualquier cosa como lo haría con la nata, la crema, que no necesita masticación previa).

—*El libro gordo te enseña, el libro gordo entretiene, y yo te digo contento hasta la clase que viene...*

No puedo creer que haya aparecido y, por supuesto, para hacer chistes paparulos a costa mía.

—*No me parece un chiste tan paparulo, hay un montón de lectores que sonrieron...*

Oh, sí, claro, sos más gracioso que un cólico renal. Yo venía escribiendo con mucha tranquilidad, con soltura, precisión y seriedad, hasta que vos volvés al ataque con chistecitos. No quería ni hablar de vos para no alertarte. Pensé que dormías.

—*Yo no duermo.*

Me gustaría saber qué hacés todo el tiempo.

—*Vigilo. Yo no duermo para que vos puedas dormir.*

No te pongas zalamero otra vez, no me extorsiones con la emoción. Yo sé que es así y, en realidad, te lo agradezco. Dame un apretón de manos y hagamos las paces.

—*No tengo manos. Y no me pongas trampas, no voy a aparecer.*

Perdón. ¿Vos creés que yo podría ponerte una trampa?

—*No tengo ni la menor duda, Galle.*

Muy bien, me enojé. Podés retirarte.

—*Puedo, pero no quiero. Porque ya vi para dónde apuntabas con el texto y sé que me vas a necesitar porque el tema es pantanoso.*

¿Necesitarte? ¡Ja! Soy un escritor y vos sos... vos sos...

—*Un ángel.*

Un ángel, sí. Está bien, quedate, pero sólo porque yo lo autorizo.

—*Sí, mi amo. Gracias, hombre blanco.*

Antes de esta interrupción por la cual les pido excusas, les estaba diciendo que hay que tener cuidado con lo que uno cree. No se debe ni se puede confundir a la magia con el milagro. La magia, desde la de los prestidigitadores que se ganan la vida con ella hasta la que practican los hechiceros con diversos objetivos, es cosa de los hombres. El milagro es de Dios.

Por otra parte, tanto en la levitación como en cualquier otro tipo de hecho similar, no se puede descartar que alguien relate algo así y que parezca muy creíble pero que se deba a un trastorno mental de la persona que nos lo cuenta. El pobrecito no nos quiere engañar sino que siente que en verdad vivió algo como lo que relata y es justamente por eso que suena tan creíble. En cualquier situación que se presente un hecho muy fuera de lo común, más allá de lo natural, es sumamente importante que la persona protagonista sea por completo confiable y es una ayuda invalorable que existan testigos de lo que se testimonia.

Primer punto a tener en cuenta, entonces: la veracidad. El otro punto es más delicado. Hubo casos en los que muchos asistieron a un hecho que fue más allá de las reglas de la naturaleza pero cuyo origen no era divino sino todo lo contrario.

—*Atención, zona pantanosa, circule con cuidado.*

Una gran cantidad de santos debió enfrentar al maligno que usó sus poderes para levantar en el aire a alguna desdichada persona a la que hacía bailotear grotescamente frente a los ojos de esos santos con la intención de hacerles tambalear la fe con esa demostración de fuerza. Sé que para ustedes eso es suficiente y casi preferiría no seguir y dejar todo allí.

—*No estacionar en esta zona.*

Aunque es mejor seguir un poco: no es mala idea recordar que, entre los que debieron afrontar una prueba tan dura, están Santa Genoveva, San Vicente Ferrer, San Martín de Tours, San Hilario, San Paulino.

—*Avance.*

Y también otras personas han pasado por tan penosa experiencia, gente que no estaba preparada para algo así como lo están los santos.

—*Camino sinuoso. Aminore la velocidad.*

Esa gente sintió que sus vidas se transformaban y que en el momento de producirse el fenómeno demoníaco ellos eran, casi, como los que vemos en las películas de terror.

—*Atención: animales sueltos en el camino.*

Bueno, no sería como en las películas de terror pero tampoco era algo como para comentar al pasar con la familia mientras cenaban esa noche. Y no soy ningún animal. Lo que pasa es que me entusiasmo y a veces me dejo llevar y me desboco solo por el afán de ser gráfico, pero estás vos que me frenás siempre. Por suerte. Apenas exagero un poco, me lo hacés notar y en verdad te lo agradezco mucho, porque vos para mí sos...

—*No circule por la banquina.*

Muy bien, muy bien, no me voy a apartar del tema central. Decía que hay casos documentados de levitaciones que tienen todos los elementos como para que se las vea como satánicas. Hay objetos que se desplazan por el aire (telekinesis) y si bien no estudié ese tema de manera especial me contaron situaciones similares personas que las vivieron y algún día investigaré en profundidad ese fenómeno.

—*No cruce con las barreras bajas.*

Como sea, lo de ahora es otra cosa. No son objetos sino personas las que se mueven en el aire con fines malévolos. En la Biblioteca Nacional de Francia, bajo el número de registro 24.122, figura un caso de posesión demoníaca ocurrido en el año 1591 en el pueblo de Louviers. La víctima era una mujer joven de nombre Francisca Fontaine. Los hechos ocurrieron en el edificio de gobierno de esa localidad. Les cuento.

—*Conduzca con prudencia.*

En ese antiguo documento dice que Francisca, en presencia del preboste (la máxima autoridad del lugar, una especie de alcalde), de su notario y de otras personas, "fue levantada en el aire a una altura de dos pies sobre el suelo (unos 65 centímetros), quedando derecha". Continúa diciendo que, sin perder esa rigidez, la pobre muchacha cae luego al piso y es arrastrada allí a través de la sala. Sigue, de manera textual: "El preboste Morel, sin saber qué hacer, toma una Biblia y comienza a leer en voz alta el Evangelio de San Juan, como si fuera un exorcismo, que no lo es. Y la posesa, que estaba extendida cuan larga era sobre el piso del lugar, se levantó repentinamente a una altura de tres o cuatro pies (más de un metro) y fue trasladada así, horizontalmente, en la dirección del exorcizador improvisado quien fue presa del pánico y huyó hasta el recinto reservado a los jueces y allí se atrincheró". Casi de inmediato fue requerido un auténtico exorcista, conocedor del ritual y las formas, que llegó presuroso a los dos días ya que sólo en París había un sacerdote especializado en estas lides. Afortunadamente logró devolver a la joven su estado normal.

Este episodio sirve, entre otras cosas, para estar alerta ante cualquier alteración de lo que consideramos normal. También es útil para advertir que, si es necesario recurrir a un ejemplo de hace más de cuatrocientos años, se debe a que tanto la posesión como los exorcistas no son nada común. Aclaro esto de manera especial porque demasiadas personas se han puesto en contacto conmigo para que les señalara a un sacerdote exorcista ya que "estaban seguras" de que alguien determinado de su familia estaba poseído por el espíritu malo. Insisto: eso no sucede de manera cotidiana y como si nada. Más aún: gracias a Dios es muy pero muy extraño y fuera de lo común que alguien esté poseído. Y creo que ésta es la mejor noticia que puedo darles. Si hay alguien en la familia que sufra alteraciones severas de conducta, la manera de luchar contra eso es la oración por un lado y la ciencia por el otro. Un buen cura y un buen médico especialista son las armas.

—*Alto.*

¿Alto? ¿Qué dije de malo?

—*Al contrario. Fue todo tan bueno y preciso que no quiero que la embarres. Por eso te pido que te detengas. No te enojes.*

No me enojo, al contrario. Tenés razón. Sos una guía perfecta no sólo para mí sino para mi familia de lectores, los que me dan de comer y de amar. Sos indispensable para mí, Marianito. Te necesito mucho, te necesito siempre.

—*No encandile.*

Terminala con los indicadores de ruta.

—*Te quiero mucho.*

No hay ningún cartel al costado del camino que diga eso.

—*Debería haber.*

La levitación es, por supuesto, solamente uno de los fenómenos corporales que al sucederle a santos o personas consagradas puede ser —y en rigor lo es— considerado un milagro. Hay otros que iremos viendo un poquito más adelante y que los van a asombrar.

A estas alturas ya se me iba desdibujando bastante lo de la serpiente de bronce y empezaba a encontrar respuestas en otras cosas, en especial en los hechos y en la gente, tal como me lo había indicado el doctor Lucas. Si ustedes aún dudan, si todavía no advirtieron que los ángeles se disfrazan a veces de destino, lean lo que sigue. El protagonista es un colega de Lucas. O, tal vez, el verdadero protagonista sea, al fin de cuentas, un colega de Mariano.

—*Yo no tengo colegas.*

Sí, ya me lo dijiste, ya me lo dijiste. No quiero volver a oírlo.

—*Lo que sigue sí, ¿no es cierto?*

Lo que sigue sí. Una vez más y otra y otra y otra. Lalo Fazzari, un diplomático de esos que viajaban a Europa en barco y con esmoquin, un músico que sorprende, un tipo sensible que ahora tiene un bazar de ilusiones en Pinamar, fue quien me contó este caso. Busqué al hombre que lo vivió y nació un testimonio que es puro aliento.

Lo releo y vuelvo a encontrar el lado bueno de la vida en unos tiempos donde todo parece lado malo. Estallan la maravilla, el coraje, el amor.

—*Allí hay paz serena, Gallego.*

Otra vez. ¿Qué más quiero que "paz serena"? Pero ¿qué significa exactamente y dónde la encuentro?

—*No es mala idea hallarla en los testimonios. A menudo te ocurre, yo diría que siempre...*

9

Miguel, como el arcángel

(Testimonio de hoy)

Nunca estuve de acuerdo con un amigo mío, absurdamente fanático de los automóviles, quien muy suelto de cuerpo asegura que "un hombre es como su auto". Siempre me pareció una frase sumamente idiota, en especial teniendo en cuenta que si la seguimos al pie de la letra, el que no tiene auto simplemente no es. Nunca estuve de acuerdo, como digo, pero cuando el doctor Cabral bajó de su automóvil vi algunas cosas que se podían aplicar a los dos, él y su transporte: es sobrio, ya hace rato que dejó de ser cero kilómetro, está bien cuidado pero sin exagerar, no tiene lujos pero se lo ve cálido y confortable, su aspecto es familiar, anda a la velocidad correcta y dan ganas de ir a dar una vuelta con él. Eso sí: no parece ser fácil de manejar, lo cual es especialmente bueno si tenemos en cuenta que también es político, con perdón de la palabra.

El DOCTOR MIGUEL CABRAL tiene 52 años, es cirujano, médico forense de la Policía de la Provincia de Buenos Aires, fue candidato a intendente de Pinamar en dos ocasiones, actualmente es concejal, está casado, tiene una hija de 26 años que es psicóloga y, después de veintidós años de afincarse en Pinamar, es muy grato escuchar cómo aún mantiene el delicado acento de su Formosa natal hasta el punto de decir "camilia" cuando se refiere a esos lechos ambulantes en los que nos llevan a los enfermos más graves. Después de todo, es mucho más hispano y correcto su "camilia" que el porteño "camiya". Cabral es un hombre agradable, de sonrisa fácil y apariencia afectuosa.

—¿Cómo fue ese día?

—Creo que ese día se dieron una serie de circunstancias favorables. Yo ya era cirujano del Hospital Comunitario y justo estaba de guardia pasiva. Cuando es así no me alejo mucho del hospital y, es más, vivía a unos cien metros del lugar, en un departamento que había alquilado tan cerca a propósito.

—Eso fue providencial, porque supongo que en lo que ocurrió cada segundo era importante...

—Así es. Y también fue providencial que el accidente de la nena sucediera a unos doscientos metros del hospital ya que, es cierto, unos pocos segundos era la diferencia entre la vida y la muerte.

—Te avisan enseguida.

—Inmediatamente. En cuanto ingresa la nena al hospital, el médico de guardia me ubica y ahí salgo volando.

—¿Con qué te encontrás al llegar?

—Me encuentro en la camilla con una nena de siete años que, por lo que uno ve, ya estaba muerta. Es más: a tal punto que el médico de guardia les había dicho a los padres: "Lamentablemente no podemos hacer nada porque tiene una herida cardíaca y... está muerta".

—¿Tan así era la cosa?

—Sí, tan así era.

—¿Qué había pasado, exactamente?

—Fue un accidente de hogar, esos a los que la mayoría de la gente no le da importancia y, sin embargo, son los accidentes más frecuentes y, como en este caso, pueden ser muy graves... Esta vez fue producto de un juego entre los chicos. La niña iba corriendo y se topa con una amiguita que salía de la cocina y se le atraviesa, como esos choques de autos en una bocacalle. La que salía de la cocina llevaba en las manos un plato y un cuchillo de mesa, de esos con el filo aserrado, tipo Tramontina. La nena que llevaba el cuchillo lo tenía con la punta hacia afuera y, al chocar con fuerza, se le clava en el pecho a la niña que venía corriendo. Le provoca una herida punzante cardíaca y ella se cae...

—¿En el acto? ¿Ni siquiera le pega en el esternón?

—No, fue con mala suerte. El cuchillo le pega justo en el ventrículo izquierdo. Con el impulso que ella misma traía corriendo, es como una puñalada que recibe en pleno corazón.

—Ay, mi Dios...

—Inmediatamente los padres salieron corriendo llevando a la nena en el acto al hospital...

—Miguel... Aproximadamente ¿qué porcentaje tenía en contra?

—Las heridas cardíacas como la que Verónica tenía son mortales en un ciento por ciento. La única posibilidad que existe para salvar al herido es que se le haga una cirugía en el acto.

—Y supongo que, aun así, tampoco debe haber muchas garantías.

—No, claro que no. En un caso como el de la nena no hay ninguna garantía de que pueda salvarse.

—Con eso te encontraste.

—Con eso y con unos padres desesperados, por supuesto, ante un cuadro como ése.

—No te pregunté si era verano o invierno, de día o de noche...

—Verano, plena temporada. A eso de las nueve de la noche. No me acuerdo la fecha exacta...

—¿La familia vivía en Pinamar o eran turistas?

—Turistas. Son de Ushuaia. El apellido de ellos es Planes. La mamá de Verónica era en ese momento legisladora en Tierra del Fuego y venían siempre a Pinamar en el verano. Estaban de vacaciones.

Pobres padres, Santo Cielo. Todo era alegría y, en un segundo apenas, se ven a sí mismos al borde de la locura, en un lugar que no es aquel donde viven, rodeados de gente que no conocen, con su hijita de siete años en la camilla de una guardia hospitalaria con el corazón atravesado por un cuchillo de cocina. Por más que uno lo intente, no se puede sentir ni la milésima parte de lo que ellos sintieron en ese momento. La vida puede cambiar por completo en apenas un parpadeo, no es mala idea pensar en esto para mejorarla en lo que podamos. La vida puede cambiar rápidamente y tanto que hasta su nombre puede cambiar también y llamarse muerte. No los quiero asustar, sólo quiero que disfruten cada instante y que, ahora mismo, por ejemplo, dejen este librito y vayan a darle un beso a quien amen y esté más cerca, sin explicarle nada, porque sí, sorpresita de amor. Y, si no tienen por allí a nadie amado, pueden llamar por teléfono. Y si no tienen teléfono, simplemente piensen en alguien querido y en alguien que los quiera. A veces no coinciden las dos cosas en una misma persona, pero ésos son detalles. Yo sé que no es fácil, pero hay que intentar amar sin pedir el vuelto. Y ya. Porque dentro de un segundo algo puede haber cambiado y tal vez sea demasiado tarde. Esto último me sonó algo dramático, pero nadie dijo que la vida no fuera dramática, así que lo dejo como está. Vivan, caramba. Y den vida.

—Bueno, yo me encuentro con un cuerpo prácticamente sin vida, con una niña totalmente pálida, en paro cardíaco. Hay cosas que los cirujanos hacemos sin pensar, cuando afrontamos una situación de emergencia. Yo entro a la Guardia y pido de inmediato que salga toda la gente y, sin atinar a preguntar si eran familiares o no, eché afuera a todos los que no eran del equipo médico. No era momento para relaciones públicas.

—La llevaron enseguida al quirófano...

—No. No había tiempo para llevarla al quirófano, no había ninguna posibilidad porque no se podía perder ni un segundo. Y eso no es sólo una manera de decir, es tal cual. Un segundo era importantísimo. Perder uno era la probabilidad de la muerte irremediable. En forma automática uno se calza los guantes y bueno... Pedí bisturí. Con la ayuda del médico de guardia le hice a la nena una toracotomía, que es abrir el tórax desde la base del cuello hacia abajo, en un solo corte.

—¿Allí mismo? ¿No estaban en la Guardia?

—Sí, y no había ninguna posibilidad de llevarla al quirófano o a cualquier otro lado, por cerca que estuviera. Le abrí el tórax en la camilla de la Guardia, en ese mismo lugar, es lo único que atiné hacer. Ya estaba seguro de que era una herida ventricular, por la localización y las características del cuadro clínico.

—Todo decidido en un instante. Pero era de locos, eso.

—Lo mismo pensó el director del hospital, el doctor Omar Curto. Después me dijo que, en medio de ese torbellino, miró al médico de guardia con cara de "éste está loco". Yo lo entendí, por supuesto. Nunca se había enfrentado con una situación como ésa en la cual un médico entra, echa a todos, se pone unos guantes, pide bisturí y le corta el tórax a un paciente en plena Sala de Guardia. Es como una película de terror, casi, para la gente que no está imbuida de la necesidad de actuar con urgencia. Lo más importante es tomar la decisión inmediata, en el acto.

—¿No tuviste miedo?

—No, no. En ese momento yo sentí que tenía que ir a fondo, sin más vueltas. Apenas entré a la Guardia entendí cuál era la situación porque Verónica estaba con el tórax descubierto y la herida que tenía en el pecho prácticamente había dejado de sangrar.

—Esa es una pésima señal, ¿no?, porque significa que el corazón ya no está bombeando...

—Claro, exactamente. Te puede dar una idea general de su estado el hecho de que le hiciera una traqueotomía sin anestesia. La paciente estaba con pérdida total de conocimiento y prácticamente en estado de muerte clínica.

—Cierto, de anestesia ni hablar.

—Ni hablar. Y la nena no sintió nada. Yo estaba cortando un tórax, abriendo y entrando al corazón y la paciente estaba fláccida totalmente, estaba como muerta. Visualicé que el ventrículo izquierdo estaba perforado, entonces lo primero que había que hacer era tapar para tratar de evitar que perdiera lo poco de sangre que le quedaba, porque el tórax estaba completamente inundado de sangre y, por lo tanto, los pulmones no podían funcionar. El corazón estaba bombeando débilmente al vacío, le quedaba muy poca cantidad de sangre y lo que había que hacer era taponar cuanto antes.

—¿Y cómo entraste al pecho? ¿Había separador costal?

—¿Qué separador costal? El separador costal eran los dedos del médico de guardia, Pepe Olaechea, mi gran amigo, que mantenía abierto el pecho y sostenía las costillitas de la nena para que yo pudiera intervenir... Y bueno, meto el dedo índice de mi mano izquierda en la herida cardíaca taponando, tratando de que no salga más sangre. La sensación que daba el corazón de la nena era la de estar dando sus últimos latidos. Deteniendo la salida de sangre con el dedo, pedí sutura e hice la sutura cardíaca. Pudimos ahí hacerle la transfusión de emergencia, con la sangre donada por las propias enfermeras y algunas personas que estaban por ahí. Y una vez recuperado el latido cardíaco, entonces sí pudimos meterla en el quirófano para terminar la operación.

—¿Con el pecho abierto todavía?

—Con el pecho abierto, por supuesto. Con el tórax abierto totalmente y el corazón recién suturado la metimos en el quirófano para terminar de cerrar y hacer todo más prolijamente. Pero en el quirófano, con todo más acorde a las necesidades, pasamos más estrés que en la Guardia porque nos hizo un paro cardíaco...

—La pesadilla no había terminado...

—El anestesista me dijo: "Miguel, entró en paro". Como todavía no la habíamos cerrado, ni siquiera usamos el defibrilador. Metí la mano en el pechito abierto, agarré el corazón y empecé a hacerle masaje inmediatamente, con suavidad.

—Dios mío...

—Me acuerdo que yo estaba ubicado a la izquierda de la chiquita y me quedaba mucho más lógico tomar el corazoncito que cabía perfectamente en mi mano. Yo diría que fue el trabajo manual mejor premiado de mi vida. Tener un corazoncito fláccido en la mano, empezar a masajear y después sentir que el músculo se llena de sangre, se endurece dentro de la mano y comienza a latir fue como... no sé...

—Todavía hoy te golpea el recuerdo.

—Seguro. No sé qué se puede comparar con un momento como ése. Por eso siempre digo que allí había actuado una fuerza superior. Yo soy creyente y pienso que seguramente estuvo Dios presente y la pudimos sacar a pesar de tener mucho en contra. Es más: fue tanta la tensión de ese momento en que yo masajeaba despacito el corazón y todos esperábamos ansiosos, en silencio, que un conocido médico de aquí no aguantó la presión y se tuvo que ir del quirófano. Hoy sigo pensando que se hizo lo que se tenía que hacer, ni más ni menos.

—¿No dudaste nunca?

—Yo soy creyente, ya te dije, eso da mucha fuerza... Insisto en que ese día Dios puso su mano sobre todos nosotros. Me liberó de tener que pensar qué hacer porque no había tiempo para dudas. Fijate que a mí nunca nadie me enseñó a operar del corazón en una camilla de una Sala de Guardia. A nadie le enseñan eso. Mirá, después de esto muchos colegas me invitaron a contar lo que hice y cómo lo hice. La gente del Hospital Italiano, por ejemplo, para dar una conferencia en un congreso de emergencia pediátrica. En otros lugares para hablar sobre lesiones cardíacas severas. Y notas, esas cosas. Siempre se quiso destacar el coraje necesario que uno tiene que tener para actuar en una situación como ésa...

—Y sí, hermano. Para tomar una decisión así en un segundo y actuar de esa manera en el siguiente, hay que tener muy bien puesto el delantal de médico, para decirlo suave.

—(Sonríe) Si hablamos literalmente, no hubo tiempo ni para eso, yo vestía ropa de calle. En cuanto a lo del coraje, quiero decirte que uno siente ese impulso y esa fuerza que no sabés ni siquiera de dónde te está llegando. Yo diría que la desesperación de querer salvar una vida te transforma y te ubica con todos tus conocimientos alertas pero también te pone en manos de Dios. Sabés qué hay que hacer, hay que actuar, y no ponerse a pensar en lo que hacemos.

—Bueno, eso es coraje. Y yo creo que viene de Dios.

—Exactamente. Yo respeto muchísimo los actos de coraje, las personas que tienen algo de heroico, lo respeto enormemente. Lo que yo sentí allí fue la necesidad de tomar una decisión y la desesperación de salvar una vida, sería muy soberbio de mi parte llamarlo un acto de coraje. Dios y mis conocimientos o, por lo menos, Dios y mi vocación de servicio estaban allí en ese momento.

—Digamos que son dos buenas compañías.

El resto es más fácil. Verónica fue llevada en primera instancia al Hospital Materno Infantil de Mar del Plata y desde allí fue derivada al Hospital Italiano de la Capital Federal, un instituto de excelencia en lo que hace a cirugía cardíaca. El jefe de terapia le dijo a Miguel Cabral que si el accidente hubiera ocurrido en cualquier parte de la capital, con tantos establecimientos de primer nivel ahí nomás, la nena no se hubiera salvado. El traslado, las distancias y el ingreso en esas condiciones hubieran sido fatales pero, sobre todo, era imprescindible un cirujano que se jugara sin preguntas, dejándose llevar por ese impulso que venía de su vocación y de Dios, como él mismo lo definió. La gente del Italiano, de primerísimo nivel en cardiología, insisto, le dio el alta definitiva a Verónica a los siete días de haber ingresado. Tres días más tarde —diez después del accidente— fue rebautizada en Nuestra Señora de la Paz, la iglesia principal de Pinamar. El doctor Cabral, a pedido de todos, fue el padrino. En el momento de esta entrevista (febrero de 2001), el Rotary Club de su ciudad le rindió uno de los muchos homenajes y premios que recibió en los últimos años, incluyendo la Medalla de Honor de la Provincia de Tierra del Fuego, donde vive Verónica Planes, quien tiene catorce años y está muy bien.

—Veo que todavía te emociona.

—Sí, sí, realmente sí. Es inevitable. Cuando uno se convierte en instrumento de Dios para salvar una vida y, como en este caso, una vida joven que recién comienza, una niña de siete años, bueno, la satisfacción es enorme.

—Una vez más confirmo que entre los médicos son los grandes los que no tienen ningún problema en nombrar a Dios, en hablar de la fe ligada a su profesión, incluso de mencionar sin dramas la palabra "milagro". Los que tienen problemas son los chiquitos, los mediocres, los inseguros, los que ponen cara de prócer y dicen con gravedad: "¡La ciencia!"...

—Mirá: si no existe la explicación del hombre al misterio de la vida, salvo una explicación divina para el creyente, no podemos ser tan soberbios como para querer explicar todo desde el pequeño conocimiento que el hombre tiene. En algunas cosas, como la medicina, puede uno valorar más ese conocimiento pero, en definitiva, es Dios el que decide.

—Decir eso te engrandece. Porque fuiste vos el que estuvo allí, vos quien se jugó, quien lo realizó.

—Yo te digo que en ese momento me sentí transportado por una fuerza superior... Más que un médico me sentí un instrumento de Dios. Una vez leí algo muy lindo: "Cuando un pintor mira su obra maravillosa y se pregunta: '¿Quién hizo esto, en realidad?', ahí recién puede considerarse un artista". Creo que uno se humaniza más, también, cuando frente a un hecho fuera de lo común del que fue protagonista se pregunta: "¿Y yo hice esto?"...

Ya casi estábamos despidiéndonos cuando surgió una joyita más de esta corona de sorpresas. Mencionó algo de la sutura que le había hecho a la nena en el ventrículo izquierdo, algo que creí haber oído mal.

—¿Con qué la suturaste?

—Con hilo de algodón, hilo común. Mirá si en la Guardia vas a tener hilo de seda, hilo quirúrgico. En la Guardia tenés hilo para hacer costura de piel de los accidentados. Si a la nena le hacen hoy un ecocardiograma van a ver todavía, ocho años más tarde, el puntito del hilo porque, claro, no es reabsorbible.

—Pero, ¿a la nena no la reoperaron?

—No, nunca. No fue necesario. Los estudios en el Hospital Italiano indicaron que estaba todo perfecto. Ni siquiera fue necesario hacerle plástica, lleva mi marca. Y tampoco tuvo ni un pico de fiebre.

—Sin asepsia; en un lugar donde podía haber trillones de bacterias; operada en una camilla; sin anestesia; suturada con hilo de coser; habiendo recibido sangre no sólo de las enfermeras sino de cualquiera que andaba por ahí y tenía el mismo grupo pero sin tiempo para analizarla, con lo que podían haberle contagiado cualquier cosa; con un paro cardíaco y un masaje a mano dentro del pecho... Hermano, esto no pasa todos los días.

Se llama Miguel, como el arcángel. Pero en lugar de la espada lleva un bisturí. Luego tuve la fecha exacta de este hecho: 9 de febrero de 1993. La palabra milagro me ronda en la boca y me baila en los dedos. Y no soy el único al que le ocurre eso. Esa noche, cuando la operación había terminado y el doctor Cabral salió del quirófano extenuado, empapado en sudor, tenso todavía, las enfermeras corrieron a abrazarlo y lloraron a moco tendido, las muy santas. Una de ellas, Delia Molina, declararía al periódico *Utopías* de Pinamar: "En veinte años de profesión es la primera vez que siento la presencia de Dios en una operación".

La presencia de Dios. Suena fuerte. A veces uno ni siquiera se da cuenta pero anda corriendo por la vida con un cuchillo de cocina que acecha en algún lado. A veces tropezamos y se nos clava en medio del pecho y no sabemos qué hacer y sólo nos miramos la herida y creemos que algo salió mal y tenemos miedo y tenemos dudas y lloramos como grandes. Porque a veces, a menudo, pasan cosas que no queremos que pasen, cosas que no esperábamos ni estaban en la peor de nuestras pesadillas. Y suele ser el momento justito para preguntar con voz de reproche dónde estaba Dios cuando eso nos sucedió. Porque somos muy torpes, ya saben. Yo, el primero, no vayan a creer que estoy enarbolando el dedo para darles uno de esos temibles sermones. Somos torpes porque en nuestra vida inventamos los cuchillos, porque corrimos cuando debimos caminar y porque al tropezar por no mirar abajo, miramos arriba buscando al culpable. Somos torpes porque nos dejamos crecer, ¿no, Marianito?

—*No quisiera acusarlos de nada, ustedes me dan ternura.*

Yo también siento ternura por nosotros. Es ridículo eso de jugar a que somos gente grande y no admitir que tenemos mucha nostalgia por el chico que dentro nuestro se durmió de aburrimiento. Solamente los adultos cuestionamos milagros e ignoramos señales.

—*Eso es muy cierto. No saben ver más allá de sus narices.*

Me acuerdo de un relato de dos colegas tuyos...

—*No tengo colegas.*

Ufa, ya lo sé. Digo que me acuerdo del relato de dos ángeles que...

—*Tal vez lo encuentres en tu computadora.*

¿Así que "tal vez"?

—*Nunca se sabe.*

92

10

Nunca se sabe

Dos ángeles que viajaban pararon a pasar la noche en el hogar de una familia rica. Ricos pero groseros y, como los recién llegados no parecían ser de una clase social lo suficientemente alta, decidieron no ofrecerles ninguna de las habitaciones de huéspedes de la mansión y darles permiso, apenas, para que durmieran en un espacio frío del sótano. Los dos viajeros estaban acomodando en el duro suelo unas viejas arpilleras que les servirían de cama y de pronto el Ángel Viejo vio un agujero en la pared, fue hasta allí y lo reparó, tapándolo con un gesto.

El Ángel Joven le preguntó por qué hacía eso si los habían tratado tan mal. El mayor sólo le dijo: "Las cosas no son siempre lo que parecen".

Al día siguiente continuaron su viaje. Al hacerse la noche pidieron permiso para quedarse en una casita muy humilde. El granjero y su esposa sólo se mostraron felices de poder ayudarlos ya que eran gente muy hospitalaria. Los dueños de casa bendijeron el poco alimento que tenían diciendo una simple oración y lo compartieron con sus dos invitados. Luego les dieron su propio lecho para que descansaran más cómodamente ya que al otro día debían continuar su camino.

Apenas amanecía cuando los dos ángeles encontraron al granjero y a su esposa muy tristes: su única vaca, de la cual obtenían dinero vendiendo su leche, estaba inexplicablemente muerta en medio del campito.

El Ángel Joven se sintió enojado y, llevando a un aparte a su compañero mayor lo increpó diciéndole por qué había dejado que algo así ocurriera con una gente que tan bien los había tratado.

—El hombre rico de la mansión lo tenía todo y no era nada generoso, pero lo ayudaste; esta familia tiene muy poco pero lo compartieron con nosotros, pese a lo cual dejaste morir a su única vaca. No está bien.

—Las cosas no siempre son lo que aparentan —volvió a decir el Ángel Viejo. Y le explicó al jovencito: —Cuando estábamos en el sótano de la mansión advertí que había oro en ese agujero de la pared. Puesto que el propietario era avaro, obsesionado por sus posesiones y nada dispuesto a compartir su buena fortuna, lo que hice fue sellar la pared para que jamás encuentre ese oro que haría que sus defectos aumentaran penosamente. Por otra parte, cuando ayer por la noche nos dormimos en la cama de los granjeros, sentí que alguien entraba en la habitación. Con cierta sorpresa vi que era el ángel de la muerte que venía por la mujer creyendo que la encontraría en esa cama, como siempre. Hablé con él, discutimos un rato y logré que dejara en paz y viva por mucho tiempo a la mujer. Como debía volver con algo, le dije que se llevara a la vaca. Ya ves: las cosas no son siempre lo que parecen.

El Ángel Joven se emocionó, entendió, abrazó a su compañero sin decir palabra y luego ambos continuaron su camino por el mundo. Ahí andan todavía. Cualquiera de nosotros, cualquiera de ustedes, podemos toparnos con ellos, juntos o separados, sin reconocerlos.

A veces nos ocurre en la vida que las cosas no son exactamente como queremos. Ocurre algo que no estaba en nuestros planes y que nos parece malo, pero, ni siquiera pensamos que eso ocurrió para evitar algo peor. O que eso no es tan malo como parece. Si uno tiene fe debe confiar en lo que pase, aunque lo que pase no nos guste nada. Es muy posible que con el tiempo comprendamos por qué ocurrió. Pero, mientras tanto, hay que aprender a confiar. Eso se llama fe. A veces no es fácil, ustedes tienen razón, pero, en realidad, nadie dijo nunca que fuera fácil. Es bella.

A estas alturas ya importaba poco y nada el símbolo físico del milagro representado por la serpiente de bronce. Admito que miraba de cuando en cuando y con intriga la tarjeta que decía: "No aflojes. Hay milagros", pero también los iba encontrando a mi alrededor, sin tener que ir tan lejos. Admito, también, que me volvía loco la frase que parecía ser la clave de todo: paz serena. Seguía sin entender su real significado, qué escondía tras lo simple. No entendía aún esto, pero ya empezaba a entender otras cosas mucho más importantes y que, por serlo, no se veían con los ojos. A veces hay que quedarse ciego para ver por primera vez.

Lo que sigue no les dejará ninguna duda al respecto. Y les encantará, como a mí me encanta desde hace tanto que ya forma parte de mí.

11

El amor todo lo sufre, todo lo cree, todo lo espera, todo lo soporta

Cuando yo era chico, en la era paleolítica, mi abuelita solía decir de éste o aquél: "Es más malo que la peste". Se usaba. Como decir mequetrefe, tomar pomona, oír los boleros de Rosamel Araya, ver las películas de los Cinco Grandes o tener respeto, dignidad y honor. En serio que se usaban esas cosas tan lindas.

Saulo era más malo que la peste. Era judío y perseguía a los cristianos como si se hubiera abierto la temporada de caza de seguidores de Jesús. Había estado en el martirio de San Esteban, a quien apedrearon hasta morir, y era tal su odio por los cristianos que —de haber existido el pochoclo— hubiera pedido una cajita para comerlo mientras miraba con indiferencia cómo asesinaban al pobre Esteban, el primer mártir cristiano. No sólo mi abuelita sino mucha gente más hubiera dicho de Saulo que era más malo que la peste. Pero sucede que un día, por el año cuarenta de nuestra era, más o menos, iba cabalgando a Damasco con el inocultable placer de dirigirse a esa ciudad a seguir fregando gente cuando, de pronto, se dio una espectacular señal ya que hablamos de ellas en este librito. Una luz que parecía abarcar todo se encendió súbitamente llegando desde el cielo. El

97

caballo de Saulo (no me refiero a él en esos tiempos de perseguidor sino al animal que montaba) se asustó mucho ante ese resplandor y se paró en sus patas traseras dando un relincho de miedo. El jinete cayó pesadamente a tierra y, enseguida, oyó una voz muy poderosa que le decía: "Saulo, Saulo, ¿por qué me persigues?". El hombre, aturdido por la luz, el golpe y la voz, preguntó: "¿Quién eres, señor?". Y escuchó la respuesta inesperada: "Yo soy Jesús, a quien tú persigues. Pero levántate, entra en la ciudad y se te dirá lo que has de hacer". Los hombres que acompañaban al perseguidor estaban estupefactos porque oían la voz pero no sabían de dónde les llegaba. Al ponerse en pie, Saulo comprobó que había quedado ciego. Sus hombres lo llevaron a Damasco y allí permaneció tres días sin ver, sin comer y sin beber. En Damasco había un discípulo cristiano llamado Ananías al que Jesús, en una visión, le dijo que debía ir a ver a Saulo, imponerle las manos y curarle la ceguera. Ananías era creyente pero humano, así que al oír de quién se trataba y sabiendo que era el mayor cazador de cristianos de esos tiempos, quiso allí mismo tomarse la licencia anual como discípulo. Lo que sí se tomó fue otra licencia, la de decirle a esa visión de Jesús que seguramente el otro lo iba a hacer en escabeche en cuanto lo viera. Verlo no podía porque estaba ciego, pero es una manera de decir. Jesús insistió y se acabó la discusión. El asustado Ananías fue a verlo a Saulo, le contó que lo mandaba Jesús y le impuso las manos. Al ciego se le cayeron de los ojos unas cosas que parecían escamas y, de inmediato, vio. Usar el simbolismo fácil de afirmar que no sólo vio con sus ojos sino que también vio la luz de la verdad suena a pastor barato de televisión, pero en realidad parece que así fue. A partir de ese momento, Saulo de Tarso (ése era su pueblo) se unió a los cristianos con un fervor enorme y definitivo. Hoy lo conocemos con su nombre gentil: Pablo. O San Pablo, si lo prefieren. Es, desde mi punto de vista, el más grande e inteligente personaje de la historia del cristianismo. Pablo evangelizó a pueblos enteros y plantó la idea de la universalidad de esa religión. Creo que impresionante es la única palabra que tal vez le cuadre.

Esta historia cuenta la señal que lo hizo abrazar con un fervor inusitado la religión a la que había perseguido, pero hay algo más que tiene que ver con lo que seguirá. Pablo escribió epístolas (cartas) a varios pueblos. Verdaderas obras maestras de la comunicación y de la religiosidad, son también en casos, joyitas literarias. Al dirigirse a los habitantes de Corinto a quienes evangelizó con su extraordinario don, hay un párrafo (Corintios 13, 1-8) en el que les habla de la caridad, es decir del amor, el amor total. Nunca hubo ni habrá una mejor definición del amor como en esas palabras. Dice así:

"Aunque hablara la lengua de los hombres y de los ángeles, si no tengo amor soy como bronce que suena o címbalo que retiñe.

Y si tuviera el don de profecía y conociera todos los misterios y toda la ciencia y aunque tuviera tanta fe como para trasladar montañas, si no tengo amor, nada soy.

Y si repartiera todos mis bienes en alimentos para dar de comer a los pobres y si entregara mi cuerpo para ser quemado y alcanzar gloria, si no tengo amor, de nada me sirve.

El amor es paciente, es benigno; el amor no tiene envidia, no es jactancioso, no se envanece; no hace nada indebido, no busca lo suyo, no se irrita, no guarda rencor; no goza de la injusticia mas goza de la verdad.

Todo lo sufre, todo lo cree, todo lo espera, todo lo soporta.

El amor no acaba jamás".

Leer esto siempre me emociona. Es bellísimo. Y pensar que empezamos con mi abuelita, seguimos con San Pablo y terminamos con lo que sigue en el próximo capítulo, que demuestra con personas reales lo que parece un sueño.

Milagro de amor

(Testimonio de hoy)

Sí, por supuesto que ocurren milagros de amor. Yo diría, incluso, que todos los milagros nacen del amor porque, de no ser así, la mayoría no tendría ningún sentido y uno empezaría a considerarlos como trucos de magia o a llamarlos casualidades, palabra ésta que podría dejar de existir porque ya casi no queda nada a qué aplicarla.

Un milagro de amor no es una película, no tiene por qué terminar con un casamiento, un beso o una sonrisa. El amor es algo tan delicado, tan complejo y tan imprescindible que se presenta también en los momentos más trágicos. Hasta es posible que sea en ese caso cuando más se presenta. Y hay que entender lo que quiere decir, saborear su mensaje, captar sus señales. Nada obra más señales que el amor, señoras y señores.

—*Y ángeles.*

Y ángeles, está bien.

—*Estoy de acuerdo con todo lo que acabamos de escribir.*

Oh, gracias. Si no hubieras estado de acuerdo habría borrado todo, no volvería a escribir nunca más y pondría un quiosco o me sentaría en la vereda de una estación de tren a vender ajíes o calcetines. De todas formas, no lo escribimos. Lo escribí.

—Me gusta la historia que viene ahora.

A mí también. Mucho. Es una de esas que están envueltas en un misterio imposible de develar y, al mismo tiempo, muestran las travesuras de la vida, las piruetas de lo que llamamos destino. Las señales.

—Amigo tuyo el que la cuenta, ¿no?

Amigo mío, Marianito, así es. Policía. De esos que honran el uniforme porque son capaces de honrar la vida. Hay más de los que uno cree, pero los otros son los que hacen más ruido, como siempre. Y la noticia no es un avión que llega a destino sino el que se cae. Éste llega a destino, no es noticia. Salvo ahora, cuando con firmeza y ternura se emociona y me emociona contando la historia de amor de sus padres.

Roberto Fernández es, en mayo de 2001, oficial principal de la policía bonaerense. Tiene 35 años, vive en Mar de Ajó, está casado con Miriam que es subcomisaria (un grado más que él, les aviso) y tienen dos bombones por hijos, Daiana y Rodrigo, cariñosos y dulces como cachorros de Lassie.

—Griselda Harb.

—Sí, Griselda Harb era el nombre de mamá. Y Roberto Fernández el de papá, como yo.

—¿Cuándo empieza el problema de mamá?

—Y, en el año ochenta. Yo tenía catorce. El cáncer ya estaba instalado y lamentablemente había empezado a crecer mucho. Se trataba, tenía épocas muy buenas y otras muy duras. Hacía quimioterapia, se le caía el pelo, pobrecita, volvía a estar bien y otra vez caía porque el mal estaba ya circulando por todo su cuerpo. Sabíamos que en algún momento eso iba a tener que estallar.

—¿Cómo encaraba la cosa ella?

—Era una luchadora como nunca vi. Todos los días le presentaba batalla a la enfermedad, sin aflojar. Así va pasando el tiempo, duro, difícil, y yo me recibo de oficial pensando en que iba a poder estar más con ellos, a partir de ese momento.

—Con Griselda y con papá...

—Sí, claro, con mis viejos. Pero fue justo en ese momento cuando a papá le empieza a dar algo muy molesto en el tracto digestivo y va a hacerse ver en el Hospital Naval porque él había estado en Prefectura. Allí, lamentablemente, le dicen que era quirúrgico. Pólipos en el esófago...

—Una operación difícil.

—Sí. Le subieron el estómago a la altura de la tráquea, no se produjo una buena unión y hubo que volver a operarlo y bajarle de vuelta el estómago. Lo alimentaban como a un bebé porque no podía tragar nada, no tenía ningún conducto, incluso la saliva se la sacaban con un drenaje. Los alimentos, especialmente preparados, se los mandaban directamente al estómago. En la operación quedó en claro que los pólipos eran lo de menos. Tenía cáncer, también, y los médicos nos dijeron que ya estaba muy avanzado, que era irremediable, que estaba totalmente tomado.

—Duro, hermano.

—Sí, muy duro. Verlo dolía. Esto fue a mediados del 86.

—¿Y mamá?

—El llanto de mamá te encogía el alma. Era un golpe demasiado fuerte para ella saber que su gran amor estaba tan enfermo y que iba a morir. Era desgarrador... Era desgarrador...

Mi amigo Roberto es bien alto, de espaldas anchas, robusto. Pero en esta parte del relato y especialmente al decir en voz más apagada esas dos palabras repetidas, "era desgarrador", fue asaltado a traición por el recuerdo y dejó de ser alto, robusto, de espaldas anchas, para ser un bebé desorientado. ¿Quién no? Del grabador sale ahora su voz, mucho más leve y grave que en el principio. Y algo me sacude otra vez como cuando me lo dijo frente a frente:

—Nos pusimos a llorar los tres.

Esa imagen no hace más que darme vueltas en la cabeza. Los ubico de mil diferentes maneras: abrazados, con las cabezas bajas, alrededor de la cama extendiendo las manos para alcanzarse, casi para retenerse, con la mirada arriba buscando respuestas, con los brazos caídos, con los brazos en alto. No lo sé y no quise ensuciar la intimidad preguntando cómo fue ese momento. Imagínenlo como quieran. Y no hagan ruido, porque aún están llorando los tres. Ese tipo de llantos es para siempre, saben.

—Mamá no estaba internada todavía pero ya caminaba muy lentamente porque sus huesos le dolían mucho, pobrecita.

—Y ella que sufría su propia enfermedad, su dolor más antiguo, se olvidó de eso y lo dejó apartado para llorar por él...

—Sí... Lloraba por su gran amor, por su esposo. Ella nunca había pensado que el final iba a estar tan cerca para él. Creía que, por su enfermedad, sería ella la que iba a morir antes. Y de repente se le cayó el mundo encima, no estaba preparada para perder a su hombre.

—¿Y el estado de salud de ella?

—Mamá ya escupía sangre, pobrecita, porque tenía tomados los pulmones. El hígado también. Mami ya venía con una metástasis total.

—Y así y todo seguía llorando por Roberto.

—Sin dudas, no lo dudes. No podía entender.

Qué amor, Dios mío, qué amor descomunal y bendito. Estamos hablando de la vida de ella que se estaba yendo, pero que parecía apenas un detalle sin importancia porque su esposo, su compañero, su amante, su amigo de tantos años estaba muriendo. Qué amor, Dios mío. Uno de esos donde a través del tiempo la pareja inventó códigos propios, miradas o gestos que sólo ellos dos entendían, palabras que para otros no tenían significado especial pero que a ellos los hacían reír, recuerdos que compartían de una manera exacta y precisa con sólo ver un objeto determinado, rincones en común de una casa que ya no habitaban y que no volverían a habitar juntos.

—¿Y vos?... Disculpá, pero ni te pregunté por vos en esos días.

—Y... ahí te diste cuenta de que... Se me vino la noche, hermano. De tener a los seres que más amaba pasaba a eso. Yo tenía diecinueve años, recién iba a empezar a conocer la vida, estaba cortando el cordón umbilical recién, ¿sí?... Acababa de recibirme de oficial de policía después de mucho esfuerzo y era el momento de salir a la vida pero de repente me doy contra esa pared.

—¿Y cómo te sentías espiritualmente?

—Yo necesitaba con desesperación encontrar respuestas para todo eso. Mi hermana mayor, Liliana, iba a una iglesia evangélica y yo la acompañé. Le pedía, casi le exigía a Dios que me hiciera entender por qué, ¿sí?... Y por qué, y por qué y por qué. Por qué si eran los seres que yo más amaba en el mundo me los iban a arrebatar de esa forma... Y debo admitir que acercarme a la iglesia evangélica me dio un poco de la paz que tanto necesitaba...

—Antes de todo eso, ¿vos pertenecías a alguna religión?

—Fui bautizado, me dieron la confirmación, esas cosas... Católico, pero no de ir a misa, ¿entendés?... Allí, con los evangélicos, en Haedo, encontré a un hombre muy bueno, un pastor muy santo.

—Hay pastores excelentes.

—Este hombre amaba a Dios y transmitía la palabra de Dios con mucho amor, convencido. Yo lo escuchaba con mucha atención, tratando de encontrar respuestas. Mientras tanto mamá iba empeorando como ya sabíamos que ocurriría y a papá se le produjo una infección que agravó todavía más las cosas.

—Ellos no estaban juntos.

—No. Papá seguía internado en el Hospital Naval y mami estaba en casa pero ya casi sin fuerzas y con mucho dolor. Yo salía de trabajar y corría a casa para darle las inyecciones casi de morfina pura para aplacar su sufrimiento. Después me iba al hospital, volvía, al día siguiente otra vez el trabajo, mamá, el hospital, la iglesia adonde iba a buscar respuestas... Eran realmente meses tremendos, imaginate lo que era todo eso. Hasta que llegó un punto en el cual a mamá la tuvimos que internar porque ya no tenía fuerzas y el dolor era muy grande... Mi papá internado en el quinto piso del Hospital Naval, mi mamá en el tercero.

—¿Separados?

—Cuando yo salía de trabajar iba a buscarla a mi mamá, la poníamos en una silla de ruedas y yo la llevaba a visitar a papá, dos pisos más arriba, en terapia intermedia. Después la bajaba al tercero... En la iglesia evangélica te dicen muchas veces: "Exhiban una prenda de alguien que no esté aquí pero necesite las bendiciones". Y bueno. Yo llevaba un pañuelo al hospital y se lo ponía a papá en el pechito...

Tuve que parar de escribir, aquí. Ustedes saben que nunca les oculto nada y les cuento lo que siento sin pudor y sin vueltas. Pienso que no hay mejor manera de llegar a ustedes y que aprecian que lo haga así. Y bueno, tuve que parar. Ahora ya caminé un poco por la casa, me lavé la cara, me senté nuevamente y se los estoy contando, pero la verdad es que me golpeó duro volver a escuchar la voz de mi amigo en el grabador justo en esa parte. Oír la palabra "pechito" dicha por un macho inobjetable y duro aplicada a otro macho inobjetable y duro, dicha por un hijo adulto hablando de su padre, me pegó en la boca del estómago. Ya les dije casi al principio: debo estar poniéndome viejo, qué le va´cer. "Pechito", dijo. La enorme inocencia vestidita de esperanza hacía que le pusiera un pañuelo en el pechito para después llevarlo a la iglesia porque hay un punto en el que uno no pregunta qué hay que hacer y simplemente lo hace. Para eso —y me consta a lo largo de estos once años en los que escucho historias— no hay condición social, ni cultura refinada, ni posición económica excelente, ni poder alguno. Cuando la muerte y el dolor sin fronteras acosa a un ser querido, vamos a buscar soluciones donde sea y como sea. El que no lo hace no sabe lo que es amar. No sabría pronunciar con tanto sentimiento la palabra pechito.

—Ni papá ni mamá eran muy practicantes de la religión. Eran creyentes, sí, pero como tanta gente... Y un día, no me olvido más, yo había llevado a mami al quinto piso en silla de ruedas para verlo a papá. Y estábamos los tres así, solos. Sin que nadie dijera nada, nos agarramos los tres de las manos y rezamos una oración juntos.

—Los tres solitos...

—Los tres solitos.

—¿Dijeron algo en ese momento?

—Sí. Ellos aceptaron a Jesús como su salvador, aceptaron a Dios como su único padre, creyeron profundamente... Se entregaron a Dios, ¿sí?... Reafirmaron su fe y reafirmaron su amor. Fue una oración muy hermosa. Lloramos los tres. Lloramos los tres apretándonos las manos. No me voy a olvidar más.

—Es imposible olvidar eso...

—Después, al poco tiempo, yo estaba orando, mucho llanto, mucho llanto, pidiéndole a Dios una respuesta. Y escucho una voz. Me dice: "Quedate tranquilo"... Una voz que me llenó, que me hizo vibrar.

—¿La escuchaste con tus oídos o dentro tuyo?

—No, no. La escuché en mi cabeza, la escuché con mis sentidos. No es una imaginación. "Quedate tranquilo". Una voz tremenda. Fue un momento hermoso, un momento inolvidable de mi vida. Tuve la certeza de que debía quedarme tranquilo. Me preocupaba mucho mi papá, con su infección que lo había transformado en otra persona, era tremendo, irritable, desesperado. No había cómo calmarlo... Al día siguiente de sentir aquel "Quedate tranquilo", la infección de papá prácticamente había desaparecido. Vamos a hablar con el doctor y él dice: "Clínicamente no tengo una respuesta, pero como cristiano, como hombre de fe, creo que es un milagro". Papá empezó a sentirse mejor, volvió a ser el que era. Mamá también, podía caminar despacito y subía sola al ascensor para ir a visitarlo a él. Pero el viernes 19 de junio me llama por teléfono mi tío y me dice que papá falleció. Voy al hospital enseguida. Su mejoría había sido tan grande que pensaban volver a operarlo ese mismo día. Me quedé un ratito con él, ahí, lo estuve acariciando, lloré. Y dije: "Bueno, voy a ver a mamá...".

—¿Mamá no sabía nada?

—No. Bajo a verla a mamá, me despejo un poquito, "Hola, mami, ¿cómo te va?", "¿Cómo andás, Roberto?", "Bien, bien", "¿Y papi?", "Bien, mamá, vengo de verlo, está bien". "Algo pasó con papá", me dice. "No, yo vengo de verlo recién, quedate tranquilita". "Algo pasó con papá. Yo sé que algo pasó con papá, lo siento acá". "Pero no, mami, vamos a comer ahora, ¿eh?". "No tengo hambre. ¿Qué le pasó a papá?". "Nada, mami, está bien". "Algo le pasó a papá", me dijo. Se acostó y entró en estado de coma.

—Pero había estado hablando con vos hacía unos segundos...

—Sí, tal como te cuento. "Algo le pasó a papá, Roberto, decime la verdad". "Pero no, mami, descansá un poquito".

"Algo le pasó". Se acostó y entró en coma. Por momentos salía de ese estado pero volvía a caer. En medio de eso, con mi hermana nos ocupamos de arreglar todo lo del sepelio de papá, los trámites, todo eso... Y apenas unas horas después de la muerte de papá, a dos pisos de distancia nada más, a mamá le dio un paro cardíaco y se fue, tranquilita. Hizo un par de exhalaciones y se fue...

—Una detrás del otro, como a buscarlo...

—Sí. Y en medio de todo eso, la conmoción en la familia, los dos juntos con diferencia de horas, yo tenía una tranquilidad enorme. Allí entendí lo de "Quedate tranquilo". Ya no sufrían más y ahora estaban los dos con el Señor. Los planes de Dios eran ésos: se amaban desde siempre de una forma tan hermosa que no se podían separar, tenían que irse como se fueron, juntos.

—¿Papá también preguntaba por ella como ella por él?

—Papá estaba muy crítico por esa infección terrible, pero aun así, atado a la cama como estaba, desesperado, cuando tenía un momento de lucidez era lo único que preguntaba: "¿Y mami? ¿Cómo está mami?"... Y cuando ella lo visitaba, hablaban, se decían cosas, ella lloraba mucho porque seguía sin entender por qué él estaba allí muriendo.

—Y no pensaba en su propia muerte.

—No. Pensaba en él, porque era el gran amor de su vida.

—Roberto... Ellos murieron con apenas unas horas de diferencia y apenas a dos pisos de distancia, pero ninguno de los dos supo que el otro había muerto. Es impresionante.

—Sí, así fue.

—La fórmula de la unión matrimonial dice: "Hasta que la muerte los separe". Ellos le ganaron hasta a eso. La muerte no los pudo separar.

—Sí, es cierto. Y yo empecé más que nunca a tratar de entender a la muerte y para eso leía la Biblia, todos los días. Pero me di cuenta de que algo me estaba faltando. La Virgen. Yo siempre quise a la Virgen y la sigo queriendo, es la Madre de Dios, ¿entendés?... Y, si bien nadie hablaba mal de la Virgen ni mucho menos, Ella no estaba allí. Y yo empecé a preguntarme: "¿Y por qué no me puedo persignar si paso por una iglesia, si a mí me gusta persignarme?". Y me persignaba. Pero la Virgen fue el motor que me trajo de vuelta, la fuerza más grande. Yo necesitaba de María porque yo la quería a María.

—Dios mío, María es impresionante, no se puede creer la cantidad de conversiones que hay gracias a Ella...

—Yo le agradezco mucho al pastor aquel de Haedo, ¿eh?, por haberme enseñado el camino para encontrar la paz en mi corazón y encontrar la verdad. Me llevó a Jesús y al Padre. Pero a mí me faltaba la Virgen.

—Qué bien suena eso, Roberto. "Me faltaba la Virgen". La Mamita.

—Es que me faltaba, sí. No estaba completo sin tenerla. Es que en mi vida la figura de la madre es muy fuerte. Incluso ahora con mi esposa, que es una mujer extraordinaria, una madre espectacular. Con ella hemos hecho retiros espirituales y encuentros matrimoniales. Mi mujer es una fuera de serie en todo sentido, una maravilla.

—Me encanta oír a un fulano decir eso.

—Es que es cierto... Y con respecto a mamá y papá, la cosa no terminó ahí... En 1996, en la madrugada del día en que murió mamá, cuando faltaba menos de una hora para cumplirse exactamente diez años de su partida, me desperté sin motivo. Nunca me pasa, tengo el sueño profundo y nunca me pasa. Vuelvo a dormirme y entonces sueño con mi mamá. En el sueño escucho una música como de campanitas, tipo angelical. Y la veo a mi mamá caminando por la playa y yo a su lado. Todo era de una gran paz, algo hermoso. Y mi mamá, en el sueño, me dice: "Roberto... estoy en la plenitud"... Era la voz de mi mamá. Y era lo que uno siempre esperó. En ese momento me despierto y veo que era la hora exacta en la que mi mamá había muerto hacía diez años. Entré en llanto. De tal forma que mi mujer se despertó, asustada, y me preguntaba: "¿Qué pasó?, ¿qué pasó?". Le dije: "Mamá me habló, mamá me habló", le conté lo que había soñado, le mostré la hora y nos abrazamos muy fuerte y lloramos juntos. Era un momento increíble, esas cosas que toda la vida querés que te pasen y allí estaba pasando. Un momento maravilloso. Era la respuesta para decir: "Ya cerré el círculo, ya cerré el círculo. Sé lo que la vida es y hacia dónde vamos". Hermoso. Hermoso.

No me digan que no es una gran historia de amor. Es lo que más se respira a lo largo de todo el relato. Me pregunté luego por qué no se mostrarán públicamente más policías así, firmes pero sensibles, eso nos haría bien a todos. Ya en el final me habló de María, mi tema favorito. Y el de él, por lo visto.

—María es el ser al que uno recurre cuando siente que está agobiado. Es la Madre, es el amor, es la ternura, es el camino obligado por el cual hay que conseguir la llegada a Dios.

Breve intervalo para tomarnos un respiro y aclarar algunas cosas

El tipo está en el borde de la azotea de un edificio de treinta pisos y apenas baja los ojos para adivinar, más que ver, el delgado hilo de coser que une ese lugar con otro similar allá enfrente, en otro edificio muy parecido. Muy abajo, en la calle, hay dos grupos que se formaron espontáneamente. Los de uno de ellos gritan y gesticulan como poseídos asegurando que el hombre de la azotea logrará cruzar de un edificio a otro calzando esos zapatos de buzo y llevando un lavarropas sobre sus espaldas. Se arrojan al suelo, ponen los ojos en blanco, algunos se babean y ninguno pierde de vista a su guía que sigue la escena con el gesto de un hombre que está allí sólo para cuidarlos pero que ni en sueños se va a jugar dando una opinión ya que para eso están sus seguidores. Los del otro grupo visten ropas oscuras que hacen juego con su aspecto y llevan en sus manos manojos de papeles arrugados que hacen juego con sus rostros. Murmuran entre ellos de manera rápida y breve, casi parecen pájaros en tierra por sus movimientos secos y sin gracia. Consultan libros, sacan cuentas y todos mueven la cabeza de izquierda a derecha, negando casi con un dejo de placer al hacerlo.

Los del primer grupo son los fanáticos, gente irreflexiva que cree en cualquier cosa y, muy especialmente, si hay un superior que los avale.

Para ellos una lluvia es llanto divino, un trueno es un enojo, la oscuridad esconde fantasmas y el bosque duendes. Pueden pertenecer a cualquier religión e incluso a ese puré de nada que es la llamada new age o nueva era. Da igual. En todos los casos no saben de qué se trata y obedecen a la masa.

Los del segundo grupo son los racionalistas a ultranza, gente estúpida que no cree en nada salvo en aquello que ven, tocan y huelen. La caca, por ejemplo. Al no verlos ni tocarlos ni olerlos, no les resulta fácil creer en Dios, la amistad, el amor e incluso el odio. Para ellos una imagen religiosa es un objeto trabajado que tal vez valga algo y se obstinan en creer que el poder o el dinero son las únicas cosas por las que hay que luchar sin descanso. No pertenecen a nada y, por lo general, a nadie. No son queridos y no saben querer.

El hombre de la azotea levanta lentamente su pie izquierdo y va a apoyarlo en el primer tramo del hilo de coser. Abajo, los dos grupos se mueven como hormigas danzantes, inquietos, nerviosos. En ese instante nosotros congelamos la acción, ya que después de todo para algo somos los que la inventamos, yo escribiéndola y ustedes leyéndola.

Y éste es el punto exacto en que, con la película detenida, ponemos en claro que ni ustedes ni yo pertenecemos a ninguno de los dos grupos. Me dirán que yo no puedo conocerlos a todos ustedes, pero les diré que se equivocan fiero. Después de once libritos hay una química especial entre nosotros. Y no sólo una química sino también una física, una almacenera, una bombera, un ama de casa, una empleada administrativa, una ejecutiva y también una funcionaria y muchas otras mujeres más acompañadas por hombres de diferentes profesiones que no rescataré aquí para no ponerme pesado, pero que están, están. Sé cómo somos. Hablé con muchos de ustedes y otros tantos me escribieron, eso es más que lo que ocurre a veces con los integrantes de una familia. Nos conozco, decía, y sé que no somos ni fanáticos que nos creemos cualquier cosa aunque elegiríamos eso antes de pertenecer al otro grupo, el de los que no creen en nada. Por eso dejamos al equilibrista con el pie a punto de posarse sobre el hilo de coser, calzando zapatos de buzo y con un lavarropas al hombro. Para mí se cae, ¿qué quieren que les diga?, pero no lo juraría porque creo en que a veces Dios se manifiesta de maneras muy extrañas y el tipo del lavarropas no tiene por qué ser excluido, pobre. Por las dudas, lo vamos a dejar allí, igual no se cansa porque es nada más que un invento nuestro. El día en que necesitemos creer en un milagro, vamos a cerrar los ojos y lo imaginaremos poniéndose en movimiento, pisando el hilito de coser que resistirá de manera noble e impensada, lo haremos avanzar haciendo equilibrio hasta el otro edificio, le pondremos una sonrisa en el rostro mientras se bambolea con el lavarropas sobre los hombros y obtendremos varias conversiones allá abajo y una esperanza pequeña y divertida en nuestro corazón. Tal vez no tengamos un resultado de locos enseguida, pero por lo menos, si hacemos ese ejercicio con el equilibrista que inventamos, en algún tramo de nuestra imaginación vamos a sonreír sintiéndonos chiquitos y traviesos. Eso, eso solo, nos regalará la esperanza pequeña. Después podemos darle de comer sueños y podrá crecer hasta tener el tamaño necesario para matar nuestro miedo, nuestras dudas, nuestras soledades o nuestras depresiones. En lugar de extraños rituales sicológicos como los de los libros de autoayuda, nosotros convocamos al ángel para que nos haga cosquillas. Mientras tanto —sin fanatismos ni escepticismos— volvemos al asombro con las historias reales de fenómenos inexplicables dentro del cristianismo. Volvemos a los archivos del milagro.

Los archivos del milagro

(Segunda parte)

LA LUMINOSIDAD es algo de lo que poco se habla o se escribe, pero que existe desde siempre en las creencias religiosas. Tan desde siempre que aparece, sin vueltas y yendo al grano, en el Antiguo Testamento y en un episodio clave y puntual. En el Libro del Éxodo (34, 29-30) se lee de manera textual:

"Y aconteció que descendiendo Moisés del monte Sinaí con las dos tablas del testimonio en su mano, al descender del monte no sabía Moisés que después de haber hablado con Dios le habían quedado rayos de luz en el rostro.

Mas Aaron y los hijos de Israel, viendo que el rostro de Moisés resplandecía de tal manera, temieron acercársele...".

¿Ta güeno? Como para refirmar los momentos por completo fuera de lo común en los que la luminosidad se hace presente como señal inequívoca, podemos correr en el tiempo unos miles de años y llegar al Nuevo Testamento. Allí, en el Evangelio de San Mateo se detalla un momento magnífico como el de la Transfiguración de Jesús. Antes de ese episodio, Nuestro Señor había anunciado ya que su destino en el mundo sería, en poco más, el de ser escarnecido y muerto, para luego resucitar al tercer día. Los discípulos sufrían una gran tristeza por ese anuncio y Jesús los consuela con una visión anticipada de su gloria. Aquello, la Transfiguración, es algo así como un reflejo de la gloria que le es propia por ser Dios mismo. El texto dice así:

> "Seis días después tomó Jesús a Pedro, a Santiago y a su hermano Juan y los llevó aparte, a un monte elevado, y se transfiguró ante ellos. Su rostro brilló como el sol y sus vestidos se volvieron blancos como la luz". (Mt 17,1-2)

Las señales y símbolos no son casuales ni mucho menos. Ciertas cosas ocurren de una manera o en un lugar que algo representa y que se repite en situaciones de enorme importancia. Observen, por ejemplo, que Dios entrega las Tablas de la Ley a Moisés en el monte Sinaí. Jesús es tentado por el demonio en el pico de la montaña, en el desierto. La Transfiguración sucede en otro monte, el Tabor. Y el asesinato de Cristo en la Cruz es en una colina, el Gólgota o monte Calvario. Parecen leves pero expresas señales de que esos hechos, todos de una importancia por completo extraordinaria, debían darse un poco más arriba del llano donde todos estamos, más cerca del lugar donde pensamos a Dios.

En cuanto a la luminosidad corporal, puede decirse que es una señal divina de la calidad y la misión de quien la muestra. No es tampoco un hecho menor que sea la luz la que distinga al elegido. La luz rompe las tinieblas, les recuerdo, mientras que éstas no pueden romper a la luz. Si una cabaña en medio de la noche y del bosque es iluminada por un rayo de luz, se encenderá cediendo sus sombras. Pero si tiene ya luces, no hay manera de que la oscuridad pueda vencerlas y entrar. Eso es la luz. Eso es la Luz. Un beso de Dios.

SAN FRANCISCO DE SALES fue uno de los santos que tuvo el don de la luminosidad. Esa irradiación asombrosa de su rostro tuvo infinidad de testigos y se daba, especialmente, cuando celebraba misa, al comulgar o al orar. Su sobrino, Carlos Augusto de Sales, contó que:

"En un momento dado de su catequesis desde el púlpito, en la iglesia de Annecy, el Obispo Francisco interrumpía sus dichos para dirigirse con gran gozo y en forma directa a Dios Padre, a quien colmaba de alabanzas y amor. Era en ese instante en que, siempre, se tornaba resplandeciente y rodeado de una luz tan grande y viva que apenas podía ser distinguido en ella, sino que parecía convertirse todo él en luz. Todos los fieles han sido testigos de lo dicho y me permito nombrar entre ellos a... (menciona aquí a una decena de personas pertenecientes a la más alta jerarquía eclesiástica como así también la militar y gubernamental)...".

Este fenómeno se dio en muchas ocasiones en otras figuras santas de la Iglesia como SAN IGNACIO DE LOYOLA y SAN CARLOS BORROMEO, nombrados aquí juntos debido a que en diferentes ocasiones se vieron rodeados por la luz y fue un mismo e inobjetable testigo el que lo confirmó: SAN FELIPE NERI. En el caso del fundador de la Orden Jesuítica, sucedió cuando San Ignacio escuchaba con arrobamiento a un muy buen predicador en Barcelona. San Felipe vio a San Carlos Borromeo "con el rostro iluminado como el de un ángel" mientras conversaban ambos de temas de fe.

De alguna manera, la aureola mística que se dibuja sobre la cabeza de los santos como un círculo suspendido sobre ella, es una forma de señalar la luminosidad propia de ellos. En el caso de los ángeles, la luz es lo central como referencia, son hijos de la luz.

—*Ajá.*

A algunos, hay que señalarlo, las pilas se les van agotando.

—*No seas hereje que te doy algo.*

¿Ah, sí?, ¿me vas a pegar, ahora?

—*Nadie habló de pegar. Te doy algo. Una duda, una sospecha, una pequeña desilusión, un miedito. Eso es peor que pegar, ¿no?*

Ah, muy bien. Tolerancia cero, mano dura, muy bonito para un ángel.

—*Y muy laborioso, demasiado. Porque si te diera alguna de esas cosas, algo que por supuesto jamás haría, después tendría el enorme trabajo de sacártela de encima ya que eso sí es lo mío.*

Menos mal.

—*Por favor continuá con lo de los ángeles...*

No. Terminé.

—*A la gente le encanta lo de los ángeles. Te aseguro.*

A vos te encanta. Y a tus colegas.

—*Yo no tengo colegas.*

Creo que ya me lo dijiste.

LA INVISIBILIDAD es otro don que han recibido, como en prácticamente todos los casos de fenómenos milagrosos, personas santas. San José de Steinfeld, Santa Bona de Pisa, San Luciano y San Francisco de Paula son algunos de ellos, pero un caso realmente fantástico por sus protagonistas y por haberse transformado ya en un hecho histórico-religioso es el de SAN VICENTE FERRER. El monje era famoso por su facilidad de palabra ante nutridos públicos de muy diferentes lugares que visitó en sus viajes para evangelizar. Y también lo era porque se le atribuían ciertas dotes milagrosas. Por una y otra cosa, un día se llegó hasta el convento donde él vivía nada menos que Violante, la Reina de Aragón. Vicente Ferrer estaba en su celda monástica y la monarca quiso conocer cómo era el lugar donde él moraba. Se hizo llevar hasta allí y ordenó forzar la puerta ya que el monje no accedía a abrirla. Al entrar en el pequeño cuarto vio todo en su lugar, salvo a Vicente Ferrer. Los religiosos que acompañaban obligadamente a la reina sí podían verlo, sin embargo. Ella preguntó dónde estaba Vicente y los monjes le dijeron que allí, en ese lugar. Pero ella no podía verlo y esto la irritó mucho. Los religiosos se dirigieron entonces a Vicente y le preguntaron por qué no se dejaba ver por la reina. El monje les aclaró: "Yo nunca he permitido que mujer alguna entrara a mi celda, ni aun tratándose de la misma reina y ha de ser por eso que Dios la castigó por haber entrado por la fuerza y le cerró los ojos para que no pueda verme mientras esté aquí dentro". La reina salió inmediatamente, confusa y arrepentida. Vicente salió detrás de ella que ahora sí pudo verlo. Le pidió disculpas por lo ocurrido y se fue sin volver a comentar aquello.

LA BILOCACIÓN es la facultad milagrosa de una persona para estar físicamente en dos sitios al mismo tiempo. Suena fantasmagórico, lo sé, pero ha existido. Obviamente muy pero muy lejos de lo que hoy se llama clonación, el hombre santo que vivió este fenómeno se transformó en dos exactamente iguales en cuerpo y alma. Aquí, está de más decirlo, no hay intervención humana para que algo así se produzca sino una directa decisión divina por razones que, como casi todo en estos temas, se desconocen por completo aunque siendo voluntad de Dios, debe haber existido un motivo que no admite discusión.

SAN MARTIN DE PORRES, el santito mulato, fue uno de los más conocidos casos de bilocación. Repudiado por su padre, un general español destacado en Lima, Perú, en el siglo XVI, debido a su color de piel más parecido al de su madre morena, Martín fue médico y barbero, profesiones que en aquellos tiempos no estaban demasiado distanciadas que digamos. Luego sintió el llamado de Dios y no lo dudó. Era un gran hacedor de milagros y hubo muchos testigos en la causa para su canonización que confirmaron que fue capaz de curaciones extraordinarias y levitación, además de su facultad de estar en cuerpo y alma en dos sitios al mismo tiempo. Martín no fue nunca sacerdote, pero tampoco lo fueron otros santos como Francisco de Asís, Francisco de Paula, los discípulos de Jesús y muchos otros, lo cual abre la puerta de la santidad de manera indiscutible a todo laico que simplemente tenga a Jesús como ejemplo y lo siga en palabras y hechos. Yo jamás sería santo, soy demasiado cabrón como para algo así, pero uno de mis mayores orgullos —y gente cercana lo ha vivido y comprobado— es preguntarme qué haría Jesús ante algún hecho que la vida me pone por delante. Salvando tiempos, distancias y, sobre todo, naturalezas, no es mala idea hacer algo así, preguntarse ante un hecho cotidiano o una elección difícil qué haría Jesús en ese caso. No se trata de intentar ser santo sino de ser mejor persona, que eso sí que le importa al Señor y mucho. Muy bien, Martín era así sin necesidad de ser sacerdote. Sus milagros se contaron por decenas pero, sin embargo, su canonización tardó un poquito: 318 años. Fue San Martín de Porres recién en 1957. A pesar del incomprensible atraso, la gente lo consideraba un santo desde hacía unos siglos. Con respecto a sus bilocaciones, hay documentos que certifican que él estaba en Lima exactamente cuando muchos lo veían y le pedían gracias en Japón, por ejemplo. En una amplia zona de Oriente fue, para muchos, "el santito moreno". También estuvo simultáneamente en varios sitios. Una de las ocasiones con mayor cantidad de testigos fue aquella en la cual su hermana Juana celebraba una reunión familiar que, de repente, se vio oscurecida por los negros nubarrones de la disputa. Cuando las cosas estaban realmente mal, con ninguna esperanza de arreglo y serios pronósticos de clima empeorado, Martín tocó la puerta de la casa y llegó llevando no sólo flores, frutas y dulces sino, también, sonrisas. Su sola presencia y las palabras que dirigió a los que se enfrentaban, hizo que todo se volviera dulce y calmo. Una semana después, su hermana Juana viajó a Lima, distante unos 400 kilómetros de su casa, y comentó con algunos hermanos del convento de Martín la manera en que él logró cambiar todo para bien en apenas un par de minutos. Todos asintieron sonrientes hasta que Juana mencionó, al pasar, la fecha y hora de aquel hecho. Todos quedaron congelados y se pusieron serios de golpe: ese mismo día, a esa misma hora, Martín estaba en el monasterio sin ningún lugar a dudas ya que había sido una jornada en la que, debido a un accidente, había una gran cantidad de heridos a los que, tanto el santo como los otros religiosos, habían estado atendiendo con total dedicación.

San Antonio de Padua fue protagonista de varias bilocaciones, siendo una de ellas la más popular y la que se menciona cada vez que se da ejemplo de este tipo de fenómeno. Antonio estaba a punto de oficiar misa en la iglesia de San Pedro en Limoges, Francia, cuando alguien le recordó que había prometido llevar a cabo unos servicios religiosos a unos cien kilómetros de allí, a esa misma hora. Antonio lo había olvidado o algo hizo que lo olvidara para que se produjera el milagro el cual ahora, casi ochocientos años después, nosotros estamos mencionando. Ésa es una de las posibilidades del origen de algunos hechos inexplicables en los santos: grabar de una vez y para siempre el carácter milagroso de aquello, con el fin de demostrar que lo de "No aflojes. Hay milagros" es una realidad y no un mero consuelo. Lo cierto es que Antonio, al recordar que debía estar muy lejos de allí en ese mismo instante, sólo se arrodilló frente al altar mayor y permaneció así, con la cabeza gacha y ante muchos fieles, durante un lapso prolongado que todos respetaron en silencio sin saber por qué. Exactamente a esa misma hora y a cien kilómetros de distancia, el mismo Antonio de Padua se presentaba ante los monjes que lo estaban aguardando y les llevaba la palabra de Dios. En ese preciso instante, el santo se había puesto en pie en la iglesia de San Pedro en Limoges y oficiaba misa pronunciando un sermón inolvidable que hablaba del poder de Dios.

LOS ESTIGMAS son, sobre todo, señales. Forman parte de lo milagroso, desde ya, porque se trata de un hecho que traspone de manera inusual las barreras de lo natural, pero marcan —señalan— a una persona como elegida para sufrirlos. Como ocurre con muchos dones sobrenaturales y en este caso de manera especial, aquellos que los tienen se hicieron acreedores a una carga y no a algo placentero. Llevan la cruz.

Los estigmas son las marcas de las heridas de Cristo crucificado, es decir que si las tomamos en su totalidad son cinco: dos llagas en las manos, una que atraviesa ambos pies, el corte producido por la lanza en el costado del Señor y la frente sangrante por la corona de espinas. En general, el fenómeno suele darse solamente como una manifestación de llagas en las manos.

Esta señal por cierto inexplicable tiene una confirmación muy severa que viene por parte de la misma Iglesia: para que oficialmente se avale a alguien que sufre los estigmas es imprescindible que esa persona sea estudiada clínicamente de manera científica e inexorable por un grupo de médicos designados de manera especial por el Vaticano. También se usa a menudo profesionales de otras religiones e incluso ateos o agnósticos, para que nadie se vea obligado por su condición de fe. Esto significa que las personas aceptadas oficialmente por la Iglesia como estigmatizadas han sido o son objeto de una investigación rigurosa cuya base es por completo científica. Los médicos que analizan al sujeto deben dar un diagnóstico absolutamente profesional en el cual aceptarán que no hallan explicación racional de ningún tipo a ese fenómeno. En este caso vale preguntarse, entonces, si existen "estigmas naturales". De ser así, la cuestión es cómo es posible que a una persona le aparezcan de golpe heridas sangrantes en algunas partes de su cuerpo sin sufrir ninguna enfermedad que pudiera provocar semejante cosa. Los estigmas son, por definición, completamente sobrenaturales. Hay, por cierto, casos en los que se originan en una histeria profunda o un misticismo que traspone la línea de lo espiritual para mostrarse en lo físico de manera enfermiza, aunque duela admitirlo. Pero justamente allí es cuando pesa y mucho la extremada y a veces exagerada prudencia de la Iglesia. Uno es más ansioso que ella y desea —necesita, diría— el rápido aval al milagro, pero la investigación exhaustiva y sobre todo el tiempo, son algo que es tan importante como el milagro mismo. Nadie engaña a la Iglesia, ni aun aquellos que se engañan a sí mismos.

No se sabe con certeza quién fue el primer estigmatizado real de la historia. Se le adjudica ese doloroso honor a San Francisco de Asís y hay constancia de que, en ese caso, ocurrió en 1224. Pero sucede que algunos hechos nos permiten objetar cariñosamente. Lo de San Francisco no admite la menor duda, pero sí el hecho de señalar que fue el primer estigmatizado. En su Epístola a los Gálatas, San Pablo dice en el final: "Porque yo llevo en mi cuerpo los estigmas del Señor Jesús". Esto ocurre en el primer año de la era cristiana, mil cien antes de Francisco de Asís. Es muy probable que San Pablo escribiera esa frase de manera por cierto simbólica porque no hay otro registro donde se mencione que este extraordinario puntal de la Iglesia toda haya sufrido físicamente los estigmas. Pero la duda ronda. Luego, en el siglo IV, San Ambrosio deja por escrito: "...Jesucristo te ha marcado con su sello imprimiéndote el signo de la Cruz para que te asemejes a Él también en los sufrimientos". Es absolutamente posible y hasta probable que se trate de una mención también puramente simbólica. "El signo de la Cruz" y "sus sufrimientos" no tienen por qué ser, necesariamente, físicos y visibles. El mayor dolor de Jesús no fue en su cuerpo. Nuestros estigmas pueden ser, a veces, profundas penas o azotes morales que nos ponen a prueba puede decirse que a diario. ¿Ustedes nunca han pasado por algo así? Si no lo han hecho, no solamente son afortunados sino también marcianos. Uno no está aquí para pasarla bomba, hermanos. Uno —y cuando digo "uno" hablo también de mí mismo, por supuesto— transita lo mejor que puede este mundo que a menudo apesta. Lleva su cruz y sufre los dolores del alma que nunca serán como los que el Señor vivió para darnos vida, la eterna, la verdadera que hay que ganarse amando como Él nos amó, cosa que a veces —lo admito— no es tan fácil como decirlo.

Lo de San Ambrosio, entonces, puede haber sido igualmente un símbolo. Lo que es realmente curioso es que, en 1222, en el sínodo de Canterbury, se condenó a un personaje que se había dibujado prolijamente en las manos y los pies las impresiones de las heridas de Cristo. Se demostró que el hombre era un impostor y fue detenido. Aquí viene lo que llama la atención: ¿es posible que alguien invente una cosa semejante sin que haya ocurrido con anterioridad de manera real? Para entendernos de una manera directa, es como inventar el papel higiénico antes de haber inventado hacer caca.

—*Muy agradable la metáfora.*

Está bien, no será agradable pero es bien gráfica.

—*Podrías haber dicho: "Es como inventar el sentimiento antes de inventar a quienes sienten".*

Confuso y aburrido, si querés que te diga.

—*Bueno, para aggiornarnos un poco, digamos que "es como inventar los antigripales antes de inventar la gripe".*

Está mejor, pero me quedo con lo de la caca.

—*Claro. Es más lo tuyo.*

Así es. También soy un hombre de la tele.

—*Adelante. Te escucho.*

Muy buenas tardes. Aquí estamos, como cada semana a esta misma hora, trayéndoles a ustedes lo mejor de...

—*Te escucho tu relato de los estigmas, quise decir. No me interesa mucho tu presunta capacidad como presentador de la tele...*

Señoras y señores: con ustedes y llegado especialmente desde el Cielo para este programa, tengo el placer de presentar a mi ángel de la guarda, el fantástico Mariano, quien hoy y aquí...

—*Listo. Hasta la semana que viene, amigos.*

No sé qué hago aquí investigando datos por más de un año y después escribiendo como un esclavo a las cuatro de la madrugada, como ahora, cuando podría trabajar en la tele. Ahí, con saber doscientas palabras, ya es suficiente para conducir un show. Claro que sabiendo trescientas sos un político importantísimo y eso es más lucrativo.

—*Los estigmas, Gallego.*

No, gracias, paso. Duelen.

—*Quiero decir que sigas con el tema de los estigmas, gracioso.*

SAN FRANCISCO DE ASÍS es, de manera que podemos calificar como oficial, el primer estigmatizado de la historia del cristianismo. Tenía cuarenta y dos años cuando, en 1224, desesperado por un destino que no hacía más que golpearlo una y otra vez, como si tuviera un millón de mejillas, el santo subió a la montaña de Alvernia y lo hizo solo, para pedir a Dios y a los gritos, que por favor le diera una señal. Y Dios se la dio.

Un ángel pleno de luz se le apareció llenándolo de gozo y de misterio, no como algunos que nunca se aparecen.

—*Sin comentarios.*

El ángel, que según el relato de la tradición tenía tres pares de alas, se mantuvo en el aire frente al arrobado Francisco dejando ver sus brazos abiertos y sus pies encimados, como si estuviera crucificado. El santo cayó arrodillado y rebosante de fascinación ante ese enviado de Dios, entendiendo que era la señal que había pedido desde el fondo de su alma pero sin comprender qué había detrás de aquello. Antes de que la imagen desapareciera lentamente, empezó a advertir los signos físicos que confirmaban su fe. El místico Tomás de Celano describe con exactitud en su *Acta Santorum* aquellas señales divinas en San Francisco:

"Sus manos y sus pies estaban clavados en su centro; las cabezas de los clavos, redondas y negras, estaban en el dorso de las manos y de los pies; apareciendo por el otro lado las puntas algo largas que sobresalían de la carne. El costado derecho estaba como perforado por una lanza y la sangre fluía a menudo de la cicatriz".

Es realmente asombroso que el relator Tomás de Celano, que investigó ese tema por encargo especial del Papa Gregorio IX, insistiera en declarar que no solamente vio las heridas sino que las palpó y tocó cada una de las protuberancias de la piel del santo. Una descripción casi idéntica pero sin la mención de los clavos sino directamente de las heridas por ellos producidos fue dada por Santa Clara de Asís, San Buenaventura, el Papa Alejandro IV y alrededor de unos cincuenta religiosas y religiosos. Francisco de Asís llevaría consigo los estigmas hasta su muerte, apenas dos años después. Había encontrado con gozo la señal que le pedía a Dios. Cuando escribo estas líneas han pasado 777 años (lindo número) desde el día en que San Francisco recibió los estigmas. En ese tiempo quedó confirmado, desde hace siglos, el hecho en sí. Y, desde entonces, absolutamente nadie pudo explicar el origen de las heridas, el sangrado que manchaba las ropas del santo permanentemente, la ausencia total de otros síntomas médicos como pudieron ser la anemia o una simple debilidad debido a esa continua sangría, la razón que impidió que esas heridas cerraran en algún momento y el hecho desconcertante desde el punto de vista científico de que no se produjera ningún tipo de proceso infeccioso durante esos dos años.

De acuerdo con los registros no oficiales pero cercanos a lo más creíble en este tema, ésta es la cantidad de estigmatizados siglo a siglo, desde el año 1224 en que ocurre lo de San Francisco:

Siglo XIII.................. 30
Siglo XIV.................. 23
Siglo XV 24
Siglo XVI.................. 60
Siglo XVII 120
Siglo XVIII................ unos 30
Siglo XIX.................. alrededor de 40

En el siglo XX —y como casi todo lo ocurrido en ese lapso de la historia de la humanidad— todo fue muy confuso y es casi imposible determinar datos que se acerquen a la realidad. Lo caótico de ese siglo provocó la aparición de muchos estigmatizados que simplemente hacían circular sus fotos en dudosas publicaciones, libros de parapsicología sin fundamento ni seriedad o Internet. Mucho olor a fraude en demasiados casos.

De todas formas, hay uno precisamente en la Argentina que ha sido estudiado por autoridades médicas y eclesiásticas de manera exhaustiva y sin encontrarle fallas:

GLADYS HERMINIA QUIROGA DE MOTTA nació el 1° de julio de 1937. No terminó sus estudios primarios y fue, desde siempre, una mujer sumamente piadosa. Tenía 46 años de edad cuando el 25 de septiembre de 1983 recibió por primera vez la gracia de una visita de la Virgen. Ella vive en San Nicolás, Buenos Aires, y desde entonces su historia y los 1800 mensajes que se dieron a conocer en los que la Santísima Madre la usaba a Gladys como su portavoz, han recorrido el mundo. Pero había algo más. La mujer recibió los estigmas y hay fotos que lo certifican, además de las declaraciones de profesionales de la medicina y autoridades del clero que vienen estudiando este caso en profundidad desde su inicio. Es posible que el fenómeno se siga dando en la actualidad pero hace ya unos años que se decidió interrumpir toda información que la involucre, incluyendo nuevos mensajes marianos, si es que los hubo. Lo que se sabe con certeza es que las marcas de las heridas de Jesús aparecen en ella el miércoles de Semana Santa, aumentan notoriamente el jueves, sangran profusamente el viernes (día de la Crucifixión), comienzan a desaparecer el Sábado de Gloria tomando un color sonrosado y ya no quedan rastros de lo sucedido el Domingo de Pascua. No sólo sus manos son afectadas. Una considerable cantidad de testigos, como el médico Carlos Pellicciotta, que fue uno de los que estuvo cercano al fenómeno desde su inicio, han testimoniado que en esos días de la Semana Santa Gladys monta un pie sobre otro, como en la Crucifixión, y aunque entre varios hombres han intentado separarlos, jamás se pudo lograr a pesar de que ella no ejercía ningún tipo de fuerza ni resistencia. Los estigmas le duelen y no poco. Al principio le daban medicinas para paliar ese dolor, pero no servían prácticamente de nada por lo cual luego optaron por la única solución que la misma Gladys tuvo la deferencia de contarme en una breve charla en 1992 cuando le pregunté qué hacía ante semejante dolor: "Me quedo quieta. Solamente hay que esperar. Me quedo quieta, rezo mucho y espero". Gladys ha sido revisada física y psicológicamente en muchas oportunidades, siempre con su autorización y con esos análisis a cargo de profesionales de nivel internacional que fueron enviados desde Roma. Absolutamente todos los estudios arrojaron como resultado la completa salud mental y física de Gladys, una adorable mujer que está muy lejos de querer aparecer en los medios de comunicación e intenta, como puede, seguir con su vida cotidiana. Ya conté en el librito *La Virgen* que, entre otros, el fundador del inolvidable grupo de folclore Los Chalchaleros, Juan Carlos Saravia, fue testigo directo y vio con sus propios ojos la marca de los estigmas que Gladys le mostrara con cierto pudor a él y a su esposa. A Saravia se le llenaron los ojos de lágrimas. Y creo que le ocurriría a cualquiera. Entre los miles de millones de personas que han pasado por el mundo desde Cristo hasta hoy, solamente unas 400 han recibido el don de los estigmas. Si uno lagrimea ante una de ellas, es lo mínimo que le puede ocurrir.

ALGO PARA RECORDAR

En muchos de los casos mencionados y reconocidos, los estigmas aparecieron en la palma de las manos de quienes los recibieron; mientras que en otros, esas impresionantes señales quedaron marcadas en las muñecas. Es posible que alguien eleve con alborozo su escéptico dedo para indicar la aparente falla en un caso o el otro. Si la persona que hace algo así lo está llevando a cabo de mala fe, se me ocurren algunos otros destinos para ese dedo enarbolado; si es de buena fe, la duda es genuina y aceptable. Para todos, como sea, va la explicación.

En realidad, a Jesús le perforaron las muñecas al clavarlo en la cruz y no la palma de sus manos como se ve en muchos crucifijos. Los que ya saben de esto saben, también, el porqué: de haber sido clavado en la palma de sus manos, el peso de su propio cuerpo cayendo hacia adelante hubiera desgarrado las heridas sin sostenerlo. Los clavos entraron por las muñecas del Señor para que el carpo sostuviera el cuerpo y la agonía fuera aún más severa. Queda claro esto, entonces.

Los estigmas aparecidos en personas piadosas son, ciertamente, señales muy claras y, como tal, son más que nada simbólicas. Nada cambia ni se desmerece por aparecer en las muñecas, tal como ocurrió en la realidad de hace casi 2000 años, o en las palmas de las manos, de la misma manera en que se puede ver en gran cantidad de crucifijos o pinturas de todas las épocas. Es un símbolo sagrado y no un acto de magia. La bandera argentina aparece en diferentes sitios con muy distintos tonos de celeste y a nadie se le ocurriría objetarla como símbolo.

Otro más que célebre estigmatizado de nuestras épocas ha sido el BEATO FRANCESCO FORGIONE, elevado a los altares hace poco pero reconocido por todos como un santón durante muchos años en vida. Claro que no se lo llamaba así sino como a él más le gustaba: el Padre Pío.

Pero son tantas las señales y milagros que rodearon y rodean la figura del Padre Pío que necesitamos un espacio exclusivo para él un poco más adelante.

LA INCOMBUSTIBILIDAD es el fenómeno milagroso corporal que obra para que una determinada persona expuesta a las llamas no sufra el efecto de ellas.

SANTA CATALINA DE SIENA oraba frente a una enorme fogata debido a un invierno especialmente duro. De pronto entró en éxtasis y cayó en medio de las llamas y las brasas. Pasó un tiempo considerable y fue hallada por su cuñada en ese mismo lugar, acostada en las brasas y rodeada de fuego, sin haber dejado de rezar y sin que se quemara absolutamente nada de su cuerpo y —más asombroso aún— tampoco de sus vestidos. Debieron llamarla en voz alta varias veces para que saliera del éxtasis místico y, con naturalidad y ningún apuro, saliera de en medio de la fogata para volver a lo suyo sin siquiera hacer preguntas.

SAN FRANCISCO DE PAULA entró voluntariamente a un horno de cal viva que se había destapado e impedía seguir trabajando a sus Hermanos en la construcción de un monasterio. Francisco se metió en el horno, fuego puro, manipuló algunos hierros al rojo vivo que dificultaban las cosas y estuvo allí dentro por un buen rato hasta que arregló el desperfecto. Difícil explicar la cara con que mirarían la escena los otros monjes.

LA OSMOGÉNESIS es lo que se conoce más habitualmente como "olor de santidad". Se trata del fenómeno por el cual una persona vive o muere exhalando un olor infinitamente grato que destaca su santidad.

Hay muchísimos ejemplos al respecto. Rescatemos el de Santa Catalina de Ricci, San Francisco de Asís, la Madre Agnes de Jesús, Santa Francisca Romana, Santa Teresa y Santa Lidvina quien, en el momento de su muerte, estaba cubierta de llagas y pus pero de allí provenía un aroma tan fino y bello que mareaba de ensueño a los presentes. Como otros, Santa Lidvina mantuvo ese perfume mucho después de muerta, lo que se comprobó cincuenta años después, cuando removieron su caja mortuoria para mudarla a otro sitio. Las reliquias de San Antonio de Padua aún hoy continúan conservando un gratísimo perfume, lo mismo que el breviario que usara en toda su vida Santa Clara de Asís.

Es bueno aclarar que desde hace mucho tiempo se dice que alguien murió "en olor de santidad" sin referirse de manera puntual al aroma que ese cuerpo despide sino, aun sin que existiera ningún perfume sobrenatural, a la condición de santa pureza en la que esa persona entregó su alma al Señor. Por ejemplo: al partir al Cielo en 1997, la Madre Teresa de Calcuta no presentaba aroma especial de ningún tipo pero, sin embargo, ella sí murió "en olor de santidad" por razones que son más que conocidas. Es como decir que falleció con todos los atributos como para ser santa, cosa que ocurrirá sin ningún lugar a dudas y en tiempo récord, ya verán.

LA INCORRUPTIBILIDAD es el mérito religioso y milagroso por el cual hay personas santas que mantienen su cuerpo o una determinada parte de él exactamente igual que cuando vivían, aun cuando hayan pasado meses, años o siglos de su muerte.

Santa Cecilia era cristiana y fue ofrecida en matrimonio a un tal Valeriano que no lo era. Ella decía que veía a su ángel a diario y le contó a su flamante esposo que él también podría verlo si se convertía al cristianismo. El hombre accedió y parece ser que pudo, también, ver al ángel, suerte que algunos tienen con ángeles más complacientes que los que uno conoce. Santa Cecilia escuchaba a menudo una música que sólo podía provenir de los ángeles y de allí que se la mencione hasta hoy como la Patrona de los Músicos. También hay otra historia aunque nunca se la comprobó fehacientemente: Cecilia no quiso ceder ante el brutal acoso sexual del emperador y éste ordenó que la torturaran hasta morir. Al hacerle pasar por los más terribles sufrimientos y, ante el asombro de sus verdugos, no solamente no gritó de dolor sino que elevó al cielo cánticos sagrados que honraban a Jesús. Otro motivo para ser la santa de la música. Pero, lo que aquí importa es que todo esto sucedió en el segundo siglo de la era cristiana y que, en 1599 —mil trescientos años después— se abrió el ataúd para recoger sus cenizas santas pero no fue posible ya que se encontraron con su cuerpo intacto, perfectamente conservado, con las mejillas aún sonrosadas y brillo en los ojos, es decir incorruptible.

SAN JUAN NEPOMUCENO se negó a revelar sus secretos de confesión que le eran exigidos para usarlos políticamente. Fue torturado y asesinado sin que dijera una sola palabra. En 1719, tres siglos más tarde y durante su proceso de canonización, su ataúd fue abierto. Encontraron el esqueleto descarnado del santo pero, destacándose de manera impresionante por el contraste de color, su lengua —roja y viva— estaba intacta. Aquella lengua que no quiso violar el secreto de confesión se mostraba ahora ante todos como un ejemplo que señalaba la santidad. Fue colocada en una caja de plata que lleva una inscripción donde se relata el milagro.

BATALLA INTERIOR, INEVITABLE

Dios mío, Dios mío, ¿qué cosa somos los pobres mortales dando vueltas por un mundo que no nos comprende y asistiendo a milagros que nosotros no comprendemos? No retornó mi crisis montando un caballo negro, no. Pero vuelvo a preguntarme si en este mundo impiadoso es casi cosa de bufón andar relatando milagros. ¿Están ahí? ¿Ustedes están ahí? ¿Me dejaron de a poco con mi locura que es mucho más real y más bella que la cordura que gobierna al mundo? Se los pregunto con desesperación, con la realidad que estalla en todas partes y con sus esquirlas buscando nuestras cabezas y sobre todo nuestros corazones. ¿Están ahí? ¿Es cierto lo que dicen, que ya la vida no vale nada o casi nada, que se asesina de una manera tan natural que aterra? ¿Que la violencia y la muerte van de la mano por la vida, riéndose a carcajadas? ¿Es igual la vida y la muerte? Y, al fin de cuentas, ¿qué es la vida, hoy...?

—*Ay, Gallego querido... Vos y tu batalla interior. La vida vale para los que la honran. ¿Qué es?... Una gran prueba, entre otras cosas.*

No me basta.

—*Lo imaginaba. Creo que tenés un par de envíos en tu correo electrónico. Dales una ojeada.*

Y allí estaban. El primero era un cuento, escrito por mí mismo quince años atrás y llegado a mi computadora a través del tiempo, tal vez enviado por aquel que fui, ¿quién puede saberlo?, son demasiadas las preguntas que tengo como para detenerme en ésta. El segundo envío era una respuesta. Directa, hermosísima y con remitente impecable. Releí la primera y se volvió a erizar mi piel con la historia de esos dos asesinos que se disponen a matar a su víctima, eso sí es violencia pura. Releí el segundo y respiré hondo, sonreí y supe que siempre, en algún lado, están ocurriendo buenas cosas.

Para matar

(Un terrible relato)

Una explosión de sangre, eso se imaginaba. Ella no había visto nunca una explosión, salvo en la tele, pero igual se imaginaba que lo que iba a suceder sería como una explosión de sangre. El cómplice le había dicho que no, que se quedara tranquila. Él ya estaba acostumbrado. Le sonreía con un solo costado de la boca, algo difícil si probaron, no vayan a creer. Pero no es lindo. Sonreía con un solo costado de la boca en una actitud gestual que denotaba una verdadera austeridad de alegría.

En realidad, él no tenía mucho de qué reírse. Ya había estado preso una vez y sabía que si volvían a agarrarlo la cosa ya no sería tan sencilla. Estaba jugado. Sentía que servía para eso nada más, para el delito. Era lo que daba buena platita, después de todo.

Los dos, ella y él, estaban ahora a punto de cometer uno, el primero para ella, tan joven, pobrecita. Esperaban sabiendo que tenían a su víctima absolutamente bajo control. Esos momentos previos son muy duros. Ella temblaba un poco y, como estaban solos, él se inclinó levemente para hablarle en un tono bajito, si hasta pareció que iba a besarla pero no lo hizo, claro, él no era precisamente un tipo sensible. Le hablaba al oído, como dando instrucciones. Ella movía la cabeza diciendo que sí, que sí, aunque estaba blanca como esta página y de sus ojos oscuros como el ébano se deslizaban unas silenciosas gotitas. El tiempo pasaba como siempre, ya se sabe cómo es el tiempo, pero ella tenía la sensación de que andaba lento y pesado como esos hipopótamos del zoológico con los que, con su novio, se habían reído tanto porque sí nomás. Era un gran contraste estar allí, ahora, con ese tipo que apenas conocía, esperando para matar y sin poder evitar que se le movieran traviesas en la mente las voces de aquella tarde en el zoológico junto a su novio.

Tirale una galletita, dale, dale. Pero no, tontita, si los hipopótamos no comen galletitas, mirá que cacho de animal, cómo va a comer galletitas. Pero tirale, dale, yo sé lo que te digo, prestame la caja, mirá, viste, qué te dije, mirá.

Y la tarde desparramaba un sol generoso que hacía que el celeste fuera más celeste. Los chicos corrían por los caminitos del zoológico seguramente deseando tener cien ojos para no perderse nada y mil manos para lanzar galletitas que pegaban en la cola colorada de un mono o en el absurdo caparazón de una tortuga que, en una de ésas, vio pasar por allí a un abuelo nuestro cuando era chiquito y ahora ni siquiera sabe que el abuelo murió hace rato pero no vale la pena contárselo porque con un día como ése era una pavada poner triste a la tortuga o a cualquiera.

Era un día lindo, sí. Linda época. Porque había sol, pajaritos, brisas, todo por delante y se amaban, como dicen en las novelas.

—Decime que me amás.

—Y claro que te quiero.

—Que me querés no, tontito. Decime que me amás.

—¿Como en la tele?

—Sí, como en la tele.

—Tá bien. Te amo, corazón mío de mi vida, se me parte el alma en mil pedazos cuando pienso en ti, oh mi amor, mi pequeña, loca mía.

—Sos un plomito.

—¿Y por qué?

—Porque me estás cargando y lo que yo quiero es que me digas en serio que me amás porque nunca me lo dijiste con esas palabras. Nadie lo dice así. Nosotros somos diferentes, diferentes en todo, seguro. Prometeme que siempre va a ser así.

—Y claro, qué decís. Te lo aseguro, no tengás miedo.

No, no tengo, se oyó decir a sí misma, pero sí tenía. Aquella tarde del zoológico parecía un sueño de tan linda. Nada que ver con esa espera. Sí, tenía miedo. Ella nunca antes había matado y dentro de muy poco, unos minutos, iba a producirse lo que imaginaba como una explosión de sangre aunque su cómplice quisiera tranquilizarla. Él no parecía tan nervioso, aunque había cierta tensión en el ambiente que cualquiera sensible hubiera percibido enseguida. Allí donde estaban nadie podría verlos pero ahora pensaba que no era eso lo importante, que casi daba igual si los veían o no porque lo que importaba era que ella tendría que vivir el resto de sus días con esa carga en su conciencia.

No entendía cómo se había dejado convencer y comprendía que ya era tarde para volverse atrás.

—Ya falta poco —dijo él, el cómplice, en voz baja y chistando apenitas como se hace para tranquilizar a un caballo nervioso.

—¿Cuánto? —preguntó ella, tensa.

—Poco —dijo el delincuente sin agregar nada más.

A una nena se le reventó un globo cerca de la jaula de los leones, esa tarde que ahora volvió a recordar. Más que una jaula es como una casa grandota, no sé si la vieron. La de los leones, digo. Con el reventón del globo ellos dos levantaron la vista al mismo tiempo y después él dijo algo que ella no entendió: los leones siempre tienen un buen lugar donde vivir.

—¿Por qué no nos casamos? Todo el mundo se casa.

—Todo el mundo no. Todos los que tienen con qué —dijo él.

Ella se había quedado mirando a la nena que ahora lloraba cerrando los ojos y abriendo grande la boca, quieta, desconcertada, sin explicarse que la vida daba sopapos como matar a un globo de repente. Me gustan los chicos, dijo ella. A mí también, dijo él y sonrió con toda la boca, con todas las ganas.

—Vamos a tener un montón —dijo ella desafiante.

—Todos machitos —dijo él, saboreando la idea de fútbol, mina, chupi. Y el sol aplaudía. O eso les pareció a ellos, al menos. Ella sacó una galletita con forma de elefante y la puso, golosa, casi sensualmente, en su esponjosa boca.

Tenía un gusto amargo ahora, con su cómplice que aparentaba serenidad y tener todo bajo control, ya estaba acostumbrado a eso. Pero ella no. Se sentía frágil. El paladar seco, los dientes como ajenos. Un sudor frío pero no refrescante brotándole en la frente. Matar, Dios mío, matar. ¿Qué estaba haciendo allí? ¿Por qué no salía corriendo de repente? Él, su cómplice, tal vez la detuviera. Aunque no, no creía, no se iba a atrever, ella sabía ya demasiado de él. ¿Qué pasaría cuando llegara el momento? ¿Se atrevería o, en ese decisivo segundo, daría un salto y echaría a correr a cualquier parte? Hay cosas que no se pueden saber hasta vivirlas, pensó. Pero es que yo no quiero vivir esto, se dijo enseguida para sí misma. Y lo repitió en voz alta: yo no quiero vivir esto. Por primera vez el cómplice pareció ponerse realmente nervioso. Miró a un costado como temiendo que alguien más pudiera haber escuchado ese conato de arrepentimiento y luego la miró a ella con unos ojos que a la pobre le parecieron feroces pero eran solamente fríos como los de un reptil. Está bien, está bien, dijo ella con voz contenida arrepintiéndose de su arrepentimiento. Él se aflojó, aliviado. Volvió a acercarse más a ella con esa sonrisa prestada y le susurró una frase que la hizo estremecer, sonándole siniestra: vas a ver que todo va a ser muy rápido.

—Cómo pasa el tiempo... —suspiró ella aquella tarde en el zoológico mientras miraba para el lado del sol que se metía despacito entre los edificios frente a Plaza Italia.

—Sí que pasa... —dijo él soplándole a la nada con un gesto que se movía entre la resignación y la pena.

Salieron del zoológico y, tomados de la mano, cruzaron a la plaza sin dejar de decirse cosas en secreto, de reírse como chicos, de beberse la tarde a sorbos cortos y darse palmaditas juguetonas.

La abofeteó levemente, muy levemente. Ahora las palmaditas eran en la cara, despacito. El zoológico era sólo el recuerdo al que se aferraba mientras su cómplice le preguntaba si estaba bien. Ella cerró los ojos con fuerza y dijo que sí. Cuando los abrió le pareció que su cómplice estaba ahora agazapado, pasándose la lengua por los labios que debía tener muy secos, como ella. Sin dudas el momento estaba cercano. Casi podía olerse a la muerte. Iba a ocurrir una masacre y los dos lo sabían, lo que hacía que la tensión aumentara y que ninguno de ellos dijera nada mientras él, su cómplice, se movía sigiloso buscando algo. Iban a matar y esos segundos previos eran un ritual nervioso y sucio. Iban a matar. Ella apretó los dientes sintiéndolos crujir. Éste es el momento, éste es el momento, se repitió con ansiedad y angustia. Todavía puedo dar un salto y correr. Pensó en su novio, que ni siquiera sabía que ella estaba allí. Tal vez me vaya, se dijo. Intentó mirar a su cómplice buscando un instante de duda para detener todo pero él estaba agazapado y ella, desde su posición, apenas le veía la calva, los hombros, parte del guardapolvo blanco. Ella seguía boca arriba, la espalda transpirada pegada a esa camilla, mientras su cómplice estaba exactamente entre sus piernas abiertas, con una cosa larga de metal en la mano, pidiéndole que se afloje, dispuesto a comenzar la matanza.

◆ ◆ ◆

El segundo envío era un texto precioso que pertenecía a la Madre Teresa de Calcuta. Hace algunos años, en una charla que ella diera en los jardines del Vaticano a cientos de mujeres, había dicho con respecto al aborto: "No lo hagan, no lo hagan. Si no quieren tener a esos bebés, dénmelos a mí". Recuerdo con mucha nitidez su tono dulce pero imperativo y mi propia emoción al escucharla. La futura Santa Teresa de Calcuta, con su propia experiencia, le dio sentido a la vida. Aquí la define, como una respuesta a mi estúpida pregunta de "¿Qué es la vida, hoy?". Y es estúpida, más que nada, por ese "hoy", ya que en esencia es igual que hace miles de años. La vida no cambió como don de Dios, los que sí cambiamos fuimos nosotros. Así como al relato anterior de este mismo capítulo lo llamé "Para matar", al que sigue bien podríamos tomarnos la licencia de ponerle por título "Para vivir". Éste es el texto:

La vida es una oportunidad, aprovéchala.
La vida es belleza, admírala.
La vida es beatitud, saboréala.
La vida es un sueño, hazlo realidad.
La vida es un reto, afróntalo.
La vida es un deber, cúmplelo.
La vida es un juego, juégalo.
La vida es preciosa, cuídala.
La vida es riqueza, consérvala.
La vida es amor, gózala.
La vida es un misterio, devélalo.
La vida es promesa, cúmplela.
La vida es tristeza, supérala.
La vida es un himno, cántalo.
La vida es un combate, acéptalo.
La vida es una tragedia, domínala.
La vida es una aventura, arrástrala.
La vida es felicidad, merécela.
La vida es la vida, defiéndela.

Madre Teresa de Calcuta

El muy inteligente Paulo VI dejó estampada una frase para siempre en una época donde el mundo estaba convulsionado: "Si quieres la paz, defiende la vida".

—*Paz serena, Galle.*

Paz serena, Marianito, aunque todavía no le encuentre el significado que seguramente debe tener.

—*Correcto. Te ganaste una licuadora. Tiene un significado.* Que es...

—*Averiguarlo es cosa tuya, viejo.*

Viejo sos vos, que ya andabas por el mundo cuando Adán todavía usaba pantalones cortos.

—*Volvamos a la vida, por favor. Esa que tanto amás.*

Es que no hay un don mayor. Aunque nos vaya mal como nunca imaginamos que podría ocurrir, aunque se nos caiga el techo en la cabeza con esa decisión, aunque estemos atrapados y convencidos de que no hay salida, es imprescindible defender a la vida con dignidad. Hay que pelear por ella aunque sea a punta de milagro.

Mi querido amigo el padre Rafael Hernández sabe de pelear por la vida y sabe de milagros. Vaya si sabe. Hace muchos años que está en San Nicolás, Buenos Aires, el lugar elegido por la Virgen para dejarnos sus mensajes. Trabajó en todo lo que puede trabajar un cura y más: fue canciller del obispado de San Nicolás, alma máter del seminario de esa ciudad, párroco de una iglesia en el alicaído barrio Somisa, permanente colaborador del santuario. Fue golpeado feo en su salud pero ése sí que no afloja ni tiene miedo. Sigue peleando con todas las armas, incluyendo ahora la Internet y el correo electrónico. A través de él me hizo llegar un texto imperdible donde queda bien en claro el valor de una vida porque una vida —cualquiera— puede cambiar el mundo.

16

Una vida cualquiera
(Hecho real)

Emilia pertenecía a una familia de clase media en un país europeo que sufría estragos y carestías después de una prolongada guerra nacional. Hambre y epidemias amenazaban a toda la población. Emilia, desde pequeña, había tenido una salud delicada, que no había podido mejorar por las condiciones en las que vivía. Siendo muy joven, se casó con un obrero textil y se establecieron en una población nueva lejos de familiares y conocidos. Poco tiempo después nació su primer hijo, Edmundo, un chico atractivo, buen estudiante, atleta y con gran personalidad. Unos años más tarde, Emilia dio a luz a una niña que sólo sobrevivió pocas semanas por las malas condiciones de vida a la que la familia estaba sometida.

Catorce años después del nacimiento de Edmundo y casi diez de la muerte de su segunda hija, Emilia se encontraba en una situación particularmente difícil. Tenía cerca de cuarenta años y su salud no había mejorado: sufría severos problemas renales y su sistema cardíaco se debilitaba poco a poco debido a una afección congénita. Por otro lado, la situación política de su país era cada vez más crítica, pues había sido muy afectado por la recién terminada Primera

Guerra Mundial. Vivían con lo indispensable y con la incertidumbre y el miedo de que estallase una nueva guerra.

Y justamente en esas terribles circunstancias, Emilia se dio cuenta de que nuevamente estaba embarazada. A pesar de que el acceso al aborto no era sencillo en esa época y en ese país tan pobre, existía la opción y no faltó quien se ofreciera para practicárselo. Su edad y su salud hacían del embarazo un alto riesgo para su vida. Además su difícil condición de vida le hacía preguntarse: "¿Qué mundo puedo ofrecer a este pequeño? ¿Un hogar miserable?, ¿un pueblo en guerra? ¿Vale la pena que le dé la vida?...".

A esta situación tan difícil que enfrentaba Emilia, se sumaría otra problemática que ella aún no conocía pero, de saberla, le haría cuestionar aún más la conveniencia de que este hijo naciera. Emilia moriría tan sólo diez años después a causa de sus problemas de salud. Trágicamente, también Edmundo, el único hermano del bebé que esperaba, viviría sólo dos años más.

Algunos años más tarde, estallaría la Segunda Guerra Mundial, en la que el padre de la criatura que estaba por nacer también perdería la vida.

Si a usted le tocara juzgar la conveniencia del nacimiento del hijo de Emilia, tendría que tomar en cuenta que, además de una situación sumamente crítica, a este niño le esperaba una vida en la completa orfandad: ni su padre, ni su madre, ni su único hermano podrían acompañarle en medio de las condiciones espantosas de la Segunda Guerra Mundial que estaba por venir.

"¿Para qué traer al mundo a un niño que desde el momento de nacer conocerá el sufrimiento? ¿Qué futuro puedo ofrecerle? ¿Sería una insensatez llevar adelante mi embarazo?", serían preguntas que cualquier mujer se haría en la situación de Emilia. Afortunadamente, ella optó por la vida de su hijo, a quien puso el nombre de Karol.

Hoy, en pleno siglo XXI, este niño sería seguramente una víctima del aborto. Pero, gracias al valor de una mujer llamada Emilia, llegó a este mundo Karol Wojtyla, a quien todo el mundo conoce como Juan Pablo II.

"¡Hermanos y hermanas! —grita la voz del que ha podido nacer—. ¡No tengan miedo! Con frecuencia el hombre actual no sabe lo que lleva dentro, en lo profundo de su ánimo, de su corazón. Muchas veces se siente inseguro sobre el sentido de su vida en este mundo e invadido por la duda que se transforma en desesperación. Ustedes, todos los que todavía buscan a Dios y también ustedes, los que están atormentados por la duda, ¡no tengan miedo!".

Demos una oportunidad a todos esos niños que nacerán también en situaciones difíciles, y que como él, están grandemente necesitados de la valentía de una madre. No olvidemos que cada niño que es concebido viene con una misión que cumplir, una misión insustituible que ha de realizarse, aun cuando sea en medio del sufrimiento.

Éste es el texto que me mandó Rafael, mi amigo el cura Hernández. Si Emilia hubiera abortado, seguramente el mundo de hoy sería mucho peor aún de lo que es. He amado a Juan Pablo II desde el principio de su papado y creo que ha sido uno de los pontífices más impresionantes de toda la historia del catolicismo.

—*Estoy de acuerdo. Lo que no entiendo es cómo en un librito que habla de milagros y señales no hay algo que lo tiene a él de protagonista y que está repleto de signos, Galle.*

¿En serio?

—*No, estoy practicando para contar chistes por televisión y mi tema va a ser el Papa. ¡Por supuesto que hablo en serio!*

Juan Pablo II va a ser santo, ¿no?

—*Eso no depende de mí, ¿qué me preguntás?*

No dependerá pero vos sabés, estás ahí arriba.

—*En realidad, en este mismo momento estoy atrás tuyo, a tu lado, un poco a la derecha.*

Me refiero a "ahí Arriba", arriba de todo. Va a ser santo, ¿no?

—*No me está permitido hablar de esas cosas. Como sea, vos sabés muy bien que para la beatificación es imprescindible demostrar, por lo menos, un milagro.*

Sí, claro. En vida. Y todos los que puedan suceder cuando se concretan al convocar a esa persona y producirse el milagro. Además, Juan Pablo II debe tener ya un montón así de milagros.

—*No juegues con fuego.*

No, al contrario. Apago el fuego con agua bendita. Decime: cuando fue la reunión del Jubileo del 2000 en los ambientes eclesiásticos de mayor nivel se habló mucho en voz baja de una adolescente que en plena plaza de San Pedro sufrió un ataque muy raro, muchos decían que estaba poseída o poco menos...

—*Perdón. No hay "poco menos" de estar poseída. Se está o no se está. Es como estar poco menos que casado o poco menos que embarazada o poco menos que muerto...*

Bueno. Poseída. Listo, ya lo dije. Eso es lo que se contaba. Y se decía, también, que nadie podía calmarla. Y que Juan Pablo II se enteró y pidió que la llevaran junto a él. Y que oró sobre esa chiquita en latín y ella se recuperó enseguida. ¿Sí o no?

—*Mirá, Galle, no está bien que me preguntes ese tipo de cosas. Hay reglas que yo no puedo ni quiero romper. Ni siquiera por vos...*

Va a ser santo, ¿viste?

—*Pensá lo que quieras. ¿Querés saber algo de Juan Pablo II que te va a estremecer?... Andá a ver a mi amigo Pedro. Y después me contás. Nunca imaginaste lo que vas a oír. Andá, dale...*

Voy, pero antes quiero desplegar toda la maravilla del milagro y todo el esplendor de las señales. Tengo un testimonio que me emociona y me llena de vida.

—*Es exactamente lo que ustedes están necesitando con desesperación: llenarse de vida.*

Exacto, Marianito. Y esto ayuda, ayuda mucho.

17

El temor y la gloria

(Testimonio de hoy)

Ella es maestra jardinera y maneja un lugar para fiestas infantiles. Su aspecto y forma de ser tienen todo que ver con su trabajo porque se parece mucho a una nena que está descubriendo los colores y asombrándose con los cuentos que le leen en la salita rosa. Está frente a mí y no me llamaría demasiado la atención si tuviera puesta una de esas narices coloradas o un bonete brillante con forma de cono, porque despliega una gran simpatía, frescura, naturalidad y pureza.

GRACIELA SANTOMARCO DE BARBAS tiene 34 años, casada con Pablo de su misma edad, dos hijos, vive en Tigre, Buenos Aires, es bonita, ansiosa, cálida y cuenta muy bien las cosas, aunque es imposible que no tenga un brillo propio extraordinario algo como lo que me contó. Como siempre, elijo respetar su lenguaje coloquial, es más real.

—El 26 de enero del 2000 fuimos a lo de una amiga mía, a una casa con pileta, en Pacheco. Fui con mi mamá y los dos nenes, la idea era pasar toda la tarde, pleno verano, una tarde hermosísima de sol, relindo. En ese momento mi hijo Tomás tenía cuatro años y medio y no sabía nadar, así que estábamos todos alrededor de él cada vez que se metía en la pileta. En un momento dado, estábamos todos bailando y viene Tomás y me dice: "Quiero hacer pis". Estaba todo mojado porque recién había salido de la pileta así que, para que no empape adentro, le dije que bueno, que usara el baño de afuera, el que está cerca de la pileta. Yo miro, entro al baño y le digo: "Mirá, Tomás, por qué no vas a buscar las ojotas. Te vas a caer...". No me daba bolilla, como todo chico de cuatro años, y justo en eso, mi hijo más chico se pone a llorar porque se asustó con una careta que una de las nenas se había puesto para bailar. Voy, me agacho, lo consuelo, "No es nada, Juan Pablo, ya está, ya pasó", le digo y me levanto para ver si Tomás había salido del baño. Miro y no. Tardaba y tardaba, pero él siempre tarda en el baño, está como una hora lavándose las manos. Pero ya era demasiado ese día. Entonces le digo a una de las nenas: "Por favor, Agustina, fijate, decile a Tomás que salga porque debe estar jugando con el agua de la pileta del baño"... La nena va a ver, vuelve y me dice que en el baño no está. "¿Cómo en el baño no está?, si yo lo vi entrar y no lo vi salir". Entonces, el tío de la nena, que estaba al borde de la pileta, mira hacia atrás y, bueno, mira superficialmente porque uno tiene la idea de que si un chico se cae a la pileta, flota. Mira y dice: "Y en la pileta tampoco está". Además lo dijo con un tono como diciendo: "¿Cómo se va a caer en la pileta si estamos todos aquí?"...

—¿Ustedes estaban cerca de la pileta?

—Al costado, al costado. Y como el lugar era grande, empiezo a buscarlo por todo el jardín, "Tomás, por favor, Tomás, no te escondas, no me hagas esto", porque yo ya estaba asustada. "Tommy, por favor, no me asustés más, Tomás, salí"... Y en ese momento yo estoy alejada de donde están los demás pero siento gritos. No sabía si se estaban riendo o estaban llorando. Empiezo a caminar hacia ellos y escucho: "¡Ay, Dios mío, está en el fondo!". En la casa de al lado había un perro que mordía, bastante peligroso, y saltaba el alambrado. Cuando escuché eso pensé que Tomás estaba atrás, lastimado por el perro.

—Cuando escuchaste que estaba "en el fondo" pensaste en el fondo de la casa, del jardín...

—Claro. Voy hacia ellos preguntando: "¿Dónde, dónde? ¿En el fondo dónde?". Me puse muy nerviosa porque ya me parecía mucho eso...

—Y lo era, ¿no? El nene mordido por un perro...

—Sí, lo era, pero era peor lo que venía después. Cuando llego adonde están todos y mirando al final del jardín, les pregunto: "¿En qué lugar del fondo?". "En el fondo de la pileta", me dicen. Y, para colmo, nadie se tiraba, estaban todos desesperados pero no se tiraba nadie, es como que eso había paralizado a todo el mundo.

—El shock, el miedo...

—Yo ya no entendía nada de lo que estaba pasando, no lo podía creer.

—No te puedo preguntar qué sentías, porque...

—En ese momento una mezcla de cosas. No podés entender, no podés creerlo, y sin embargo, cuando me asomo a la pileta lo veo. Estaba pegado en el ángulo de la pileta, en el fondo...

—¿Qué profundidad había?

—Ahí había dos metros, más o menos. Y él estaba en el fondo, puesto de costado, como mirando hacia la pared de la pileta. Desde ese momento en adelante me acuerdo de cada detalle, no me puedo olvidar más. Son imágenes que... dormís y las soñás, te levantás y las pensás, están todo el tiempo ahí...

—Qué te parece...

—Me tiré, lo saqué y este muchacho, el tío de la nena, lo agarra de los tobillos y empieza a sacudirlo. Yo le dije que no, que me dejara a mí. Yo soy scout y aprendí primeros auxilios. Entonces lo tiré en el pasto y ahí me di cuenta de que estaba azul como la tapa de esta botella de agua mineral...

—¿Cuánto tiempo había pasado desde que dejaste de verlo hasta que lo sacaste de la pileta? Más o menos...

—Es difícil saberlo, nadie llevaba el tiempo de todo eso. No lo sé, calculo que unos siete minutos, para mí fue una eternidad...

En realidad, si nos atenemos estrictamente al relato, es posible que haya sido bastante más de siete minutos el tiempo en que Tomás estuvo sumergido. Luego se supo que había ido a buscar las ojotas enseguida, nomás, sin haber entrado al bañito, y que al hacerlo —en el borde de la pileta— resbaló y cayó sin que nadie lo advirtiera. Desde allí empecemos a contar el tiempo. ¿Por qué nadie advierte su caída? Porque exactamente en ese momento todos están alrededor de su hermanito menor, Juan Pablo, que llora asustado por una careta. Imaginemos juntos las escenas en tiempos reales, como en una película de la vida. Entonces, la secuencia sería: Juan Pablo se asusta, grita, llora, su mamá se agacha a su lado para hacer lo que cualquier mamá, consolarlo. Todos miran la escena, algunos se acercaron. Juan Pablo es el centro de atención. Lo protegen, le dicen que se quede tranquilito, lo miman, le hacen chistes y él se va calmando mientras que, a todo esto, Tomás ya está en el fondo de la pileta. Al ponerse en pie, Graciela mira a la puerta del bañito y no ve a nadie, imaginando que su hijo Tomás está adentro. Pasa un rato, tanto como para que a Graciela le parezca mucho aun cuando está acostumbrada a que Tommy se quede jugando en el baño. Dos minutos no es tiempo para que ella se alerte. Ni tres ni cuatro, tal vez. Manda a la nena a buscarlo. La nena va y vuelve con respuesta negativa. Sigue pasando el tiempo. Alguien mira a la superficie de la pileta y no ve nada. Graciela comienza a buscarlo. Para hacerlo da vuelta a la casa, que es muy grande, y lo llama en diferentes lugares creyendo que está escondido, pidiéndole que salga. El tiempo sigue pasando. Recién entonces escucha gritos y va hacia donde están todos, pero no mira a la pileta sino al fondo de la casa donde imagina que ocurrió algo con un perro. Los demás siguen en estado de shock, gritando, llorando. Ella se topa con la realidad, lo ve a Tomás a dos metros de profundidad y se larga al agua. Lo saca. Fin del tiempo crucial. ¿Pueden haber pasado nada más que siete minutos cuando la mayoría de esas cosas se hicieron en tiempos reales normales? Es posible que haya pasado bastante más, pero es por completo razonable que el reloj emocional de Graciela se haya detenido y que sea ella la única que, ante los médicos del hospital, ante mí y ante ella misma, crea que "habrán pasado siete minutos, más o menos". A cualquiera le ocurriría lo mismo que a Graciela, a mí me ocurriría lo mismo que a Graciela. Como ella dijo: "Para mí fue una eternidad". Y lo fue. De todas maneras, con esos siete minutos declarados era más que suficiente para que las cosas fueran irremediablemente trágicas. Si fueron más, la esencia del milagro es la misma al fin de cuentas. Porque hubo un milagro.

—Cuando lo saqué del agua tenía los labios azules, las manos, las uñas azules, y no tenía latidos del corazón y no tenía respiración. La imagen era horrible. Era un muñequito, estaba totalmente transparente...

—Bueno, bueno, tranquila. Aun ahora recordás aquello y te estás poniendo mal. No quiero que te pongas mal.

—Es que era horrible. Pero no, no, no me pongo mal. A veces uno necesita contar algo para sacárselo de adentro... La imagen que yo tengo es que Tomás parecía un muñeco de cera.

—¿No tenía pulso? ¿No respiraba?

—No, para nada. No respiraba para nada. Le tomamos el pulso y no tenía ni un latido. Y estaba como te digo: las manos azules, los labios azules, la piel transparente, no había un solo movimiento en su cuerpo, nada, era como de goma. Estaba muerto. Y mi sensación era: "¿Cómo puede ser que hacía unos minutos estábamos pasándola tan bien y ahora él estaba ahí muerto?", porque de hecho se me iba la vida a mí también, ahí. Al estar arrodillada allí, haciéndole boca a boca, mi sensación era, también: "Mientras él no respire, yo de acá no me levanto". No podía pensar en nada con claridad, pero sí recuerdo que tenía un sentimiento muy fuerte por el que decía: "No, no se va a ir, no se va a ir". Y pensaba: "Y si se fue va a volver, porque no me va a dejar". Porque no podés creerlo, no te está pasando. Es tu vida.

—Me lo contás y me estremezco, Graciela.

—Y todo el mundo gritaba pero yo no sabía qué gritaban. Escuché algo de la ambulancia. Ahí enfrente estaba Smata, lo de los mecánicos, y de allí cruzó un cardiólogo. Ya se habían juntado vecinos, gente que yo no conocía. Todo el mundo gritaba y mi mamá se tiró de rodillas en el pasto y rezaba en voz alta pero yo no entendía, lo único que le escuché fue que decía: "Madre Maravillas, Madre Maravillas" y yo ni siquiera sabía quién era la Madre Maravillas. Yo, para serte sincera, en ese momento no rezaba. Debo haber dicho veinte millones de veces "Dios mío, por favor. Dios mío, por favor...".

—En un caso así, eso es todo un rezo.

—Es lo único que recuerdo haber dicho una y otra vez, millones de veces. Y en el medio del griterío de todos, de ese caos, escuchaba a Teresita, mi mamá, que rezaba y decía "Madre Maravillas". Yo no sabía ni lo que hacía ni entendía lo que estaba pasando, no se puede pensar, ni tomar decisiones, ni darte cuenta de nada...

—Imagino que lo único que querés es parar el tiempo y hacer que vuelva atrás unos minutos...

—Algo así, sí, pero no se puede. Y es desesperante. En medio de eso llega el médico de Smata con una enfermera. Según el médico, cuando él llegó, Tomás no tenía latidos. Yo había creído que sí tenía porque lo había hecho vomitar, yo no sé si una persona que no tiene latidos, que no tiene vida, puede vomitar, pero el médico dijo que no tenía latidos.

—Yo tampoco sé, pero lo voy a averiguar...

Y lo averigüé. Lo llamé a mi amigo Raúl Tear, que no sólo es un gran médico que se la pasa investigando todo sino que, además, era ideal para una consulta como ésta ya que, entre sus muchas funciones profesionales, es también médico de la Prefectura Naval. En ese lugar donde me honra haber cumplido mi servicio militar hace 320 años, los médicos que allí prestan servicio están más acostumbrados que cualquier otro colega a tratar casos de personas que han caído al agua. El doctor Raúl Tear, mi amigo y compañero, no dudó ni un instante:

—Sí, es absolutamente posible que una persona que haya entrado en muerte clínica, que no tenga pulso ni respire, vomite a pesar de eso. Lo que pasa es que vomitar, como muchas otras manifestaciones que pueden parecer signos de vida, se debe en ese caso a una reacción neurovegetativa que nada tiene que ver con el estado del paciente. Para decírtelo más claro: es un acto reflejo.

Admito que Graciela había instalado la duda también en mí, pero vino al rescate mi amigo Raúl montando el caballo blanco de la ciencia y las cosas cambiaron sensiblemente. En primer lugar porque el médico de Smata tenía razón: Tomás no tenía latidos, estaba clínicamente muerto. Y en segundo lugar porque este dato agregaba tiempo a esa situación. Piensen en lo que pasó desde entonces: griterío, desesperación, intentos de reanimación, vecinos, llaman ambulancia, cruza el médico al que alguien le avisa, lo ausculta y determina su falta de signos vitales. Más minutos que aquellos siete que ya forman parte del olvido por puro inciertos.

—Yo preguntaba de todo pero el médico y la enfermera hicieron que me retiraran y me decían que espere, que por favor no desespere. Si en ese momento yo hubiera podido dar mi vida por la de él, lo habría hecho sin dudar un solo segundo...

—¿Cuándo empieza a reanimarse?

—En el momento en que lo meten en la ambulancia, Tomás empieza a quejarse y a abrir un poco los ojos. Yo lo miraba y me decía a mí misma que "Bueno, ahora vamos al hospital, está un rato, volvemos a casa y se lo cuento después a papá, cuando estemos todos tranquilos...".

—Tu marido todavía no sabía nada...

—No. Y yo estaba muy mal, también, con eso. En la ambulancia me agarré de un par de cosas para pensar que todo iba a estar bien enseguida. Pero no fue así. Llegamos al hospital de Tigre, me llevan a la Guardia y yo veo que no había tranquilidad, que no era ponerle oxígeno y explicarme alguna cosa. No. Veía que los médicos estaban recontrapreocupados, que iban y venían y yo que les decía: "Por favor, díganme algo, ya está mejor". Yo lo que quería era que me dijeran: "Sí, está bien, quedate tranquila". Y bueno, no. Para esto ya le avisamos a Pablo, mi marido, que llegó enseguida. Se meten todos en un lugar y no salían, no salían, no salían. A Tomás lo habían sacado de una salita y lo llevaron a otra donde no sé qué le hicieron, si le dieron una inyección, si le hicieron reanimación, no sé, no sé. Algo le hicieron antes de trasladarlo al hospital Garrahan pero ni siquiera averigüé.

—Pero algo ocurrió. Esas corridas de médicos, todo eso...

—Sí. Al rato de entrar con Tomás en esa sala y después de desesperarme porque no tenía a quién preguntarle nada, se abrió la puerta y apareció una doctora. "Por favor dígame algo, hace media hora que están metidos ahí y no me dicen nada, ¿qué es lo que pasa?...". Y la doctora me dice: "Bueno, ahora está todo bien. Ahora. Pero hasta hace dos minutos no tenía respuesta cerebral, estaba en coma. Tenía las pupilas dilatadas y no tenía respuesta...". ¿Vos te imaginás? Por haberlo sentido gemir y abrir los ojos yo había creído que todo estaba bien y resulta que había entrado en coma... De allí lo subieron a una ambulancia y lo llevaron al Garrahan. Allí le hacen urgente una tomografía computada y sale que tiene un edema cerebral. Para que yo lo entendiera, me explicaron que era como un "moretón en el cerebro" y que podía quedar igual, aumentar o disminuir. Al día siguiente había que hacerle otra tomografía porque el cuadro era reservado.

—¿Qué decían los médicos?

—Que en principio lo iban a mantener así, en coma, para que no se saque los tubos y todo eso. "No sabemos si va a despertar", me dijeron.

—Ay, qué momento duro.

—No me daban esperanzas de que se despertara y, si se despertaba, no podían decirme qué pasaría a partir de ese momento. Me dijeron que, por lo pronto, una vez que despertara podían pasar dos semanas o dos meses, o tres, que había entrado ese día pero que no se sabía cuándo podían decirme que ya estaba bien, si es que me lo podían decir.

—No quiero ni imaginar cómo fue esa primera noche.

—Esa noche, en lo que me permitían estar con él, yo le rezaba al ángel de la guarda porque Tommy le reza todas las noches...

—¿Desde antes del accidente?

—Sí, claro, sí. Yo se lo rezo desde que nació y después empezó a hacerlo él solo y ahora con el hermanito. Le rezamos al ángel, le agradecemos el día, le pedimos que nos cuide. Yo lo rezo desde chiquita.

—"Ángel de la Guarda, dulce compañía, no me desampares ni de noche ni de día..."

—"Ángel de la Guarda, dulce compañía, no me dejes solo ni de noche ni de día. Si me dejas solo, yo me perdería. Ángel de la Guarda, ruega a Dios por mí"... Lo mismo que él rezaba desde siempre yo se lo decía esa noche en terapia intensiva en voz bajita.

—Pero él seguía dormido, en estado comatoso.

—Él seguía dormido, sí. Pero yo sabía que de alguna manera me estaba escuchando. Y rezaba lo del ángel, le contaba el cuento del pastorcito que a él le encanta, y le hablaba. Le decía que se quedara tranquilo, que yo estaba ahí, que lo iba a cuidar, que no se preocupara, que lo queríamos mucho. Y viene uno de los médicos y me dice: "Tratá de no molestarlo. Aparte, él no te va a escuchar...".

Nunca falta uno de ésos. Los sacan de lo que dicen estrictamente los libros y no saben ni poner una curita. Ellos aprendieron: "Músculos, sangre, huesos, órganos, listo, ya aprendí, soy 'dotor', viejo, y nadie me discuta". Si ven uno, esquívenlo. Nunca falta uno de esos. Lamentablemente.

—Me molestó, me molestó mucho que me dijera eso. Le dije: "Mirá, si vos creés que lo estoy molestando, no le hablo más, pero no creo que yo lo moleste porque no estoy haciendo nada mal". Cuando se va ese doctor, una enfermera que oyó todo viene y me dice: "Mirá, te está escuchando, ponele la firma que te escucha, seguile rezando y dándole cariño que él se da cuenta...".

Nunca falta una de ésas. Actúan con el alma abierta y cuentan con un valor que el personaje frío y negativo aún no debía tener, la experiencia. Saben de muchos casos en los que los pacientes sí escuchaban y luego agradecerían ese amor. Y saben más allá de los músculos, huesos, sangre y órganos porque tienen bien claro que, además, hay otras cosas. Nunca falta una de ésas. Gracias a Dios.

—Todo lo que me estás contando ocurre en horas nomás...

—Sí. El accidente fue a eso de las seis de la tarde y esto último era a la noche. En unas pocas horas el mundo se nos dio vuelta. A todo esto, una pareja muy amiga nuestra se entera y se van al Garrahan enseguida. Mi amiga, Telma, tenía en su casa agua bendita del santuario de la Virgen en San Nicolás y la trajo. Cuando ellos van al hospital, me la pasa. Entonces esa noche, cuando te cuento que le rezaba al ángel, yo mojaba un pañito en el agua bendita y se lo pasaba muy despacio por la frente mientras le rezaba a la Virgen.

—Estabas destruida, supongo.

—No sabría decirte. Lo que te puedo decir es que hasta ese momento yo no lloré nada. Rezaba. Desde que llegamos al Garrahan iba y venía y rezaba el rosario, iba y venía y rezaba el rosario. Recién rompí las barreras a eso de las seis de la mañana. Me quebré en un lugar del hospital donde estaba sola y la que vino a abrazarme fue la señora que limpiaba. Me abracé a ella y ahí lloré todo. Me dio una cadenita de ella, con una cruz, y me dijo que era de su hija cuando la bautizó.

—Si bien la situación era dramática, abrazarte a alguien que no conocías y largarte a llorar con ella tiene mucha ternura. En vos y en esa señora. En una de ésas era un ángel. ¿Volviste a verla?

—No, nunca más. Supongo que si pido los registros me van a decir quién es, pero pregunté días después y no pude encontrarla... Esa mañana yo sabía que muy temprano le iban a hacer un mapeo cerebral a Tommy. A eso de las siete, un médico me dijo que la tomografía no iba a ser necesaria porque Tomás parecía haber mejorado y que, incluso, le iban a sacar el respirador y otras cosas que tenía. Salgo de terapia para decirle eso a mi mamá, porque me parecía que era una muy buena noticia y el médico me llama enseguida. "Vení", me dice. Y yo me sentí mal otra vez: "¿Qué pasó ahora?". "Vení —me dice el médico—, porque a este desgraciado nosotros le sacamos todos los tubos pero él lo único que dice es 'mamá, mamá', así que vení...". No había otra cosa que yo quisiera más en el mundo que eso mismo, oírlo diciéndome "mamá". Mi miedo más grande hasta ese momento es que ni yo ni nadie sabíamos cómo iba a despertar. Yo no sabía ni siquiera si me iba a reconocer...

—¿Y cuando entraste?

—Mamá, mamá y nos abrazábamos tanto... Tenía la carita como de ido, por la medicación, el shock, todo. Y lo único que me decía era "Sacame todo esto que me quiero ir a casa". Yo no te puedo explicar lo que sentía... Pero no estaba todo bien. Hay una maquinita que marca el nivel de oxigenación de la sangre. Si las cosas están bien tiene que marcar de 97 hacia arriba. Tommy oxigenaba 23. Una doctora me explicó que era porque el cuadro se había complicado con una neumonía por aspiración de vómito y que había que esperar un mínimo de dos semanas para ver qué pasaba luego... Otra vez caerte y otra vez pelear para levantarte. En un momento en que no me veían, yo volví a pasarle agua bendita con un paño, como había hecho antes. Los médicos habían hecho su trabajo muy bien, pero ellos mismos me habían dicho que no se sabía cuándo ni cómo iba a despertar, y eso si se despertaba. Le había pasado el pañito con agua bendita de la Virgen del Rosario y fijate lo que pasó en un tiempo tan rápido. ¿Por qué no iba a repetirse?...

—Te habían dicho dos o tres semanas como mínimo...

—Sí, eso es... Me convencen de que me vaya a casa para bañarme, ver si puedo descansar, aflojar un poco. Y me voy. Al ratito de llegar me llama Pablo, mi marido, y me dice: "Mirá, aunque vos no lo puedas creer, Tomás empezó a oxigenar solo y le está subiendo el nivel en la sangre". Los médicos es como que no lo entendían mucho. Pensaban que iba a mejorar, pero nunca imaginaron que, en pocas horas, de 23 que oxigenaba se fue a 99. Estaba bien. De hecho, al día siguiente lo pasan a una sala común.

—Extraordinario.

—Pero ahora viene lo otro.

—¿Lo otro?

"MAMÁ, ESTUVE EN EL CIELO"

—Apenas lo pasaron a una sala común, me dice que quiere hacer pis. Todavía le costaba mucho hablar. Me dice que quiere hacer pis y cuando lo estoy bajando de la cama me dice: "Mamá, estuve en el Cielo"...

—¿Así, sin anestesia?

—Sí, de golpe. Yo lo tomé como que había soñado y, bueno, trato de seguirle la corriente y le digo: "Ah, estuviste en el Cielo". No sabía qué decirle. Y me dice: "¿Qué? ¿No me creés?". "Sí, Tomás, sí, mi amor, por supuesto, ¿cómo no te voy a creer? Bueno, contame. ¿Qué viste?", porque yo tartamudeaba y no sabía qué decirle, por eso le pregunté qué había visto. "A tu papá", me contesta. "Ah, viste al Lolo", le digo. El Lolo es el marido de mi mamá. "No, a tu papá", me dice serio.

ACLAREMOS: El Lolo es el actual marido de la mamá de Graciela. El padre y la madre de Graciela se separaron cuando ella tenía apenas dos años. Graciela no le había hablado JAMÁS a Tommy de él ya que prefirió esperar a que creciera para explicarle esas cosas que hacemos los mayores y que, en verdad, no logramos más que embarullar la mente de los chicos. Fue una buena idea esperar a que tuviera, digamos, doce años. Pero algo ocurrió y los tiempos planeados se aceleraron mucho. Ahora Tommy, que pasó por una muerte clínica y que le dijo a su mamá que había estado en el Cielo, agregó que había visto a su abuelito, aquel del que nada sabía.

—¿No sabía nada de tu papá?

—Nada de nada.

—¿No había visto fotos?

—Jamás. Nada. En mi casa no existían fotos de él. Había una sola foto, ésta. Estaba guardada en un libro y Tomás nunca la había visto.

—¿Tu papá lo conoció a Tomás?

—No. Mi papá muere cuando yo estoy embarazada de Tommy.

—Y nadie le habló al nene de él.

—Nadie. Nunca.

—Pero Tommy te dice: "Estuve en el Cielo y vi al abuelo"...

—No. No me dice "al abuelo". Me dice: "Vi a tu papá". Es más, al Lolo, el marido de mi mamá, yo nunca le dije "papá".

—Dios mío. Volvé al relato desde ese instante, por favor.

—"Vi a tu papá", me dice Tomás. "¿Al Lolo?", le pregunto yo que no entendía aún de qué me hablaba. "No. Vi a tu papá". Y me lo dice en un tono medio serio como diciendo: "Si vos sabés de qué te hablo". No te puedo contar mi desconcierto. "Tomás —le digo—, pero, ¿cómo que viste a mi papá?, a ver, ¿y qué te dijo?". Me sentía tan ilógica preguntándole sobre mi papá muerto a una criatura de cuatro años que nunca lo conoció ni supo de su existencia... Pero no sabía ni qué decirle...

—¿Quién puede saberlo?

—"¿Y qué te dijo?", pregunté. "Me dijo que me quiere mucho". "Ay, qué lindo", contesté por decir algo pero yo no reaccionaba. Entonces Tommy me agarra la mano y agrega: "Y a vos también, ¿eh?, me dijo que a vos también te quiere mucho".

Este momento del relato, tanto cuando ocurrió como ahora que lo estoy escuchando desde el grabador y lo transcribo respetando cada palabra, es muy fuerte. Oírlo me conmueve y, cuando Graciela me lo contaba, sucedía lo mismo mientras que ella me señalaba que con sólo hablar de eso se le habían helado las manos. Detrás de cada familia, de cada persona, hay un sitio privado en el que abundan mimos y sopapos. "Cada familia es un mundo", suele decirse. En realidad, cada persona lo es. Un mundo con países en conflicto, un mundo con terremotos que nos mueven el piso, con primaveras dulces e inviernos duros, un mundo con una historia llena de altibajos y secretos, con volcanes que entran en erupción cuando uno menos se lo imagina. Cada uno de ustedes lleva ese mundo a todas partes y lo muestra poco. Yo llevo mi mundo sobre las espaldas y trato de acomodarlo en ellas para que resulte menos pesado. Todos sufrimos ese mundo. Ahora Graciela me estaba contando parte de ese mundo y me decía que la relación con su papá no había sido muy buena, mucha discusión, ese tipo de cosas, nada del otro mundo pero no deja de ser una herida sin cicatrizar que allí nos queda. En especial cuando la otra parte ya no está para saber qué siente y contarle lo que sentimos. Graciela se emociona y quiebra un poco más su tono de voz cuando jura y rejura —sin necesidad porque le creo a ojos cerrados— algo que le había ocurrido poco antes del accidente.

—Yo tuve siempre muchas peleas con mi papá. Dos semanas antes del accidente yo estaba con una amiga en el jardín de mi casa y yo le decía que la única cuota pendiente en mi vida era mi papá, que había muerto hacía unos cinco años. Le decía eso, que él era mi única cuota pendiente, te lo juro por mi vida y por mis hijos. Le dije, y me acuerdo muy bien: "Yo no sé realmente si alguna vez me quiso". Eso había pasado dos semanas antes del accidente de Tommy. Por mis hijos te lo juro, y por mi vida y por Dios...

—Dios mío. La respuesta se te estaba dando a través de Tomás.

—Tal cual. "¿Y qué te dijo?", le pregunté yo. "Que me quiere mucho", me contó Tomás. Y, mientras yo lo estaba ayudando para llevarlo al baño, me agarra la mano y me dice: "Y a vos también me dijo que te quiere mucho".

Por favor repasemos y apreciemos la mano de Dios en todo esto. Graciela sufría porque las discusiones con su papá (que ocurren en tantos casos) le habían hecho dudar de si él la había querido. Pero su papá había muerto cinco años atrás y no había forma de saberlo. Aunque parece que sí había una. Tomás, de cuatro años, hijo de Graciela, tiene un accidente y pasa por una muerte clínica. Corazón detenido, pulmones sin funcionar. Logran rescatarlo de eso. Al recuperarse cuenta que estuvo en el Cielo y allí le dice a su mamá que vió al papá de ella y que le dijo que la quería mucho. Estaba respondiendo a esa duda que Graciela pusiera en el tapete apenas dos semanas atrás. Y lo hacía a través de Tommy, que nunca supo de su existencia pero que sí supo que ése era "el papá de mamá" sin que nadie se lo señalara. Dios mío, esto es muy fuerte.

—En ese momento no le pude decir nada. Mi cabeza era un barullo y no alcanzaba a pensar, a razonar, a contestarle. Y, de repente, cuando íbamos caminando hacia el baño y él se movía muy despacito ayudado por mí, se empieza a matar de la risa, pero fuerte, como cuando uno está tentado y no puede parar. Yo le digo: "Tommy, ¿de qué te reís?". Y me dice: "Mirá, parezco el viejito". Yo creí que, después de que le sacaran el catéter de la ingle, mi marido le habría hecho bromas diciéndole que parecía un viejito. "No, mamá —me dijo Tommy—, parezco el viejito, el viejito ese que estaba conmigo". "¿Adónde había un viejito, Tomás?". "En el agua, cuando me caí", me dice con naturalidad. Ahí ya yo lo miraba y me decía: "Dios mío, ¿dónde corno estuviste?".

—Contame más del "viejito que estaba en el agua"...

—Le pregunto, agotada: "¿Qué viejito, Tomás?". "Ese que te hablaba y vos no le dabas bolilla". Yo pensaba muy rápido en la quinta y no, no había ningún viejito. Y él sigue: "Si estaba al lado mío. Cuando vos gritabas. Él te hablaba pero vos no le dabas bolilla". Yo estaba muy aturdida, no entendía nada.

—¿No volvieron a hablar de eso nunca más?

—Sí, al día siguiente. Íbamos caminando por los pasillos del Garrahan y le volví a preguntar del viejito. Y él me volvió a contar lo mismo: que había un viejito en el agua y estaban mi papá y una señora. Me cuenta que la señora estaba detrás de él y el viejito detrás de mi papá. Yo preferí no hablar más del asunto. Estaba asustada.

—¿Qué dijeron los médicos cuando se restableció?

—El doctor Cersósimo, el neurólogo, me dijo: "Dale gracias a quien esté Arriba porque es imposible que Tomás esté como está y en tan poco tiempo se le pueda dar el alta". En la condición que llegó allí no podía ser que no haya pasado ni una semana y ya se haya ido con los pulmones perfectos, sin problemas respiratorios, sin problemas neurológicos, sin nada que lo afecte. Tomás estaba como si no hubiera pasado nada. Tanto que a la semana fuimos de vacaciones a Villa Gesell. Tanto que ni siquiera le quedó miedo al agua; este verano aprendió a nadar y se tira en la parte más honda tranquilamente.

—¿Habló con alguien más del viejito o alguna de esas cosas?

—En las vacaciones, un día le dijo a mi mamá: "Lala, yo quiero viajar en avión porque quiero ir al Cielo de nuevo".

"Ah, bueno". "Sí, porque yo quiero volver a ver toda esa gente". "Claro —dice mi mamá—, porque desde el avión la gente se ve chiquita". "¡Ay, Lala, no! Esa gente no, la otra". Y mi mamá se asustó tanto que no le preguntó qué gente ni nada. No quiso hablar más del tema. Y yo tampoco le dije nada porque la conversación no había sido conmigo y, además, me da una cosa preguntarle sobre eso.

—Ay. Sufro porque no le preguntaron.

—Pero lo más importante aparece cuando volvemos de las vacaciones. Un día, mirando las fotos de las vacaciones, nos cuenta a Pablo y a mí, cómo se había caído. A nosotros se nos caen las lágrimas porque no podemos evitarlo. Tommy nos mira y nos dice: "¿Por qué lloran si yo estoy bien?". Cuando mi marido se va y nos quedamos Tommy y yo en la cama, le digo: "¿Sabés qué pasa, Tomás?... Es que mamá y papá se ponen así porque tienen esa cosa de lo que vos sufriste cuando te caíste al agua. El no poder respirar, ese dolor, todo eso, no se te va a ir más de la cabeza y eso nos mata". "No —dice él muy tranquilo—, si yo no sufrí. Yo no sufrí nada. Porque tu papá me tenía abrazado y me decía que yo no tenía que tener miedo porque vos ya venías, mamá. Y la señora que estaba atrás me hacía así, me acariciaba...".

—¿La señora que estaba atrás?

—Sí. Después le dijo a Lorena, una de las chicas que trabaja conmigo en La Aldea, la casa de cumpleaños: "Vos sabés que yo le dije a mamá que en el agua había un viejito. ¿Y sabés que creo?, que ese viejito es el mismo que está en el jardín, porque es igual...".

—¿En el jardín de quién?

—De la Misericordia...

—¿El jardín de la Misericordia?

—En el jardín de infantes, Nuestra Señora de la Misericordia, en San Fernando...

—Ah. ¿Y qué viejito había en el jardín?

—San José. Una estatua de San José.

Es razonable. Para alguien de cuatro años, una imagen de San José es la imagen de "un viejito". Lo que no se puede razonar tan fácilmente es que sea a él a quien vio a su lado, bajo el agua. No se puede razonar, pero sí se puede sentir. Y no sé ustedes, pero yo siempre termino apostando a ese último verbo, sentir.

Para aquellas personas que creen en estas cosas y toman las señales tal como vienen, además de su abuelo desconocido por él, Tomás estaba acompañado y protegido bajo el agua por San José y lo que él llama "la señora". No dudo un instante en que "la Señora" es la Virgen. Eran mamá y papá de la Sagrada Familia los que lo cuidaban. Esta interpretación es, como dije, para aquellas personas que creen en estas cosas y toman las señales tal como vienen. Yo, por ejemplo.

—¿Cómo supo Tommy que el otro hombre que estaba con él debajo del agua era tu papá? Porque te lo dijo sin dudar.

—Sí, así fue. No sé cómo supo que era mi papá, sencillamente lo sintió sin que nadie se lo dijera. Yo no entiendo de esas cosas. Pero lo sabía con certeza porque algo pasó después que lo confirmó...

—¿Qué pasó?

—Yo tenía una única foto de mi papá, ésta que te muestro. Cuando ya había pasado un tiempo del accidente y todo estaba bien, tomé la foto, la mezclé con un montón de otras fotos viejas y nuevas de la familia y le dije a Tomás que me ayudara a ordenarlas. Al ratito Tomás identificó la foto como la de mi papá. Entonces ahí yo bajé al jardín de mi casa, sola, y dije, hablándole a mi papá: "Yo no sé dónde estás, no sé dónde estás. No sé si todavía estás acá, al lado mío, pero quiero que sepas que si yo alguna vez te reproché algo, ahora da por seguro que mi vida no me va a alcanzar para agradecer todo esto".

—Es una forma muy bella de amigarte.

—Mi papá muere cuando yo estaba embarazada de Tomás y estaba corriendo grave riesgo de perder el embarazo. Mi mamá viaja a Sunchales, en Santa Fe, donde mi papá había muerto, reza y le pide: "Si alguna vez me amaste, te pido por favor que intercedas ante Dios para que Graciela no pierda a mi nieto, a nuestro nieto".

—¿Cómo se llamaba tu papá?

—José.

—¿José?... Como San José, el del jardín, el "viejito"...

—Ay.

Eso fue todo lo que dijo Graciela después de una pausa en la que tomó conciencia de algo que no había advertido hasta ese momento. Una pausa de varios segundos en los que un torbellino debe haberle revuelto todo en la cabeza. Como a mí y como a ustedes, quizás, al advertir la pequeña diosidad ya que la casualidad no existe y ésas son cosas de Dios.

Milagros y señales. Rondan, vuelan, viven, corren, se nos meten debajo de la piel del alma, nos hacen cosquillas en los sueños. Graciela dijo, como todos los que aparecen en estas páginas, que decidió contarme toda la historia porque tal vez a alguien pudiera servirle. Y me dijo algo que me llenó de amor y de agradecimiento:

—¿Te acordás que te conté que, cuando estábamos en el Garrahan y Tommy estaba en coma, yo mojé un pañito en agua bendita de la Virgen de San Nicolás y se lo pasé por la frente?... Bueno, lo hice porque me acordé que en un libro tuyo alguien contó que había hecho eso con su hijito y que se salvó. Por eso creo que los testimonios sirven. Yo me acordé de eso y me dio fe, me llenó de esperanzas. Ojalá alguien que lo necesite, algún día se acuerde de mi testimonio.

Efectivamente, en mi amado librito *La Virgen, milagros y secretos*, aparece el caso que menciona Graciela. Se trata de Gabriel Buroni, quien a los seis meses de haber nacido está internado y en coma. Cristina, su mamá, está desesperada. Llega mi amigo del alma, monseñor Roque Puyelli, con un frasquito de agua bendita que recién traía de Fátima. Moja un algodoncito con un poco del agua y se lo da a Cristina que lo pasa por la frente de su hijito con mucha fe, con mucha fe. Muy poco después el nene estaba despierto y sano. Esto ocurrió en abril de 1984 en el Hospital Español de Buenos Aires. Varios de los médicos no tuvieron ningún inconveniente en admitir que, para ellos, eso era un milagro.

Es buena idea poner en claro que los médicos del Hospital de Tigre y los del Garrahan que atendieron a Tomás lo hicieron de manera extraordinaria. Mucho más a menudo de lo que ellos mismos creen, los médicos son instrumentos imprescindibles para Dios. La tarea de estos profesionales con Tomás y con tantos otros chicos es admirable. Si es que lo olvidaron, la palabra "milagro" proviene del latín *miraculum* que significa exactamente "algo que produce admiración". Es decir, algo admirable, como el trabajo de los médicos. Ya ven que las palabras solitas se encargan de mostrar que los buenos médicos son armas para el milagro y que la fe y la ciencia no sólo pueden convivir sino que deben hacerlo.

Médicos del más alto nivel mundial así lo entendieron y lo dijeron en la historia que sigue. Fui a ver a Pedro, nomás, como me aconsejó mi ángel. Y la pucha que valía la pena.

¿Querían señales? Van a sorprenderse, se los aseguro

Desde el primer momento en que lo vi, sentí algo en Pedro que me llamaba la atención. Una sensación que no era nueva pero era buena. Confiaba en él plenamente desde el instante mismo en que apretó mi mano con la suya callosa y áspera, una mano de cuero arrugado que transmitía una calidez como nunca había sentido. O alguna otra vez, quizá, pero no quería ser suspicaz, ni indiscreto, ni irreverente, así que dejé que las cosas siguieran su curso así como se estaba dando, sin echar leña al fuego de mis sospechas que seguramente han de ser las mismas de ustedes.

Como si fuera poco, Pedro era el cuidador y encargado del vivero "El Paraíso", un lugar en el que uno ingresaba y sentía la inusual sensación de haberse quitado todos los problemas de encima con una rapidez que hacía ver torpe al rayo.

Caminaba despacio y, si tuviera que definir su forma de desplazarse, diría que lo hacía con prudencia. No era una lentitud de enfermo o de cansado, sino de cauteloso. De todas formas uno se ponía por momentos un poco nervioso ante esa parsimonia, esos gestos medidos, ese pensar cada palabra mil veces antes de decirla. Pero todo entraba en un terreno minado de paz cuando uno recibía una mirada de sus ojos. Eran mansos y temibles a un tiempo. No sé cómo explicarlo. Cuando le pregunté por ese manojo de llaves que llevaba colgando de un cordón atado a su cintura me dio una explicación muy breve y absolutamente incompleta: "Son llaves". Decidí preguntarle de a una. Apenas rocé con mi índice a ésta y aquélla y yo no sabía si me estaba haciendo una broma que disfrutaba o en verdad creía en lo que me decía escuetamente ante cada elección mía: "Ésa es la de las mentes, algunos las tienen muy cerradas"; "La chiquita es la de los sueños"; "La que brilla abre las puertas de la esperanza".

Ya sabía que yo iría a visitarlo y sabía, también, lo que yo andaba buscando. No me llamó la atención porque imaginé que tal vez Lucas le habría avisado. En especial cuando, poco después de apretar mi mano en el saludo inicial, me regaló una sonrisa increíblemente blanca para sus años (¿setenta? ¿setenta y cinco?) y pronunció solamente dos palabras: "paz serena". Otra vez. Muy lindo lo de "paz serena", claro que una cosa es decirlo y algo muy diferente es saber qué es exactamente y cómo se consigue. Pero ésa es otra historia. La que Pedro me contaría era una increíblemente apasionante y llena de secretos develados. Un hallazgo, Pedro. Fue mechando muchas cosas que yo creí saber y que me demostró que no eran así, pero lo que desgranó con una habilidad apabullante fue algo que me servía para este librito, la historia del atentado a Juan Pablo II en mayo del 81 y la enorme cantidad de señales y milagros que acompañaron ese episodio. Les aseguro que van a impresionarse. Y les garantizo que nunca habrán leído ni oído un relato de aquel hecho contado con tanto detalle y precisión. Pedro conocía lo ocurrido segundo a segundo, metiéndose en la mente, el alma y la sensibilidad del Papa y de todos los protagonistas de aquel día en que el mundo se paralizó ante la noticia. Contó cosas que yo jamás había imaginado, siquiera, y otras que no eran como se dijo que eran.

Van a sorprenderse, se los aseguro.

A partir de aquí transcribo en forma directa el relato de Pedro al que sólo agregué algunas pocas interrupciones para preguntarle algo. No se lo pierdan, no tiene desperdicio.

EL DÍA DEL ATENTADO SEGÚN PEDRO

El 13 de mayo de 1981, año del Señor, Juan Pablo II almorzó con Jerome Lejeune y tal vez ésa haya sido la primera señal de una enorme cantidad que se darían luego. Jerome Lejeune fue uno de los médicos genetistas más importantes del mundo, profesor de Genética Fundamental de la Universidad de París y primer presidente de la Academia Pontificia para la Vida. Es una señal o, al menos, una enorme paradoja, que el Santo Padre compartiera su mesa y su alimento con tan descomunal defensor de la existencia humana precisamente cuando pocas horas después alguien intentaría terminar con la suya.

Almorzaron liviano: una entrada, pescado al horno, peras como postre, té. El científico estaba acompañado por su esposa y el clima era por completo distendido y cordial. Durante el transcurso del almuerzo se rieron en más de una ocasión ya que los unía un sólido lazo amistoso, pero el principal tema de conversación fue una obsesión que hacía aún más fuerte esa amistad: la defensa de la vida desde su mismo inicio. Unos años más tarde el profesor Lejeune sería protagonista en el recinto del Senado francés de una anécdota extraordinaria.

—La conté en mi librito *El ángel, un amigo del alma...*

Ajá, pero vale la pena repetirla. Entre este manojo tengo también la llave del recuerdo y, te aseguro, hay ocasiones en las que el hombre debería usarla para aclarar con el pasado las dudas del presente.

—Me gusta cómo hablás. Y estoy de acuerdo. Adelante...

Voy a contarlo de manera textual. Se debatía la ley del aborto y Lejeune había sido invitado especialmente. Una de las opiniones en el recinto, fuertemente arraigada, era la que sostenía que hay embarazos que deben ser interrumpidos cuando los antecedentes o el pronóstico parecen ser irreversiblemente malos. Cuando se le otorgó la palabra al doctor Lejeune, dijo que les plantearía un caso. Éste fue: "Tenemos un matrimonio en el cual el marido es sifilítico terciario, incurable, y además decididamente alcohólico. La mujer es desnutrida y sufre de tuberculosis avanzada. El primer hijo de esa pareja muere al nacer. El segundo sobrevive, pero con serios defectos congénitos. Al tercer hijo le ocurre lo mismo y se le suma el hecho de ser infradotado mental. La mujer queda embarazada por cuarta vez. ¿Qué aconsejan ustedes hacer en un caso así?". Un senador del bloque socialista dice, sin dudarlo, que la única solución para evitar males mayores es un aborto terapéutico inmediato. Lejeune deja fluir una pausa, baja la cabeza por un segundo en medio del silencio, vuelve a alzarla y les habla a todos: "Señores senadores de la Francia, pónganse de pie porque este caballero acaba de matar a Ludwig van Beethoven".

En efecto, el cuadro relatado era exactamente el de los padres y hermanos mayores de uno de los más grandes músicos de toda la historia, Beethoven. Aquel senador lo hubiera asesinado a él y a su ángel en nombre de... ¿de qué? ¿Los antecedentes? ¿La presunta preservación de un futuro que el legislador, jugando a Dios, ya preveía funesto para el chiquitín que aún no había nacido? Suena a esos hombres que mandan a la silla eléctrica y, al tiempo, descubren que eran inocentes. Afortunadamente para la humanidad —dicha esta palabra en todos sus sentidos— el médico de los Beethoven parece haber sido mucho más racional y piadoso. El doctor Lejeune murió el 3 de abril de 1994, pero aquí está, ya ven.

Ése fue el hombre con quien Juan Pablo II almorzó el 13 de mayo de 1981.

Hablaron de la vida.

Después del almuerzo, el Papa descansó no más de media hora ya que el día había empezado para él alrededor de las seis de la mañana. No necesitaba más que esos treinta minutos para reponerse. Después de todo, su estado físico era extraordinario. Tres años antes, al iniciar su papado, los periodistas lo habían bautizado con un apodo que le parecía pleno de ingenio y cariño: "l'atleta di Dío", el atleta de Dios. Le gustaba y sonreía con infantil picardía cuando, a solas, veía ese título en alguna publicación.

—Perdón, pero ¿cómo sabés lo que hacía a solas?

Los ojos del alma lo ven todo, cuando quieren. Pero te ruego que no me preguntes ese tipo de cosas ni dudes de lo que te cuento, sería una pérdida de tiempo. Puedo asegurarte que cada detalle es absolutamente cierto. Continúo... Era el atleta de Dios, sí. El 13 de mayo de 1981, año del Señor, faltaban solamente cinco días para que el Papa cumpliera sus sesenta y un años de edad y en su cuerpo se notaba al deportista que había sido. Era un hombre fuerte, erguido, en verdad atlético, de movimientos precisos y reflejos rápidos. En esa época comía bien y no había abandonado algunos ejercicios que lo mantenían en forma, especialmente la natación que practicaba en la piscina de Castelgandolfo, la residencia papal de descanso. Aquel día se sentía jovial, con un buen humor habitual en él, pleno de energía. Todo eso iba a cambiar para siempre, o al menos a modificarse mucho, en menos de 200 minutos.

A las cinco en punto de la tarde el vehículo blanco al que la gente llamaba "papamóvil" apareció bajo el arco de las campanas, la puerta de salida del edificio vaticano usada habitualmente por los pontífices. No había en la plaza tanta gente como en otras ocasiones. El vehículo dio una primera ronda en la que Juan Pablo II saludaba con tanta sonrisa y tanto cariño a los allí reunidos que daba la impresión de estar mirando cara a cara a cada una de las veintidós mil personas que seguían el lento transitar del jeep blanco. Al Papa se lo veía rozagante, con ese típico tono sonrosado de sus mejillas, su sonrisa pequeña y sus ojitos entrecerrados como para ver más lejos o para que tanta luz no lo encandilara. Él mismo parecía abrazado por la luz y, en realidad, lo estaba. Era como si pudiera verse a su ángel de la guarda preparándose para protegerlo, cubriéndolo de manera luminosa, llorando sobre su sonrisa por lo que pasaría de inmediato. A las 17.12 horas de esa asoleada tarde de primavera, Juan Pablo II acababa de tener en sus manos a una bebita que sus padres le habían alargado para que la bendijera, algo bastante común en ese paseo previo a la audiencia general de los días miércoles. A las 17:13 ocurrió lo imposible.

Los disparos sonaron secos y violentos, como un hacha que cae sin piedad sobre un hermoso árbol que se desploma sin remedio, entregado a su destino. El secretario privado de Juan Pablo II, monseñor Stanislav Dziwisz, viajaba en el papamóvil detrás del pontífice al que vio caer con una lentitud exasperante, doblando sus rodillas y tomándose el abdomen con una de sus manos mientras con la otra intentaba aferrarse al pasamanos del vehículo. Don Estanislao, como era llamado en el Vaticano, no reaccionó de inmediato. Al principio creyó que aquellos sonidos eran producidos por el escape del auto o por cualquier cosa menos un disparo. Un disparo nunca, ¿por qué habrían de dispararle al Papa? Pero a seis metros de distancia y con el arma aún caliente en su mano, había un hombre flaco y con ojos húmedos que demostraba que la absurda idea de querer matar a Juan Pablo II era un hecho. Don Estanislao se abalanzó sobre el herido y lo sostuvo en sus brazos sin entender qué era lo que estaba pasando.

—Allí es cuando el Papa pregunta: "¿Por qué a mí?"...

No. Eso salió publicado después en casi todos los medios e incluso llegó a formar parte de la historia de ese día, pero en realidad jamás dijo esa frase. Quien la inventó unió hábilmente lo llamativo desde el punto de vista periodístico con lo impactante desde lo religioso ya que, de haber sido cierta, esa frase estaba definitivamente emparentada con aquella de Jesús durante su agonía: "Dios mío, Dios mío, ¿por qué me has desamparado?".

—Siempre me pregunté por qué esas palabras. Casi suenan a reproche, en especial en ese momento, siendo una de las últimas frases de Jesús antes de morir...

Sí, pero mal comprendida. Jesús no estaba reprochándole a su Padre el hecho de haberlo dejado librado a su suerte ya que sabía mejor que nadie que ése era su sacrificio por todos nosotros y por los siglos de los siglos. Jesús estaba matando a la muerte con la suya propia, abriendo el camino a la vida eterna, era el Cordero que se ofrecía en sacrificio para la redención de toda la humanidad. No, no era un reproche ni mucho menos, al contrario. Esa frase, "Dios mío, Dios mío, ¿por qué me has desamparado?" es la primera línea con que se inicia el Salmo 22, escrito tal vez unos mil años antes del nacimiento de Cristo. Los salmos son cantos de alabanza al Creador. El que lleva el número 22 también lo es. Se trata de una oración para librarse del dolor mortal, un rezo de alguien que ve acercarse el momento de su muerte física en medio de grandes dolores. La oración, el salmo, sigue con una hermosa alabanza a Dios, a quien pide en un momento dado: "...no te alejes, Fortaleza mía, apresúrate a socorrerme", y termina con un magnífico acto de fe. Su última frase es: "A pueblo no nacido aún, anunciarán que Él hizo esto". Mil años antes de Cristo, ¿comprendés? Mil años antes se escribió ese salmo que lo profetizaba. Y Él, en la cruz, dijo esa frase, sí. Pero como el inicio de la oración hebrea. Fue una alabanza y no un reproche. Instantes después se dirige a Dios y le dice: "Padre, en tus manos encomiendo mi espíritu". ¿No creés que sería muy contradictorio reprocharle un presunto desamparo y unos segundos más tarde expresar semejante entrega? Más aún: las últimas palabras de Jesús son: "Todo está cumplido", es decir una aceptación total y una afirmación de su destino divino. Dicha esa frase, expiró dejando caer su mentón sobre el pecho.

—Tenés los ojos llenos de lágrimas y como perdidos en un punto lejano. A mí también me emociona oírte, es como si lo estuvieras recordando. ¿Siempre fuiste tan sereno y con un lenguaje tan claro?

No. Fui muy tosco. Tenía otros trabajos.

—Fuiste pescador, ¿no es cierto?

Fui pescador, sí.

—No bajes la cabeza como si te hubiera descubierto algo que no debía. No voy a preguntarte ninguna otra cosa que tenga que ver con eso, te lo prometo. Que todo quede así y cada uno piense lo que quiera... Eso, me gusta esa sonrisa tibia. Listo. Seguí, por favor...

Todo ocurrió en un brevísimo instante: el atroz sonido de los disparos, las palomas que levantaron vuelo todas a un tiempo asustadas por ese ruido del infierno, los más cercanos al papamóvil que quedaron paralizados, una monjita que cayó desmayada en el acto al ver desplomarse al Santo

Padre, un pobre policía que se puso a llorar de manera incomprensible pero tierna creyendo que acababan de matar al Papa ante sus ojos, él que se dobló sobre sí mismo cayendo y monseñor Estanislao que lo sostenía por detrás y le preguntaba en un tono que intentaba ser calmo sin conseguirlo: "¿Dónde?". El Papa, con el rostro ahora blanco, le respondía entrecerrando los ojos: "En el vientre". Estanislao que insistía: "¿Es muy doloroso?". Juan Pablo II que luchaba por no desmayarse y contestaba con un susurro grave una sola palabra: "Sí". Y ciertamente era grande el dolor que sentía. Lo habían alcanzado dos balazos de los disparados por Mohamed Alí Agca con una pistola Browning calibre 9 milímetros. Uno le lastimó el codo, nada grave. Otro hirió el dedo índice de su mano izquierda y lo atravesó a la altura del abdomen, cayendo la munición a los pies de ambos hombres. El dolor de su zona abdominal era muy intenso, similar al de un animal feroz mordiendo sus entrañas sin respiro. Monseñor Estanislao lo llevó, en medio de una enorme confusión, hasta el borde del papamóvil. Una ambulancia estaba ya a su lado y allí subieron al Papa de inmediato. Apenas sirvió para unas cuantas cuadras: esa ambulancia no estaba preparada para una emergencia semejante —ni siquiera contaba con un tubo de oxígeno— y Su Santidad estaba ya corriendo serio peligro de muerte, pero fue trasladado a otra ambulancia que tenía todos los elementos de atención y que, inexplicablemente, había seguido a la primera. Luego se le preguntaría al conductor de esta segunda ambulancia por qué había seguido a la primera, algo realmente absurdo e inhabitual en cualquier situación y mucho más en medio de ese caos. El hombre no lo supo. "Sólo sentí que debía ir detrás", dijo. Un hecho incoherente y que jamás se lleva a cabo pero que, de no haber ocurrido a pesar de la rareza que representaba, el Papa hubiera muerto antes de llegar a destino. Ésa fue una de las señales desde el atentado. Mientras lo pasaban de un vehículo a otro y se dirigían a toda velocidad al Hospital Gemelli, el Papa se esforzaba por mantenerse consciente a pesar del dolor desgarrante de sus entrañas y sólo repetía el nombre del más grande de sus amores: "María, Madre mía", una y otra vez, una y otra vez. En el vehículo viajaban otros cuatro hombres: el padre Estanislao, el Hermano Camilo que era uno de sus asistentes, un médico y un enfermero. Iban mareados de miedo mientras lo escuchaban repetir "María, Madre mía. María, Madre mía. María, Madre mía", cada vez con voz más tenue que se iba apagando como la llama de una vela en una corriente de aire que era cada vez más helado para todos.

LAS SEÑALES, LOS MILAGROS

El Papa repetía como una amorosa letanía el nombre de la Virgen cuando de manera coincidente y sin que nada tuviera que ver con su paseo por la plaza que se daba, como siempre, los días miércoles, aquel 13 de mayo era un nuevo aniversario de la primera aparición de la Santísima Madre en Fátima. Karol Wojtyla se había consagrado a María hacía décadas y, veinte años antes de ser ungido Papa, había elegido como Obispo de Cracovia un lema que demostraba su amor por Ella: "Totus Tuus", Todo Tuyo. Por eso en esa ambulancia había alguien más a la que no veían pero podía sentirse fuertemente su presencia. Había aroma a rosas en el aire.

Las señales fueron apareciendo una tras otra, algunas por completo inexplicables pero formando parte de una trama en la que el mal quiso escribir el argumento pero hubo correctores que cambiaron el libreto en medio de una lucha sorda y notable.

* Alí Agca disparó cuatro balazos de los cuales dos le dieron al pontífice. Ante el estupor y la sorpresa iniciales al oír los estampidos, el asesino avanzó un par de pasos después de esos cuatro disparos. Apuntó mucho más de cerca a la cabeza del Papa y gatilló por quinta vez, la que sería definitiva sin ninguna duda. Pero ese disparo nunca se produjo ya que su arma se trabó y no pudo volver a tirar. Si eso no hubiera ocurrido, el quinto disparo le habría volado la cabeza al Papa y todo lo que fue historia cercana a él en los siguientes veinte años seguramente no hubiera ocurrido, incluyendo la caída del muro de Berlín y la disolución de la Unión Soviética, por ejemplo. Pero a Juan Pablo II aún le quedaba mucho por hacer en este mundo como para reunirse con el Señor en ese momento y la quinta bala, la bala mortal, quedó atascada en la recámara de la pistola Browning 9 milímetros que el asesino gatillaba y gatillaba frenéticamente sin comprender por qué no salía la muerte de ese caño negro y especialmente preparado con precisión para ese exacto día, ese exacto momento.

* Mohamed Alí Agca no era un improvisado y difícilmente estuviera solo en su macabra tarea. Era un profesional de la muerte; burdo y manejable como convenía a quienes lo usaron como un títere, pero profesional al fin. En su triste historial, este turco de apenas 23 años de edad en el momento del atentado, ya había asesinado a su compatriota Abdi Ipekci, el editor de *Milliyet*, un importante periódico de Estambul. Esto ocurrió el 1º de febrero de 1979. Fue enjuiciado y condenado a muerte, pero escapó de la prisión. Una semana después envió una carta al diario mencionado advirtiendo que si el Papa viajaba a Turquía, él lo iba a asesinar. No ocurrió semejante cosa, pero al firmar esa carta con su verdadero nombre y apellido en un alarde de soberbia criminal, se transformó sin darse cuenta en un candidato excelente para ser contratado y encargarle el magnicidio papal. Era el perfecto Lee Harvey Oswald. Al igual que el hombre que disparó contra John Kennedy, el turco era un idiota útil con antecedentes criminales que sumados a la amenaza directa a Juan Pablo II hacían de él un chivo emisario extraordinario que haría que no se investigue más allá de su triste figura. Al fin de cuentas eso ocurrió, pero hubo algunos hilos sueltos: Alejandro de Marenches, jefe del servicio secreto francés, en 1980 mandó especialmente al Vaticano a un agente especial con la advertencia de que —de acuerdo con lo investigado por de Marenches— estaba ya funcionando un complot comunista para asesinar al Papa. Mohamed Alí Agca sería parte de ese complot, la parte más fina del hilo, aquella más delgada por donde generalmente se corta. Lo indiscutible es que esa tarde había en la plaza otras

personas que movían al títere. Dos hombres vestidos con trajes oscuros y anteojos negros mantuvieron libre un sector del lugar por donde se salía rápidamente a Roma, pidiendo que se retirara, incluso (y no con buenos modos) a un obispo que pretendió estacionar su automóvil en ese lugar. Nadie supo decir nada de esos dos personajes que, por supuesto, desaparecieron inmediatamente después del atentado. El asesino Alí Agca estaba alojado en un hotel de menor categoría llamado "Isa", ubicado en la Vía Cicerone. De allí salió los días 10 y 11 de mayo, para recorrer y estudiar la plaza y el trayecto del papamóvil. El 13 también iría de esa pensión directamente al encuentro de su víctima. Lo sugestivo es que el 10 y el 11 lo acompañó por lo menos un hombre de aspecto común. No así el 13, en que fue solo a la plaza. Y más sugestivo aún es que la reserva en el hotel Isa la hizo una persona que no era él pero que nunca fue identificada. Esto deja bastante claro algo de lo cual muchos no quieren hablar: Alí Agca no era un loco solitario y todas las sospechas señalaban a diferentes grupos comunistas para los que el Papa era un poderoso enemigo que había que sacar de en medio. Juan Pablo II demostraría que esos criminales de la política sucia no estaban equivocados ya que sí fue el mayor enemigo que ellos pudieron tener, sacudiéndolos fuera como migajas de un mantel. Los datos anteriores dejan también en claro otra cosa: el turco tenía un muy importante apoyo logístico hasta el momento de disparar. Luego sería cosa de él, por supuesto, pero hasta el instante del atentado había profesionales de la muerte que lo asesoraron, protegieron, apañaron y prepararon. Teniendo en cuenta eso, entonces, era prácticamente imposible que no eliminara a una persona vestida enteramente de blanco, elevada por sobre los demás, sin blindaje ni protección alguna, en un vehículo que se trasladaba con una asombrosa lentitud, a un máximo de seis metros de distancia, con una guardia más protocolar que efectiva y usando una Browning que está señalada por los entendidos como una de las armas de mano más precisas que se conocen. Un arma que, sin embargo y de manera muy fuera de lo común, se trabó y no disparó el tiro decisivo. Y todo lo planeado seguramente por muchos meses se desplomó demostrando la clara señal de que ese hombre, el Papa, estaba reservado para un destino que cambiaría el del mundo y, por lo tanto, debía ser protegido. Con todo lo relatado, que no muriera durante el atentado, allí en la plaza, más que una señal fue realmente un milagro.

*Desde la plaza vaticana hasta el Hospital Gemelli hay un trayecto que es casi imposible de cubrir en menos de unos veinticinco minutos, no tanto por las calles o la distancia sino por el afiebrado tránsito de Roma, uno de los más caóticos del planeta. No hay ambulancia ni bomberos ni policías que logren avanzar rápidamente en los enormes atascamientos de vehículos que son tan comunes. Simplemente no queda espacio para pasar. Salvo en este caso. Como una nueva intervención del mal en su infame libreto de ese día, la ambulancia que llevaba al Papa tenía la sirena descompuesta y debió avanzar como pudo, haciendo sonar la bocina como un auto común y esquivando todo lo que se le aparecía por delante. Pero los que corregían el libreto en medio de esa particular batalla tenían muy poderosas armas: ese trayecto de no menos de veinticinco minutos en un horario normal se cubrió, en esa hora pico de la tarde y en una ambulancia sin sirena, en ocho minutos. Ocho minutos. El Papa llegó agonizante. Si hubieran tardado tan solo cinco minutos más, habría muerto en ese viaje. El conductor de ese vehículo estaba por completo alterado y no supo ni pudo explicar cómo llegaron en tan corto lapso al hospital. En los meses posteriores y sólo como curiosidad, el hombre cubrió el mismo trayecto en varias ocasiones, esforzándose por igualar su propio tiempo, pero nunca logró hacerlo en menos de diecinueve minutos, que fue su mejor marca.

*Monseñor Dziwisz, secretario privado de Juan Pablo II, era quien iba con él en el papamóvil y el primero en sostenerlo al ser alcanzado por los disparos. A monseñor Dziwisz siempre se lo conoció en el Vaticano por su primer nombre, Don Estanislao. Es también el nombre del patrono de Polonia, San Estanislao, quien fue, como Juan Pablo II,

Obispo de Cracovia. La catedral gótica de esa ciudad es su monumento más importante. Pero no terminan allí las coincidencias: San Estanislao fue asesinado en el altar de esa iglesia que llevaría su nombre en el año 1079 y por orden del rey polaco Boleslao II. El motivo fue simple: San Estanislao se había transformado en el mayor enemigo del Rey al que acusaba pública y severamente por sus desatinos políticos. Boleslao mandó matarlo. Pocos años después el mismo Boleslao debería huir viendo caer su reino irremediablemente. Se refugiaría en un convento en el que moriría no mucho más tarde. A San Estanislao lo asesinaron en presencia de muchos de sus fieles, tomándolo por sorpresa y destrozándole la cabeza, cosa que hubiera ocurrido con Juan Pablo II si el quinto disparo se hubiera efectuado. Más que curiosas y extraordinarias coincidencias, son señales. Signos que están allí para el que quiera verlos.

*El cirujano principal fue uno de los mejores de Europa, el doctor Francesco Crucitti. A las 17:13 horas en que ocurría el atentado, él estaba con un paciente en el Hospital de la Vía Aurelia, a más de cuatro kilómetros del Gemelli y separado de ese lugar por el tránsito imposible de la ciudad. A las 17:25 horas, una monjita que escuchaba en la radio la emisión normal de la audiencia general del Papa, escucha que éste fue baleado y corre a avisarle al profesor Crucitti. El médico no puede creer la noticia pero, sin embargo, se lanza en su auto rumbo al Gemelli. Las calles están muy congestionadas por la hora y el cirujano entra a contramano por una calle y desemboca en otra donde atronan las sirenas policiales. Se filtra en medio de los patrulleros ya que advierte que van en su misma dirección y por su misma razón. Pero los libretistas del mal quieren torcer las cosas y un policía en moto que no entiende a ese intruso y no sabe que es el hombre que puede salvar la vida del Papa, le apunta con su metralleta por la ventanilla del auto y le grita que se salga de la caravana policial. Crucitti intenta explicar a los gritos quién es, pero el ruido ensordecedor de motores, sirenas, bocinas y libretistas del mal hacen que el policía no lo escuche y le patee la puerta volviendo a apuntarle con su arma. El médico se aparta pero no abandona. Aún sin saber con certeza si el Papa estaba grave, vuelve a acelerar. De pronto ve por su espejo retrovisor una moto que se acerca rápidamente de su lado. En un instante la tiene junto a él y por un momento piensa que puede ser un policía de civil o, incluso, un ladrón. Sólo atina a gritarle: "¡Debo ir al Gemelli!", sin ningún tipo de explicación. El hombre joven que conduce la motocicleta no le pide ninguna, tampoco. Le grita que lo siga, que él irá abriéndole camino. El profesor no conoce a este hombre pero le obedece. La moto, haciendo sonar su mínima bocina y merced a los gritos de su conductor, va logrando brechas en el tránsito como un cuchillo caliente en la manteca. Así llega al hospital. Se larga del auto y corre hasta los ascensores. El mismo profesor Crucitti llamaría después "un genio desconocido" a quien tuvo la maravillosa idea de llamar a todos los ascensores al lugar de la entrada para que el cirujano no tuviera que perder ni un segundo. Se lanzó a uno de ellos que lo aguardaba con la puerta abierta y segundos después bajaba en el piso noveno donde asistentes y enfermeras le quitaban sus ropas y lo vestían con la bata de cirugía y el resto de los elementos esterilizados. Dos minutos después de haber ingresado al hospital, entraba al quirófano el profesor Francesco Crucitti, el principal de los médicos que salvarían la vida del Papa quien, por entonces, tenía una tensión arterial máxima de 70 que descendía muy peligrosamente. El Papa estaba muriendo. Era estremecedor ver cómo descendía el nivel de sus signos vitales. Pero otros signos habían ocurrido para permitir que el cirujano principal llegara a tiempo. Si lo hubiera hecho apenas tres o cuatro minutos después, se hubiera encontrado con un pontífice muerto. La monjita del hospital de la Vía Aurelia "tenía" que estar escuchando la radio, "tenía" que estar a un par de pisos de distancia del profesor Crucitti, "tenía" que pensar que debía avisarle lo que estaba ocurriendo. El cirujano, un hombre correctísimo y puntilloso, "tenía" que encarar varias calles a contramano sin tener aún la seguridad de que la noticia era cierta. La gente del Gemelli no había recibido ningún aviso de que Crucitti iba para allí pero, aun en medio del caos razonable, lo estaban esperando con todo preparado. No se supo nunca quién tuvo la salvadora idea de llamar a todos los ascensores a la planta de entrada para facilitarle la llegada al noveno piso. Nadie del personal del Gemelli acusó ser ese "genio desconocido" como el mismo profesor lo calificara. Y, por último, jamás se supo quién era el joven de la motocicleta, cómo apareció a su lado, cómo no necesitó ninguna explicación ya que lo ayudó de inmediato ni cómo logró fabricar camino en esas calles atestadas de autos que se corrían obedientemente sólo porque un ángel en moto hacía sonar su bocinita y les gritaba que les abrieran paso.

*El Papa se moría. Todos sentían eso. El nerviosismo era insoportable. Tan crítica y terminal era la situación que uno de los médicos que le corrían una carrera al tiempo le rompió un diente al Papa al abalanzarse para colocarle el respirador artificial. El profesor Crucitti le abrió el abdomen con un tajo definitivo y profundo para encontrarse con el intestino perforado y alrededor de tres litros de sangre llenando ese hueco. Casi parecía mentira que aún se mantuviera con vida. Sin embargo, él mismo sintió una señal muy clara en el instante preciso del atentado. En una extraordinaria entrevista que concediera mucho después al notable periodista y escritor francés André Frossard, Juan Pablo II le confesó: "En el mismo momento en que caí herido tuve un fuerte presentimiento de que a pesar de todo no iba a morir. Supe que sería salvado y esa certeza la mantuve todo el tiempo, aun en los peores momentos".

*Es asombroso y apasionante cómo se repite en diferentes cosas de ese día el número cinco. Ocurrió en mayo, el mes cinco. Salió del edificio vaticano exactamente a las cinco de la tarde. Antes de que las cinco se transformaran en seis, ya lo estaban operando. Debido a la explosión de la bala en su cuerpo, el intestino delgado tenía cinco heridas. Hubo que extraerle 55 centímetros de intestino. La operación duró cinco horas. Fue la bala número cinco la que le hubiera volado la cabeza pero no salió. Faltaban cinco días para su cumpleaños. Y ése fue el tiempo que fue mantenido en la sala de terapia intensiva, cinco días.

La kabala, obviamente la seria y confiable, es la doctrina secreta que manejan en su plenitud sólo unos pocos elegidos que recibieron sabiduría y conocimiento de sus mayores a través de los siglos, desde el principio del pueblo hebreo. Seguramente a muchos les llamará la atención saber ahora que en la kabala el número cinco representa al Sumo Sacerdote. En este caso, claro está, el Sumo Sacerdote es obviamente el Papa. También indica la quintaesencia de los conocimientos. Los filósofos de la Antigüedad tenían en claro los cuatro elementos, las cuatro esencias que nos rodean: agua, tierra, fuego y aire. Y también tenían en claro a la que consideraban la principal, la quinta (otra vez se da ese número), la quintaesencia, es decir la última esencia de todas las cosas, la forma más pura de algo, su cualidad más decididamente intensa. Hoy se usa esa palabra para aplicarla a cualquier cosa y definir con ella a lo que está más cercano a lo perfecto, a lo esencial llevado al máximo de sus calidades. Sería difícil, aun para quienes puedan haberse sentido sus enemigos, negar la extremada pureza de Juan Pablo II, su inteligencia asombrosa, su firmeza pero también su bondad, su condición humana en el más alto grado de piedad y comprensión, las puertas de su alma abiertas al mundo sin preguntar quiénes eran los que llegaban hasta ellas ni pedir que se limpiaran los zapatos antes de trasponerlas. Fue, desde un comienzo, la quintaesencia de la esperanza, el alma de la Iglesia.

Ya lo acompañaban señales muy claras marcadas por la historia. No sólo fue el primer pontífice de origen eslavo sino, también, el primero no italiano desde hacía 455 años. Otra vez el cinco, tal vez sea nada más que una suma de coincidencias. Como el hecho de que desde la más remota Antigüedad a ese número se lo llama "cardialis" ya que es el corazón, el centro mismo de los números del 1 al 9. Hoy se puede advertir eso muy fácilmente en el rectángulo de números de cualquier teléfono con botones donde el cinco está exactamente en el medio de los que tienen valor. Otra coincidencia con la figura de Juan Pablo II y su lucha contra enormes poderes que parecían indestructibles y gigantescos es que en la Biblia figura el dato de que David "tomó cinco piedras lisas del arroyo" para enfrentarse a Goliat, al que derribaría con una de ellas. Cinco.

Pero hay algo que es, tal vez, más simbólico. El cinco es, volviendo a la kabala, representante de Marte, que significa la guerra. No se trató en este caso de esa agresión cobarde de Alí Agca, eso no es guerra. Se trató de un combate mucho más antiguo y permanente: la lucha entre el bien y el mal, ese enfrentamiento que tiene como símbolo al pentágono, otra vez el cinco. Y otra vez Juan Pablo II, el gran guerrero del bien.

*También existieron señales en apariencia más pequeñas pero no por eso menos significativas. Por ejemplo: el día anterior al atentado, el Papa visitó el pabellón médico vaticano y, como una sorpresa, los profesionales de ese lugar le regalaron una nueva ambulancia con elementos de reanimación para atender a las personas que sufrieran algún percance de salud en la plaza. Su Santidad la recibió feliz. Al día siguiente sería ésa la ambulancia bien equipada que lo llevaría al Hospital Gemelli. De no haber estado ese vehículo allí, otra sería la historia.

*Una señal más, muy dulce como de quien viene. El trono papal quedaba a la espera de su dueño en la entrada del edificio vaticano mientras el pontífice realizaba la recorrida entre la gente con el papamóvil. Pocos minutos después del atentado, un grupo lloroso de polaquitos que no eran más que cien o tal vez ciento cincuenta, se acercaron al trono temblando y mordiendo miedo. Sin hablar entre ellos, caminaban hacia el trono rezando en voz alta, apretaditos uno contra el otro, sollozando, sintiéndose repentinamente huérfanos. Llevaban un cuadro con una imagen de su Virgen polaca, Nuestra Señora de Czestochowa. Lo pusieron apoyado en el sillón del Papa y lo rodearon en círculo sin dejar de orar. De repente, enseguida, una inesperada ráfaga de viento volcó el cuadro hacia adelante, dejando ver su parte de atrás forrada con papel madera grueso. Allí podía leerse algo que traía escrito a mano en grandes caracteres: "Que la Virgen proteja al Santo Padre del mal". En ese mismo instante la ambulancia que llevaba al Papa moribundo llegaba al Hospital Gemelli.

*Si la bala hubiese dañado la arteria principal del abdomen, el Papa habría muerto. También pasó a pocos milímetros de la aorta, una distancia que separó la vida de la muerte. Igualmente estuvo muy cerca de centros nerviosos y de la columna vertebral, sin dañarlos ya que de hacerlo el resultado más optimista hubiera sido la incapacidad total de la víctima. Pasó cerca de varios sitios que son decididamente mortales sin afectar a ninguno, y lo curioso es que la trayectoria de esa bala se modificó al impactar en primer lugar el dedo índice del Papa, lo que cambió su objetivo poco, pero lo suficiente.

QUIEN QUIERA OÍR, QUE OIGA

Dos frases del Papa establecieron con claridad absoluta que en todo aquel episodio habían estado presentes milagros y señales.

Tácitamente aceptaba al milagro no sólo por su salvación, que en realidad parecía imposible, sino desde el instante mismo del atentado, ya que luego diría sin dejar dudas: "Una mano disparó y otra guió la bala".

Las señales fueron más que aceptadas por el Papa, fueron ratificadas con algo que dijera públicamente al cumplirse un año exacto del episodio que pudo costarle la vida. El 13 de mayo de 1982 viajó a Fátima para dar gracias a Dios y a la Virgen. Una frase dicha en aquel santuario no deja dudas con respecto a lo ocurrido y el triunfo de lo que aquí llamamos los libretistas del bien o los correctores del mal. Refiriéndose a la gran cantidad de hechos coincidentes que permitieron salvar su vida, dijo sin más vueltas: "Nada es pura coincidencia".

CHAU, PEDRO

Yo estaba maravillado por el relato de Pedro que había desgranado la historia sentado en una sillita de mimbre del vivero, dejándome a mí un sillón de ratán ancho y de respaldo alto, como un trono casi. Al pensar en eso del trono, advertir que era el que Pedro usaba e imaginar alguna que otra cosa más, fue como si me pincharan con un alfiler en la espalda baja. Di un respingo y me incliné hacia adelante para dejar libre el sillón pero interrumpí bruscamente mi intento porque Pedro dejó de mirar ese punto en el aire del que parecía leer su relato y fijó sus ojos de un celeste cálido en mí sin decir una palabra, al menos con su boca, pero haciéndome entender que me dejaba estar en su sillón. Me relajé y volví a apoyarme en el respaldo lenta y respetuosamente.

—Nada de serpientes de bronce, ya ves —me dijo con suavidad.

—Pero la serpiente de bronce existió —dije como preguntando.

—Supongo que sí. Lo dice el Antiguo Testamento —señaló Pedro cuando una calma sedosa parecía zumbar delicadamente sobre nuestras almas. En realidad la mía, pensé, no puedo imaginar qué siente el alma de otros ni siquiera literariamente, no sé cómo es la de Pedro.

—Inocente —me dijo con esa sonrisa impecable, demostrándome que no era necesario hablar para que él supiera de mis dudas. Creo que no voy a terminar por acostumbrarme nunca a ellos. Lo que sí sé es que resulta muy fácil quererlos.

—¿Qué debo buscar, entonces, como símbolo del milagro?

—Paz serena.

—¿Otra vez? Se supone que la paz es siempre serena. No entiendo qué quieren decir esas palabras.

—Las palabras no son tan importantes a veces. Puede ocurrir que se cambien pero lo que designan siga siendo lo mismo.

—Vos te llamabas Simón, por ejemplo —dije en voz bajita.

—Sí. Mi maestro me puso Pedro.

—Hablame un poquito de tu maestro, por favor —supliqué.

—Padre del amor, hermano de la misericordia, esposo de la vida. —Y dicho esto se puso de pie, acarició mi cabeza brevemente haciéndome sentir un niño y se llevó su sonrisa caminando con lentitud hasta el interior de "El Paraíso", el vivero, ya les dije. Yo quería decirle que me contara más, por favor, pero no podía pronunciar palabra. A unos cuantos metros Pedro se detuvo y se volvió hacia mí mientras tocaba como al descuido una de sus llaves que no pude identificar. Sin perder la sonrisa, agregó:

—Y estaba lleno de paz serena. Nunca conocí a nadie con tanta paz serena como mi maestro.

Y se fue sin apuro, como un atardecer de primavera.

19

No hay santos sin milagros

Todos sabemos que el primer pontífice de la Iglesia fue Pedro, que se llamaba Simón y era pescador, pero que pasó a ser Pedro por ser piedra ("Sobre esta piedra edificaré mi Iglesia") ya que Jesús jugaba con los símbolos pero siempre ponía todo lo de Él en los hombres, a los que amaba como nunca, pero nunca podremos apreciar en su medida.

Pedro, entonces, fue el primero. ¿Y el segundo Papa? Ah, los agarré. Es como en los fulanos que pisaron la Luna. Si les pregunto por el apellido de los tres astronautas, con un poco de suerte recordarán dos. Ni hablar si les pregunto cuáles de los tres pisaron nuestro satélite natural y quién, pobrecito, se quedó dando vueltas en el módulo lunar. Les cuento sólo para que no se queden con las ganas: Neil Armstrong y Edwin Aldrin pisaron la Luna, en ese orden; el pobre de Michael Collins se quedó dando vueltas y esperando como novio nuevo. Claro que si les preguntara quiénes formaron parte del segundo grupo que pisó la Luna ya no tendrían ni la más purísima idea. Y no es que los que fueron después (como cinco viajes más) no fueran tan importantes ni hubieran corrido los mismos riesgos. Simplemente no fueron los primeros. En la cultura del terrible mundo que habitamos eso es como un fracaso. Algo así como un astronauta diet. Injusto, claro, pero real.

¿Cuál fue el segundo Papa, entonces...? Ni idea, ¿no es cierto? Bueno, se llamó Lino, nombre casi de barrio, y fue elegido en el año 67. Duró hasta el 76 (sin mil novecientos, mil ochocientos, mil setecientos, nada de eso; 76 a secas). Casi nadie lo sabe, pero fue el que instauró la obligación de que las mujeres entraran a los templos con la cabeza cubierta. En el 76 ocupó el trono San Anacleto. Lo que hizo fue clave para los siglos que vendrían: construyó un oratorio no muy grande pero que sentaba sus reales y marcaba territorio en una colina romana en la que había sido asesinado Pedro, un lugar en un monte llamado Vaticano. Exactamente en el sitio donde Anacleto fundó el primer templo, aunque pequeño, está hoy y desde hace siglos la Basílica de San Pedro. Cleto estuvo hasta el año 88 en que le tocó el turno a San Clemente, cuya especialidad no eran los balnearios como algunos pueden creer sino la liturgia. Por ejemplo: introdujo la palabra hebrea "amén" (así sea) en los rezos cristianos. No tuvo más suerte que los anteriores en lo que hace a su vida física, ya que por el solo hecho de ser cristiano y padre de la Iglesia de ese entonces, fue arrojado al mar con un ancla atada al cuello. El que lo siguió, en el año 97, fue San Evaristo. Como a pesar de anclas y martirios varios los seguidores de Jesús aumentaban de una manera impresionante, había que organizarlos. Evaristo, entonces, fue quien creó las parroquias, palabra que viene del griego y simplemente significa "vecindad". Encargó encabezar estas *paroikias* a los sacerdotes más antiguos, los más viejos. Los presbíteros, palabra que precisamente señala a los más ancianos y de la cual deriva presbicia, una enfermedad de los ojos que impide ver bien de cerca y que llega, precisamente, con los años. Luego, en el 105, que no es un bus sino un año, llega San Alejandro. ¿Saben por qué cosa se lo recuerda mucho? Fue el que instituyó como algo propio de la Iglesia nada menos que el agua bendita, algo que hasta ese momento no existía.

Cada pontífice dio algo de sí mismo para lo que hoy vivimos. Y, a propósito, la palabra "pontífice" significa nada menos que "el constructor de puentes". Eso hacen. Arman enormes e invisibles estructuras que unen alma con alma, país con país, Tierra con Cielo.

Si tuviéramos que elegir algo que Juan Pablo II dejó a través de sus décadas de lucha como pontífice, algo que unió como un puente al hombre y a Dios, habría mucho para optar, pero hay una cosa que se desprende de todas porque con todas tiene que ver: la esperanza. Ha sido el Papa de la Esperanza, la que se escribe con mayúscula.

Afirmo aquí y lo dejo por escrito para el que tenga ganas de leerlo dentro de un tiempo, que Juan Pablo II será —sin la menor duda, sin la más remota indecisión— uno de los santos de la Iglesia. Y en tiempo récord.

Para llegar a la categoría de beato es necesaria la comprobación de, por lo menos, un milagro. Luego, el siguiente paso, el de la canonización, exige por lo menos dos milagros ocurridos en vida del candidato o después de muerto, cuando alguien le pide algo y eso —imposible de explicar por la razón o la ciencia— ocurre.

De acuerdo con la información que pude obtener de fuentes eclesiásticas del más alto nivel pero que, justamente por eso, me veo imposibilitado de mencionar, Juan Pablo II ya obró milagros que se mantuvieron en el más riguroso secreto por su propia orden y por la consabida y exagerada prudencia de la Iglesia como institución.

Uno de esos hechos que no tienen explicación racional es el que un par de capítulos atrás quise confirmar con mi ángel Mariano sin obtener ni una pista. Todo habría ocurrido durante el Jubileo del año 2000 para la juventud. Personas que estuvieron allí cuando ocurrieron los hechos aseguran que una adolescente fue víctima de una suerte de posesión maligna en plena Plaza de San Pedro. Eran jornadas de un calor agobiante, pesado, feroz. Por eso a los jóvenes se los rociaba permanentemente con lluvia artificial de mangueras de bomberos y tenían a su disposición agua mineral para beber en varios puntos de la plaza. Los médicos estaban alerta y acudieron de inmediato cuando les avisaron de un caso que parecía ser una epilepsia o algún problema neurológico. No fue así. Advirtieron de inmediato que aquello los superaba ya que no había sedante que, inyectado, consiguiera calmar a la chica. Enterado de esto —y siempre de acuerdo con lo que pude recoger en esas fuentes muy creíbles que fueron testigos de lo que estoy relatando—, el Papa Juan Pablo II pidió con serenidad que llevaran a la adolescente a su presencia. Se cumplió la orden, con la chica que continuaba fuera de sí, babeándose y hablando en latín —idioma que desconocía por completo— y Juan Pablo II pidió que lo dejaran solo con ella. Al cabo de unos minutos, pocos minutos, el mismo pontífice abrió la puerta que él había ordenado cerrar (la de su despacho) y todos pudieron ver a la adolescente lagrimeando y muy calma. Según el relato que llegó a mí, la chica, antes de irse, quiso besar la mano del Papa pero éste, con su sonrisa ya cansada y triste, la tomó de los brazos y besó su frente, un gesto absolutamente inusual en cualquier pontífice. Hasta el momento en que escribo estas líneas no se sabe más sobre ese episodio, pero muchos lo comentan en voz baja y mencionan palabras como exorcismo (un Papa tiene facultades para llevarlo a cabo) y, lo que es más importante, milagro. No es la primera vez que la palabra milagro ronda a Juan Pablo II, pero eso hay que dejárselo al tiempo y a las autoridades de la Congregación para la Causa de los Santos.

Mientras tanto, hay otras personas que sin dudas merecen ya ascender a los altares. La Madre Teresa de Calcuta es mundialmente famosa por su lucha por la vida, pero no se conoce tanto, por ejemplo, el caso de una joven hindú que tenía un gran tumor cancerígeno que se había diagnosticado como incurable pero que, al colocar sobre él una medalla que había tocado la Madre Teresa, se curó por completo. Tampoco se sabe tanto, a nivel popular, que otra joven —esta vez palestina— también sufría un cáncer terminal y sanó de él inmediatamente después de que se le apareció en sueños la Madre Teresa diciéndole: "Pequeña, estás curada".

Si la causa de Teresa de Calcuta avanza o ya avanzó al ser editado este librito, será algo así como un récord, ya que el Código Canónico establece un mínimo de cinco años para iniciar cualquier trámite como éste y ella murió en septiembre de 1997. Sospecho que con Juan Pablo II ocurrirá lo mismo ya que son personas que en vida han demostrado una evidente e inobjetable entrega a la santidad.

VALERIA MAZZA
La vida es bella

Hay un caso que, de alguna manera, une a Juan Pablo II y a la Madre Teresa de Calcuta con una argentina sobria y muy querida por todos, la hermosísima modelo internacional Valeria Mazza, nada más parecido a lo que uno supone que debe ser un ángel. Y no sólo por su extraordinario rostro. Siendo, sin ningún lugar a dudas, una de las mejores modelos del mundo y, desde hace ya tiempo, exitosa conductora de un programa de TV en Roma, Italia, conserva una humildad de principiante que la hace aún más bella pero en este caso por dentro.

Ella y su esposo, el inteligente y buenazo Alejandro Gravier, vivieron un episodio que vale la pena contar aquí.

Ocurre que al cumplirse el primer aniversario de la muerte física de la Madre Teresa de Calcuta, desde el Vaticano piden si es posible que en uno de los actos conmemorativos que se emitiría por televisión a toda Europa fuera Valeria Mazza quien leyera un texto de la homenajeada. Era aquel en el que ella les habla de manera frontal a las mujeres del mundo que piensan en abortar y les reclama que no lo hagan, que tengan a ese hijo y se lo den a ella que lo criará. Una arenga emocionante que puede conmover a los más escépticos. Sin dudas fue un honor que el Vaticano solicitara a Valeria como lectora pública de esas palabras. Nuestra chica acepta de inmediato y lee ese texto para millones de personas que la estaban viendo pero agregándole una emoción personal cuyo motivo pocos conocían: ella y Alejandro ansiaban tener un hijo pero ese regalo se estaba haciendo esperar demasiado.

Casi enseguida, ambos son recibidos por el Papa. Hablé con Alejandro para conocer la historia por sus protagonistas y, realmente, dentro de lo que aparenta ser simple y natural, hay aroma a milagro.

Tuvieron la entrevista personal con el Papa, algo muy poco común. Alejandro recuerda que, apenas están frente a él,

Valeria le habla en italiano pero Juan Pablo II la mira, sonríe, y le contesta en perfecto español, idioma que siguieron usando a lo largo de toda la charla. Se habló de la necesidad de convocar a la vida, de frenar el aborto ya que es frenar a la muerte de inocentes, de luchar por la existencia. En un momento dado Valeria y Alejandro le cuentan al pontífice que deseaban ser padres pero que no había sido posible hasta ese momento, algo ocurría que quebraba sus sueños. El Papa tal vez cerró por un par de segundos sus ojos, como un parpadeo en cámara muy lenta, como siempre hizo al querer pedir algo a Dios, y les dijo que oraran, que oraran mucho y seguramente serían escuchados.

Esa entrevista personal con el pontífice fue el 4 de septiembre de 1998. No pasó mucho para que los médicos le dieran a la pareja la buena noticia: iban a ser padres. La fecha estimada dada por la ciencia para el nacimiento fue el 4 de junio. Esto es exactamente nueve meses después de aquella audiencia con el Papa. Balthazar nació un poco antes de ese día, pero lo inexplicable son las dos fechas clave: 4 de septiembre la entrevista papal, la fe, y 4 de junio el día señalado por los médicos, la ciencia. Óptimo augurio para Balthazar, que cada día está más lindo y más lleno de luz: un cruce mágico de la ciencia y la fe, nada menos.

Algunos interpretan que aquello se obró por la intercesión de Teresa de Calcuta, otros prefieren creer que por el rezo del Papa, pero en realidad, ¿importa mucho eso? Lo que sí interesa es el resultado, ese bebé magnífico que llegó al mundo con una señal divina bajo el brazo. No se me ocurre nada más bello y alentador.

SANTO ARGENTINO

El primer y único santo argentino es HÉCTOR VALDIVIESO SÁEZ, nacido en Buenos Aires en 1910 y fusilado en Asturias en 1934, como un adelanto de lo que sería la Guerra Civil Española. San Héctor fue beatificado el 29 de abril de 1990 y, exactamente en ese día, en un hospital de Managua, en Nicaragua, una mujer curaba milagrosamente de un cáncer de ovarios luego de que su esposo rezara al santo argentino pidiendo su intercesión. Otro milagro que se le adjudica es el de Julio Campoamor, un administrador de consorcios de Buenos Aires que sanó de su cáncer luego de que su familia y amigos lo encomendaran a Valdivieso, hoy San Héctor. Aquí es bueno poner en claro que se considera milagro a toda aquella curación que la ciencia no puede explicar.

ALTRI TEMPI

* SAN COSME y SAN DAMIÁN eran hermanos y ambos ejercían la medicina. En una ocasión tuvieron que amputarle la pierna a un hombre para salvarle la vida. Mi amigo y médico clínico, el doctor Roberto Cambariere, me cuenta lo que la historia refirma: Cosme y Damián consiguieron una pierna de un hombre negro que había muerto hacía muy poco y se la injertaron a su paciente. El hombre no sólo salvó su vida sino que caminó por el resto de ella con sus dos piernas, una blanca y otra negra. No sé si importa, pero es bueno poner en claro que esto ocurrió a principios del siglo IV, hace mil setecientos años, minuto más, minuto menos. San Cosme y San Damián son los patronos de los implantes. Mi amigo el doctor Cambariere aún no es patrono de nada pero fue una de las primeras personas en el país —e incluso en el mundo— que comenzó a trabajar con implantes de manera organizada, seria y permanente. Aún hoy está en eso. Como Cosme y Damián, sus colegas. Y se les parece: a ellos los llamaban "los desadinerados" porque no cobraban muchas consultas y lo hacían por amor. Cambariere, otro santo, por ahí anda.

* SAN CAYETANO, en el siglo XVI, realiza su primer milagro con una mujer a la que asiste en el hospital de Nápoles donde él dejaba jirones de su vida para ayudar a otros. Esa mujer sufría una gangrena avanzada y le iban a amputar una pierna. Cayetano la visitó la noche anterior, la acompañó en su sufrimiento y le cambió las vendas de su pierna sanguinolenta y putrefacta. Al hacerlo, por simple y maravillosa compasión, se inclinó y besó esas heridas. Al día siguiente, los médicos no podían con su asombro: ya no era necesario amputarle la pierna a la mujer porque había sanado por completo. Se preocupaba de manera especial por la gente

191

humilde y mantenía una suerte de lema que lo definía: "Dios proveerá". La Sagrada Providencia. El pan y el trabajo, ya desde entonces.

* SAN PANTALEÓN es el patrono de los enfermos y vivió en el siglo III de nuestra era. Dedicado a las artes médicas, al principio fue escéptico. Hasta que adquirió una fe granítica y esto le permitió obrar una enorme cantidad de milagros, todos ellos ligados a la salud. Hizo andar a paralíticos, devolvió la vista a ciegos, curó infinidad de enfermedades y hasta resucitó a un chico que había muerto mordido por una serpiente venenosa. Todo con una sola fórmula: invocar a Jesús y pedir sanación y vida en Su nombre.

* SAN ANTONIO DE PADUA es una figura que vivió rodeada de milagros. Curó todo tipo de enfermedades, desde epilepsias (que en su época, el siglo XIII, se las veía como algo satánico) hasta males terminales. Por su directo accionar se le conocen al menos dos resucitaciones. Y era tan impresionante su obra milagrosa que aun en una época difícil para el cristianismo como lo fue aquella, gracias a la admiración que provocaban esos hechos hubo una enorme cantidad de conversiones. En una ocasión estaba evangelizando a un grupo de herejes junto a un río pero ninguno de esos hombres le prestaba atención. Entonces Antonio se dio vuelta y continuó hablando, pero dirigiéndose a las aguas. Un instante después eran miles los peces que se habían reunido amontonándose al nivel del río, como escuchándolo. Los herejes que allí estaban dejaron de serlo. Es uno de los santos que atesora mayor cantidad de milagros, pero todo esto se ha visto un tanto deslucido porque su fama entre nosotros es algo bastante menor, en realidad: según la tradición popular es el santo ideal para que le pidan un novio las chicas en edad de merecer. De merecer un palo en la cabeza, porque San Antonio era mucho más importante que un simple casamentero.

* SANTA RITA es mencionada popularmente como la patrona de los imposibles. Es que su vida misma fue muy difícil. Tuvo marido golpeador y dos hijos al borde de la delincuencia. Cuando tomó los hábitos se entregó, sobre todo, a arreglar entuertos entre los que estaban distanciados

de manera irreconciliable. Al morir fue cuando comenzaron los milagros: una mujer con un brazo inútil logró apoyarlo en el féretro de Rita y se curó en el acto. Un hombre artrítico que lloró sobre su cadáver también sintió que les eran devueltas sus manos. Y de allí en más siguió la lista interminable de bondades inexplicables.

* SAN NICOLÁS se preocupaba mucho por los pobres. En una ocasión supo de una familia que penaba por no tener dote para que se casara su hija. El santo arrojó anónimamente por la ventana de la casa de esa familia una bolsita con monedas de oro. El obsequio fue a caer en unas medias que colgaban para secarse y de allí la tradición. San Nicolás de Bari es más conocido como San Nicolaus y mucho más aún como Santa Claus. Su milagro mayor, también muy ligado a la Navidad, es haber resucitado a dos chicos que se habían ahogado en un lago cercano. De allí, también, su cercanía con los niños.

* SAN MARTÍN DE PORRES es otro santito latinoamericano, nació en Lima y tenía un extraño don: de sus anchas mangas extraía cualquier tipo de objeto que se necesitara. También hablaba a los animales y ellos parecían entenderlo. En una ocasión su convento sufría el ataque de una plaga de ratones que les comían lo que hallaban en la despensa. Un ratón fue capturado y justo llegó Martín. Le habló al roedor, le dijo que comprendía que ellos necesitaban comer pero que los del convento también y le pidió que avisara a sus compañeros que buscaran alimento en el campo. Luego lo dejó ir. Nunca más apareció un solo ratón en el convento. Pero su mayor milagro fue resucitar a un monje joven al que ya iban a enterrar.

* SANTA LUCÍA es la protectora de la vista, de los ciegos y de las modistas, lo cual no tiene nada de asombroso si tenemos en cuenta que en su época esas trabajadoras eran las que más usaban sus ojos al coser y bordar. Vivió en el siglo III. Al curar su madre de una hemorragia sin fin gracias a que ambas oraron a Santa Águeda, que se les apareció, ella decide ofrendar su virginidad a Dios. Su prometido, lleno de furia, la hace detener denunciándola como cristiana. Al no

querer abjurar de su fe, la mandan a la hoguera, pero el fuego se consume y ella no se quema en absoluto. Una versión de su patronazgo cuenta que en medio de terribles torturas, el oficial a cargo le recrimina que no abandone la fe ya que su prometido la ama y desea vivir con ella. Lucía pregunta qué vio su prometido en ella y el oficial le dice: "Está cautivado por el brillo de tus ojos". Entonces ella, sin demostrar dolor alguno, se los arranca con sus propias manos y se los da al oficial diciéndole que ahí los tiene ya que tanto le gustan. La otra versión afirma que el emperador Diocleciano la amenaza con dejarla ciega si ella insiste en defender al cristianismo. Lucía no afloja y el emperador hace que le saquen los ojos con una espada al rojo vivo. La palabra Lucía significa "luz", "luminosidad". Ella lo demostró con creces.

CÓMO SE LLEGA A LA SANTIDAD

Hay un puñado más de santos y santas predilectos por las creencias de los argentinos. A San Judas Tadeo también se lo menciona como el indicado para los imposibles; a Santa Cecilia como la protectora de los músicos, teniendo en cuenta que amaba interpretar cánticos sagrados y que al ser torturada con terribles martirios provocados por los feroces perseguidores de cristianos del Imperio Romano, en el año 176, murió cantándolos a viva voz, o a Santa Clara de Asís como la patrona de la televisión porque en vida era habitual que tuviera visiones de cosas que sucedían a la distancia. Y tantos otros. Pero ¿cómo se determina que una persona ha ganado la santidad? Recorramos los pasos a seguir:

1) Nadie puede ser canonizado —es decir reconocido oficialmente como santo o santa— en vida. Por lo tanto la primera condición es, aunque suene como chiste, haber muerto. En los viejos tiempos hubo casos donde los trámites eran muy rápidos, como en el caso de San Antonio de Padua, que fue canonizado antes de haberse cumplido un año de su muerte. Desde el siglo XIII la Iglesia Católica Romana estable-

ció normas muy rigurosas que aún perduran pero que podrían ser reformadas en casos como la Madre Teresa, tal vez.

2) Actualmente es la Sagrada Congregación para la Causa de los Santos la que se encarga del largo proceso. En primer lugar una persona o un grupo que represente algo ligado a la Iglesia debe proponer el caso, basándose en las obras de quien se presenta y en la posibilidad de que por su intermedio se haya llevado a cabo algún milagro. Lo sobrenatural es, simplemente, imprescindible. Desde ese momento, si hay fundamentos valederos en la vida de quien se propone, comienza una investigación minuciosa de toda su existencia.

3) Es imprescindible, también, que haya demostrado defender la fe con heroísmo. Se analizan en profundidad no sólo sus acciones y sus obras sino también sus escritos, que son estudiados por un grupo de investigadores especialistas de la Santa Sede.

4) La comisión que encara toda esta tarea nombra a un sacerdote, también especializado, al que se lo llama Promotor de la Fe pero que es más conocido popularmente como "el abogado del diablo". Este hombre tiene la más delicada y desagradable de las tareas: hurgar en la vida del candidato para encontrar algo —lo que sea— capaz de echar aunque más no sea una pequeña sombra sobre él. No es que quiera encontrarla sino que es su deber despejar toda duda. Viajará al lugar donde vivió y a los sitios donde haya trabajado, preguntando, buscando posibles fallas, estudiando cada paso que dio en vida.

5) Si la persona señalada pasa por todas estas pruebas, que suelen durar muchos años, la Sagrada Congregación eleva al Papa su dictamen positivo y Su Santidad ordena, si lo cree prudente, la ceremonia de beatificación. Sólo se ha dado el primer paso. Importante, pero sólo un paso.

6) El beato está considerado como alguien que goza de eterna bienaventuranza en virtud a su indiscutible virtud. La palabra viene del latín *beatus*, que significa

"hacer feliz". Desde ese momento, si la persona lo amerita, comienza otro largo proceso similar al anterior para llegar a la canonización.

7) Pero, para alcanzarla, hace falta ahora probar fehacientemente que la persona que se investiga ha originado por lo menos dos milagros, ya sea en vida o después de muerto, a través de su invocación. Cuando ya no queda ni la más mínima duda, se procede a declararlo santo o santa. No hay tiempos prefijados. Juana de Arco, por ejemplo, fue canonizada en 1920, es decir 489 años después de su muerte.

Si le dan un vistazo a la vida de cualquier santo van a hallar milagros sin ningún lugar a dudas, ya que no se puede arribar a esa condición sin acreditar al menos dos, como queda dicho. Sólo conté aquí algunas historias que me fascinan por lo asombrosas. Hay miles.

El sacerdote Francesco Forgione, al que el mundo conoce como el Padre Pío, debido a su cercanía en el tiempo y sus impresionantes milagros, merece un capítulo aparte, ya lo dije. Por eso lo tendrá enseguida. Pero antes, hay un testimonio que los hará vibrar. Un caso que fue primera plana y que nunca se conoció como ahora lo conocerán ustedes.

20

Y un día pasó
algo inexplicable
(Testimonio de hoy)

El caso que van a leer mantuvo en vilo a medio país. El otro medio no leía diarios, ni revistas, ni escuchaba radio, ni miraba televisión, ya que los medios de comunicación desplegaron verdaderos operativos para difundir día a día lo que estaba ocurriendo. El nombre de Ludmila se nos había hecho familiar y la imagen de los suyos arrasados por la angustia aparecía a cada rato en algún sitio.

Ludmila eligió no dar entrevistas después de los sucesos. La vi desde mi casa, saliendo del hospital Argerich, acompañada de sus familiares y por completo rodeada de micrófonos que pretendían captar sus declaraciones. Lo único que dijo en medio de ese enjambre humano fue que le daba gracias a Dios, que había que creer en Dios. Me golpeó y sospeché que algo había ocurrido durante su internación, algo que signaba el milagro que le había tocado vivir y que ustedes ya leerán. Por eso y a pesar de no conocerla salvo por lo visto y leído, conseguí su teléfono y llamé a su casa ese mismo día, un par de horas después. La intención era hablar con alguien de la familia, pero ella tomó el auricular. "Cuando estuve consciente pensé que tenía que contarte a vos lo que me pasó", me dijo de entrada y a manera de saludo. Me conmovió que esa chiquita de 24 años hubiera pensado en mi trabajo en momentos semejantes, pero más me conmovió imaginar que si me decía eso, se confirmaban mis sospechas de que algo especial le había sucedido. Cuando alguien que no conozco piensa en mí, la única razón de semejante honor son los temas de mis libritos y el respeto que saben tengo por esos relatos, por mis lectores y por mí mismo. Le agradecí, por supuesto, pero le dije que era mejor esperar un tiempo ya que recién salía de una internación y de un estado de coma del que todos creían que no volvería. Estuvimos en contacto telefónico durante unos meses. Hasta que, finalmente, nos encontramos con ella y con Silvia, su mamá, para llevar a cabo la entrevista. La única que concedieran en la que relataron con detalles el drama, la angustia, el milagro y las señales.

Éste es el resultado de esa entrevista.

CELESTE LUDMILA BAGNATO tiene, en mayo de 2001, 25 años de edad. Su porte, su rostro de líneas suaves y bellas, su cuerpo y su manera de andar son los de una modelo profesional. Trabaja de promotora publicitaria y está a punto de comenzar la carrera de Administración de Empresas para granjearse un futuro que se ganó con creces y por algo. Tiene el hábito de enrollar un haz de su hermoso pelo largo mientras habla y enseguida alisarlo otra vez hacia atrás, como si se arrepintiera de esa trenza involuntaria. Es, decididamente, hermosa y fresca. Parece mentira que haya pasado por lo que pasó.

SILVIA ARACELI BAGNATO es su mamá, casada con Carlos. Cuando avanzaban a mi encuentro les doy mi palabra que, a siete metros, es muy difícil distinguir a madre e hija. Silvia tiene un físico evidentemente cuidado y es imposible que alguien adivine que tiene cinco hijos que van desde los 25 hasta los 18 años. Tiene, también, una manera de ser seria pero juvenil. Cualquiera diría que es la hermana de Ludmila y no su madre. Ahora, claro. Ver una foto de ella en medio de lo que les tocó vivir, da escalofríos.

Viven en el barrio capitalino de Flores. Creo que tienen mucho en común, que Silvia es muy fuerte y decisiva en la vida de Ludmila y que ambas están absolutamente repuestas de lo ocurrido. Presentadas, vayamos a la historia, a grabador abierto.

EL DRAMA Y LA ANGUSTIA

Todo comenzó como un rayo que cae en campo llano: fue repentino, los llenó de un miedo desconocido y abarcó con su luz de sombra mucho más de lo que jamás hubieran imaginado. El domingo 6 de agosto de 2000 y de manera inesperada, Ludmila empezó a vomitar convulsivamente. Al principio nadie pensó en otra cosa que no fuera una indigestión, como era razonable, pero siguió así hasta el miércoles a la noche en que fue llevada al Hospital Álvarez.

Miércoles 9 de agosto.

Le hicieron análisis y la medicaron de inmediato para detener los vómitos. Los estudios y el tono amarillento de su piel denunciaban una hepatitis.

—Todavía no sabían de qué tipo —me cuenta Ludmila—, pero todos creímos que era la hepatitis A, la virósica, la que se contagia la mayoría de la gente. Volvimos a casa, esa noche me tomé una tacita de sopa y al día siguiente... Al día siguiente no me acuerdo más nada.

—¿Perdiste el conocimiento?

Silvia, su mamá, me cuenta que se levantaba para ir al baño, se higienizaba, respondía algunas cosas. Así toda la noche.

—Yo no me acuerdo nada de eso —reitera Ludmila—. Me dicen que al día siguiente me vienen a despertar, yo seguía vomitando, trataba a todos muy agresivamente...

Jueves 10 de agosto.

—Aparentemente Ludmila estaba bien —dice Silvia— Lo único que pasaba era que tenía sueño, ella quería dormir.

—La llaman a mi tía, que es médica. Me da Reliverán, que me calma un poco. Eran las seis de la tarde. A las diez de la noche me descompongo totalmente y... creo que empiezo a gritar, ¿no? ¿Qué hago ahí?

—Ella estaba muy agresiva —explica su mamá—, quería ir sola al baño y no estaba en condiciones pero se enojaba mucho cuando la ayudábamos. En el baño pasó algo que me puso en alerta: ella quería agarrar el papel higiénico pero manoteaba al costado de donde estaba, no coordinaba bien los movimientos. Al ir a ayudarla se pone terriblemente agresiva, con una fuerza muy grande. Decía que la dejemos, pero no podíamos porque se caía. A mí me arañó cuando la ayudaba y a su hermana le pegó un mordiscón terrible...

(Es bueno aclarar aquí que ese nivel de agresión se debió al estado de Ludmila. Consulté sobre esto con mi médico clínico y amigo, el doctor Roberto Cambariere, que me lo confirmó diciéndome que con los síntomas que evidenciaba ya sufría una encefalopatitis hepática y que era por completo razonable que demostrara tanta violencia de manera involuntaria. Para que me quede en claro, agregó que si una persona cometiera un homicidio y se prueba que en ese momento sufría una encefalopatitis hepática, esa persona sería declarada inimputable).

—A las diez de la noche vino a buscarla la ambulancia —recuerda Silvia—. En el hospital otra vez le dan suero y la recuperan para que pueda volver a la casa porque los enfermos con hepatitis no pueden quedar internados. Ella no era que hablaba, pero emitía unos sonidos, no estaba completamente desconectada...

—Así toda la noche, tratando de recuperarme. Decían que todavía no sabían de qué tipo era, pero sí que era una hepatitis fulminante.

—A las cinco de la mañana entró en coma —dice Silvia. Viernes 11 de agosto.

—Después me entero de que los médicos dijeron que me había reventado el hígado, que había reventado y que necesitaba un trasplante urgente. Y ellos no me querían tener ahí porque no tenían...

—Pero, ¿cómo había reventado el hígado? ¿De golpe?

—Sí. Que había estallado el hígado, que no servía más y que era directamente para trasplante. Pasamos de una noche en que yo entro vomitando para compensar mi hematotitis a que le digan trasplante inmediato y que me sacaran de ese lugar porque no me querían tener ahí porque era una responsabilidad, yo me estaba muriendo. Allí, en el Álvarez, no tenían ni los medios, ni los profesionales, así que me querían sacar de ahí. Me querían llevar al Muñiz pero en el Muñiz les dijeron que no había cama. En la mañana del viernes se consigue una cama en el Hospital Argerich y me llevan al mediodía...

—No. A las tres de la tarde —corrige Silvia.

—A las tres de la tarde —acepta Ludmila que lo que sabe lo sabe porque se lo contaron ya que, para entonces, ya había entrado en coma. Tenía respirador artificial y fue llevada de inmediato a terapia intensiva. Al estallarle el hígado, de acuerdo con sus palabras, la sangre no coagulaba y en el Argerich tenían que hacer todo lo necesario para reemplazar a ese órgano absolutamente vital. Debían, con tecnología, medicación y, sobre todo, una atención médica extraordinaria, mantener todos los órganos de Ludmila en funcionamiento a pesar de la ausencia total del "laboratorio central", el hígado.

—Hasta que apareciera un donante tenían que mantenerme vivos y sanos el corazón, el cerebro, los riñones, los pulmones, todo. Que no haya infección porque si llegaba a aparecer una infección se acababa todo.

—¿No te había quedado un pedacito de hígado, aunque sea? Porque tengo entendido que, con muy poco, puede llegar a regenerarse.

—No había ni un pedacito que pudiera crecer porque no había un pedacito sano. En mi caso necesitaba un hígado que haya pertenecido a una chica de mi edad, joven, que no haya tenido hepatitis ni nada que le afectara al órgano y que cumpliera con las normas de compatibilidad. Era mucho más difícil, entonces.

—¿No había hígados disponibles en el Incucai?

—Tengo entendido que había cuatrocientos, pero ninguno era compatible conmigo.

—¿Y cuánto tiempo había médicamente?

—Nada. Según supe después, el mismo viernes le dijeron a mi familia: "Necesita trasplantarse ya o se muere..."

—Disculpame, pero, hacía seis días apenas vos estabas perfecta, no sentías nada. Me aterra que seamos tan frágiles.

—Yo estaba perfecta. Incluso desde el domingo al miércoles, cuando vomitaba tanto, yo no sentía otra cosa que eso. Es decir que hacía cuarenta y ocho horas yo era alguien normal con vómitos. Y de repente me estaba muriendo... Es más, se me había adelantado la menstruación, eso es lo que yo creía. Pero no era menstruación, era el hígado que se había reventado y me estaba empezando a desangrar.

—Fue a quemarropa.

—Y, sí. El miércoles me habían visto en el Hospital Álvarez al que entré caminando, en la madrugada del viernes entro en coma y después del mediodía, me meten en la ambulancia y le dicen a mi familia: "No sabemos si llega viva al Hospital Argerich".

—Pero llegaste. Tengo entendido que tienen muy buenos médicos allí.

—Extraordinarios —afirma Silvia—. Hemos visto personas que fueron trasplantadas de corazón y a las pocas horas hablaban animados y al día siguiente andaban caminando despacito.

—¿Tu coma era profundo?

—Coma cuatro. El más profundo.

—Coma cuatro. Pero, del coma cuatro no se vuelve. De acuerdo con lo que yo sé, es irreversible, no hay retorno.

—No sé. Yo volví.

—¿Cómo llega todo esto a la tele, los diarios?

—Un muchacho que estaba allí — explica Silvia — tenía a su mujer internada para un segundo trasplante. Nos cuenta que el primero lo consiguió gracias a hacer público su caso. Ahí fue cuando recurrimos a los medios. América, Canal 7 y Crónica fueron los primeros en ayudar. Y la repercusión fue increíble.

—¿Consiguieron donantes?

—Conseguimos apoyo de la gente —cuenta Silvia—. Un solo donante llamó. Dejó en el contestador de casa su ofrecimiento. Decía que ya había vivido lo suficiente y quería donar su hígado. Era una señora mayor...

—Ay, mi tesoro. Se entregaba en vida, pobrecita.

—¿Y mi papá? —agrega Ludmila—. Mi papá se quería tirar abajo de un camión para matarse y que pudieran darme su hígado.

—Eso es muy tierno. Y él tiene bien el hígado...

—No, lo tiene hecho pelota.

Nos reímos los tres y es como quebrar lo tenso del relato. Les digo que es una suerte que ahora nos podamos reír, que todo podía haber sido un espanto y que lo del papá es maravilloso tan sólo por la intención. Y les pregunto cómo avanzaba todo médicamente, si había mejorado.

Sábado 12 de agosto.

—No. Había empeorado —aclara Ludmila—. El sábado le dicen a mi familia sin más vueltas que lo único que se podía hacer era esperar el órgano porque no había otro método de salvación.

—El sábado ya le habían colocado el sensor... —empieza Silvia.

—¿Qué sensor? —interrumpo.

—Un sensor craneano. Es un catéter que se introduce en la cabeza para regular la presión de la sangre porque, si no se hace eso, podría estallar el cerebro.

—Pero, para meter allí un catéter hay que hacer un agujerito en el cráneo, ¿no? —pregunto estúpida y temerosamente.

—Sí, claro. Es la única manera de regular al cerebro. Ella, a todo esto, ya estaba hinchada y completamente desfigurada. Yo la miraba y decía: "No es mi hija"...

—¿Tanto así?

—No te puedo contar. Tenía la cabeza enorme. Y también el cuerpo, los brazos, las manos, las piernas. Era monstruoso. La cabeza la tenía unida directamente al cuerpo, borrando el cuello, debido a la hinchazón.

—Para que tengas una idea —interviene Ludmila—, mi hermano Adrián, de 21 años, entra a la habitación de terapia, se pone junto a la cama y empieza a darme ánimo con todas sus ganas: "Por favor, Ludmila, te tenés que poner bien, por favor, nosotros te necesitamos, Ludmila". Y se le acerca la enfermera y le dice: "Ésa no es, es la otra".

—No te puedo creer...

—A ese nivel era. Ahora sirve para reírnos pero allí te juro que no. Tanto yo como la otra pobre chica de la cama de al lado estábamos tan deformadas que ni mi hermano nos distinguió. Además tenía un color mostaza fosforescente. Y estaba conectada a veinte mil cañitos.

Mientras esto ocurría, los medios periodísticos habían comenzado a armar sus notas aunque el tono no era de los mejores. Se había sabido que la chica que ya empezaba a mover a la opinión pública por su juventud, su belleza, su familia, la manera en que la sorprendió todo eso y vaya a saber uno qué otras cosas más que la hacían diferente y carismática, solamente tenía muy pocas chances y una última oportunidad ya que después de eso no se podría mantener sin daño al cerebro.

—Los médicos me llaman el sábado —rememora Silvia, la madre— y me dicen que le están quedando nada más que veinticuatro horas de vida. Y que, después de eso, aunque apareciera un hígado compatible, ya no había nada que hacerle.

—Dios. Estaban hablando de tu hija. ¿Vos que sentiste en ese momento?

—¿Yo? ¿Qué sentí...? Desesperación. Salí del hospital y empecé a caminar y a caminar. Yo no sabía, pero me siguió mi hermano. Caminaba y no sentía si hacía frío, si hacía calor, no tenía idea de nada. No sabía adónde estaba yendo. A ningún lado. Daba igual.

—Ahí es cuando mi hermana Julieta empieza a mover todo, a encarar a los médicos, a llamar a la tele y a decir a los gritos que yo tenía nada más que veinticuatro horas de vida y que había que conseguir el hígado. Juli tiene 23, es la que me sigue, me adora y tiene un carácter muy fuerte de esos que no se entregan.

—Allí es cuando aparecen todos los medios.

—Sí. La noche del sábado y desde la madrugada del domingo.

Domingo 13 de agosto.

—Tal como estaban las cosas, creo que todos estaban esperando mi muerte, casi no quedaban esperanzas. Es más, las entrevistas que hacían a mis parientes, a mis amigos, eran medio fúnebres. "Bueno, el órgano no llega, ¿ahora qué van a hacer?", o si no, "¿Y cómo la recuerdan?". Ya estaban hablando de una muerta. Yo no lo sabía pero ya había aparecido en los diarios, la radio, la tele a cada rato. Había como cincuenta periodistas entre los que estaban arriba, en el pasillo de terapia y los de abajo. Así fue todo el día.

Lunes 14 de agosto.

—El lunes a la mañana daban el último parte médico porque ya se cumplía el plazo, se había terminado el tiempo y el órgano no había aparecido así que lo único que quedaba por esperar era un milagro.

—¿Vos tenés idea de la cantidad de gente que debe haber rezado por vos?...

—Sí, tengo idea. Era impresionante. Muchísima gente que me encontré después, gente que yo no conocía, me decían que se habían juntado para rezar por mí. Y cada uno venía con su religión, con la imagen de la Virgen, la estampita de éste, la medallita del otro, el librito, el aceite que ponen en la cabeza, lo que sea, cada uno con su creencia se sumaba para ayudar.

—Dios es uno, al fin de cuentas... ¿ustedes son religiosos?

—Mi mamá es evangélica y mi papá es católico. Nosotros estamos en el medio y cada uno elige.

Soy el primer convencido de que esa potencia, la fuerza de la oración, fue una ayuda incalculable. Lo he vivido en carne propia. Y en alma propia. El caso es que a esas alturas Celeste Ludmila Bagnato estaba primera en la lista del Incucai, lo que significaba que apenas llegara un hígado compatible, sería para ella. Y la angustia ya había roto los diques familiares y se compartía desde casa, por la tele.

Martes 15 de agosto.

—Mucha gente me dijo después que no soportaban ver a mi papá. "Ese hombre —me contaban—, estaba destruido. Sólo verlo daban ganas de llorar"... Y mi papá, pobre, tiene un infarto, problemas cardíacos, isquemia y hacía muy poquito uno de mis hermanos, que es diabético, había tenido una descompensación y estuvo internado una semana...

—Mucho golpe, pobre Carlos...

Ludmila estaba en coma cuatro, como queda dicho y como figura en su historia clínica, según ellas me cuentan. Regresar de eso ya es algo impensado para la ciencia y, sin embargo, ocurrió. Pero otra cosa entra en el terreno de lo casi inexplicable. Se supone que alguien en coma cuatro no percibe nada exterior, nada. Ludmila escuchaba perfectamente a su hermana Julieta, la impetuosa, gritando a los cuatro vientos que se hiciera algo rápido y la escuchaba también cuando Juli se ponía a su lado y le decía que tenía que pelear, que esforzarse, que todo iba a salir bien, que luchara. La actitud de Julieta me parece simplemente extraordinaria. Hay gente que se limita a estar junto al paciente y lo único que hacen es esperar el último suspiro. Puede ser muy buena gente, pero no ayudan en nada. Ludmila, en contra de lo que dice la ciencia, escuchaba ese ánimo y otras cosas. Sentía. Coma cuatro es tener todo desconectado, para decirlo a lo bruto. Es cierto. Pero también es cierto que ella sentía porque luego repitió cosas que escuchó, hasta charlas informales entre dos enfermeras.

Miércoles 16 de agosto.

—El miércoles yo empiezo a tener pequeñas reacciones, me muevo un poco, esas cosas. Por eso deciden sacarme el catéter del cráneo, otras cosas que tenía conectadas y después el respirador artificial, pero me hacen entrar en un coma farmacológico...

—¿Qué es un coma farmacológico?

—Me inducen a un coma con medicamentos y de esa manera lo controlan, es como un paso previo por las dudas me despierte porque, si no, al tomar conocimiento puedo tener un shock muy grande al verme con todas esas cosas.

—¿Cómo volvés al mundo?

—Para mí el coma cuatro fue como si estuviera en un sueño, en una pesadilla donde estaba como abombada, sin conciencia de tiempo y espacio. La historia clínica dice que fue coma cuatro, no es una idea nuestra. Y se supone que en ese estado no podés pensar, ni soñar ni nada. Pero yo recuerdo claramente que me sentía a mí misma en otro lugar, en una clínica pero fea, con gente que no me trataba bien, tipos vestidos de negro. Yo pensaba en ese sueño o lo que fuera, que todo era así porque me iba a morir enseguida. Y pensé con todas mis fuerzas: "Yo mañana no quiero estar más acá". Ahí me olvido de lo que sea que haya seguido. Mi siguiente recuerdo es que me desperté. Y me había despertado en serio.

EL MILAGRO Y LAS SEÑALES

—Me despierto y no es el lugar espantoso, esa clínica de mi pesadilla. Estaba en otro lugar que aún no sabía que era el Argerich.

—Había salido del coma —confirma Silvia.

—Pero, a ver si me pueden explicar: ¿cómo salió del coma? Tenía el hígado destrozado. Si no entendí mal, los médicos dijeron que lo único que podía salvarla era un trasplante, que no había otra.

—Sí, tal cual. Y era así. El sábado le dijeron a mi tía, la médica, que lo mejor que podía hacer era llevarse a la familia a casa porque yo difícilmente pasara de esa noche. El hígado no llegaba y mi tiempo se terminaba. Me moría, eso dijeron, sin ninguna duda.

—Silvia, ¿le dieron algún otro medicamento, algo?

—No, no había nada más que se le pudiera dar. Trasplante solamente.

—¿Y ustedes tienen una explicación?

—No, claro que no. Un hígado se puede regenerar pero siempre que haya un pedacito, por chico que sea, para crecer desde eso. Yo no tenía nada, según los mismos médicos. Mi hígado estaba destruido, no existía. Si hubiera habido una mínima posibilidad no me habrían puesto para trasplante. Pero empezó a regenerarse. Nadie sabe cómo.

—Volvamos al momento en que despertás...

—Abro bien los ojos y bueno, cuando me ven despierta, se vienen todos encima mío, rodeando la cama. Les avisan y hay como veinte médicos a mi alrededor y yo que no entiendo nada. Y todos se reían. Tenían una alegría que no te puedo transmitir. Se reían de nervios, de felicidad, porque ya me habían dado por muerta y sin embargo ahí estaba, mirándolos sin entender, porque no te olvides que yo llegué allí ya en coma y ahora me despertaba sin saber nada de lo que había pasado, dónde estaba, quiénes eran ellos, qué me habían hecho...

—¿Te preguntan algo?

—Cuando yo me despierto viene la enfermera y me dice: "¿Cómo te llamás?", "Celeste Ludmila Bagnato"; "¿Cuántos años tenés?", "Veinticuatro"; "¿En qué año estamos?", "En el 2000"; "¿Sabés qué es lo que tenés?", "Sí, hepatitis. Hepatitis B"... "¿Y cómo sabés que es B?", me pregunta asombrada. "Lo sé. No sé cómo pero lo sé".

—Por lo visto hay varias cosas que sabías a pesar del coma...

—Yo no sabía tanto como parece. Todavía no me habían explicado muchas cosas. Cuando vino mi papá y me mostró en el diario de bolsillo, ese que te dan en el colectivo, todo lo que hablaban sobre mí, ahí casi me da un ataque. No lo podía creer.

—¿Cómo te sentiste al despertar?

—Bárbara. Una paz impresionante, como nunca sentí en mi vida. Me sentía tan bien...

—Contame, por favor, esa experiencia especial que viviste...

—Me habían pasado a terapia intermedia. Yo me sentía mejor allí. Y después de que vinieron un montón de médicos a verme, a la noche nos quedamos las dos solas. Yo estaba bien pero débil todavía. Era la primera noche que iba a pasar después de haber tomado conciencia. Yo no sabía nada de que había estado en coma, pero sospechaba por tantos médicos, tanta cosa alrededor. Esa noche le dije a mi mamá que era una traidora porque me estaba ocultando cosas. Al final termina contándome todo... Después ya es la hora de dormir. Ella estaba muerta de cansancio y empezó a cabecear enseguida, después de tantos días. Yo me doy vuelta de repente, dándole la espalda, acostada, y con el brazo extendido hacia abajo, colgando, empiezo a moverlo haciendo un círculo en el aire. Me pongo a mirar el centro de ese círculo y de repente veo como si fuera un cuadro pintado, la cara de Jesús. Yo sabía que era Jesús. Un cuadro. Y me miraba. Era un cuadro pintado, como si fuera una estampita pero gigante. La cara, nada más. Lo veía morocho, pero joven. No era como lo había visto en estampitas. Nunca había visto una estampita así.

—¿Y cómo sabías que era Jesús?

—Yo lo sabía. Lo sentía desde el primer momento. No me puse a imaginar quién sería ni nada de eso. Yo sabía que era Jesús.

—Vos estás consciente en ese momento, ¿no?

—Totalmente consciente. Había estado hablando con mi mamá hasta hacía un ratito apenas... Me quedo mirando a Jesús y Él me mira. Yo me quedo mirándolo fijo. Paré de hacer los círculos. Y me doy cuenta de que no lo veía como ahora te miro a vos y veo también ese televisor al costado y esos videos y todo lo demás. No. En toda mi mente tenía esa imagen. Lo veía a Jesús con toda mi mente, era la única imagen, no había otra cosa. Yo no dejaba de mirarlo, esperando para ver si me decía algo, era un momento muy especial. Lo miro nada más. Y de repente, me hace así...

—Te sonríe.

—Me sonríe. Y, ¿cómo te puedo explicar?... El julepe que me pegué fue muy grande. Era como una pintura y de pronto me sonríe con una sonrisa espectacular que, inmediatamente después del susto, me dio una paz total que me llenaba íntegramente. Era una sonrisa tan linda, pero tan linda, como que me decía: "Quedate tranquila". Yo me había quedado nerviosa al enterarme lo del coma y ahí era como que me estuviera diciendo: "Quedate tranquila que está todo bien". Eso es lo que yo sentí. Y esa inmensa paz se transformó enseguida en alegría, no sabés qué alegría, la risa me salía sola. Me dormí como a las cinco de la mañana, feliz.

—Perdón. Debo preguntar esto: ¿vos estabas medicada?

—Ya no tenía más la medicación que tuve durante el coma. Tenía una normal, creo. Pero si eso hubiera pasado por la medicación lo habría vivido como en una nebulosa, entre dormida y despierta, no sé. Estaba absolutamente despierta, había hablado con mi mamá hasta un ratito antes y después de lo de Jesús seguí despierta, completamente consciente de cada uno de mis actos.

—¿Y se repitió algo similar?

—Al día siguiente se queda a cuidarme mi novio. También empieza a quedarse dormido enseguida porque, claro, yo había dormido un montón de días en coma, pero ellos estaban que se caían. Al rato, con él apoyado al lado mío, durmiendo, siento que me dan un golpecito como para que preste atención. Enseguida empiezo a escuchar unas voces en medio de la noche. "Celeste... Celeste...", "Fuerza, Celeste, fuerza, Celeste". Yo no entendía nada. Era como un susurro.

—¿Y no había nadie cerca? ¿Una enfermera, alguien?

—Nadie. Eran como las dos de la madrugada. El único que estaba era mi novio, al lado mío, totalmente dormido. Lo sacudí un poco y le dije que escuchaba voces. Seguía escuchando un murmullo, como si todos hablaran al mismo tiempo. Nada de voces de ultratumba o esas cosas, era un murmullo. De repente sentí como que la mitad de mi cuerpo pesaba de una manera increíble y la otra mitad parecía flotar. Mi novio ya estaba despierto y me decía: "Estás agitada, Celeste", y yo le contestaba: "No, Celeste está bien. Celeste está curada y no tiene nada"... Como si estuviera hablando de otra persona. Yo misma me preguntaba qué estaba pasando porque las palabras me salían solas. Estuve en esa situación más o menos una hora.

Inmediatamente después de eso, Ludmila quiere levantarse con la excusa de ir al baño. El novio llama al enfermero y la acompañan, pero ella dice sentirse como flotando, con una larga túnica blanca, y se detiene frente al vidrio de cada una de las habitaciones haciendo la señal de la cruz en todos los casos. Al regreso le dice a su novio que el enfermero tiene cuatro hijos y vive lejos de allí. Le pide que vuelva a llamarlo con la excusa de tomarle la presión. El enfermero acude. Y Ludmila le pregunta si tiene hijos. "Cuatro", dice el hombre. Y confirma que vive lejos de allí. Nunca lo había visto antes.

—El martes 22 de agosto me dieron el alta. Una médica me dijo: "Mirá, lo más seguro es que te queden secuelas. Puede ser una cirrosis, la posibilidad de un trasplante programado, el hígado inflamado al que habría que tratar de por vida... No se sabe. Porque lo del milagro está bien, pero va a ser un milagro si te curaste como te curaste pero además si no te queda nada. Y eso es más difícil"... Hasta el día de hoy no me quedó nada. Estoy perfecta. Y ya pasaron nueve meses.

—¿Y el jefe del servicio de terapia intensiva, el doctor Armando Luis Arata?

—Arata dijo que él era religioso, que él creía, pero que al milagro había que ayudarlo.

—Nada más cierto. A vos no podían curarte, pero te mantuvieron con vida cuidando cada detalle, fueron excelentes médicos... Y vos, desde lo más profundo de tu corazón, ¿sentís que fue un milagro lo que te ocurrió?

—Sí, seguro. Siempre agradecí mucho a la enorme cantidad de gente que en estos meses me paraban en la calle o donde sea y me decían que habían orado mucho por mí. Yo entendía que para ellos era un milagro. Pero para mí lo fue por esa noche donde vi la imagen de Jesús, fue una manera de confirmármelo. Esa sonrisa que me hacía sentir que me decía "quedate tranquila" no me la voy a borrar jamás. Yo comprendo que hay muchos que pueden creerme y otros que no, es una decisión de cada uno, pero a mí eso no me lo saca nadie de la cabeza, nunca voy a olvidar ese momento. Tuve el milagro, que fue curarme. Y tuve la señal, que fue esa visión para mí sola. Por eso no conté esto en su momento y lo guardé para que lo lean aquellos que me entiendan.

Aquellos que lo entienden son ustedes. Este relato, como todos los del librito, nos llenan las alforjas de coraje. Para eso son los testimonios, de ninguna manera para contar una hazaña personal sino para dar algo a los demás, para servir de aliento, para repetir lo de la tarjeta, ahora que me acuerdo: "No aflojes. Hay milagros".

Las adorables Ludmila y Silvia, con toda la familia, estuvieron a bordo del *Titanic*. Cada uno de ellos con su estilo —gritos, oraciones, fuerza, sacrificio, promesas, pelea— ayudó al milagro. Y nos dejan su ejemplo. No hay que aflojar. Hay milagros. El hombre del capítulo que sigue sabía mucho de ellos.

21

Padre Pío que estás en el Cielo

Cuando en el pueblo de San Giovanni Rotondo, no muy lejos de Roma, en plena montaña, circuló la versión de que el Padre Pío sería trasladado a otro sitio porque había algunos en el Vaticano que no estaban de acuerdo con sus métodos, la cosa estalló. La gente del lugar organizó guardias que duraban las veinticuatro horas y advirtieron que emplearían cualquier medio para impedir que sacaran de allí al sacerdote.

Francesco Forgione, ése era su nombre, había sido trasladado a ese pueblo en 1916. Él había nacido en Pietrelcina, pero sus superiores (¿superiores?) decidieron enviarlo a San Giovanni, un pueblo montañés, para intentar mitigar en algo una enfermedad que nació y murió con él, algo que nunca pudo ser diagnosticado pero que era su cruz.

Cuando ya llevaba un tiempo de producir hechos que nadie podía explicar, algunas mentes (ni una sola alma) del clero vaticano creyeron que se estaba transformando en algo "peligroso" y por eso se habló de sacarlo de allí y mandarlo a un sitio donde pocos se enteraran de lo suyo. Aun para muchos de la autoridad eclesiástica el milagro era algo que miraban con cierta desconfianza. Desde el siglo diecinueve, muchas autoridades católicas dieron la sensación de tener algo así como un absurdo pudor por hacer públicos algunos hechos inexplicables ocurridos en su seno. El racionalismo hizo estragos en la idea central de la Iglesia Católica, aquella que, a la larga, tiene a lo sobrenatural como su propia esencia, ya que si eso no existiera, no existiría el cristianismo, tal como con esas palabras lo afirmaría mucho después Juan Pablo II en un sínodo de obispos.

Un sujeto llamado Augusto Comte decidió, desde una supuesta base filosófica, a mediados del siglo XIX, abolir cualquier idea religiosa, todas las ideas religiosas. Terminó, como no podía ser de otra manera, creando casi una religión propia, ya que inventó un catecismo positivista donde negaba todas las creencias pero, al hacerlo de esa manera, estaba creando una. Absurdo, pero real. Y, lo que es aún peor, salpicó a toda la sociedad con su suciedad, incluyendo a algunos sacerdotes que —con la soberbia del que cree saber más de lo que sabe— se unieron al racionalismo. No tiene sentido, ¿no es cierto? Un cura que adhiera a la idea de que sólo la razón puede llegar a señalar la verdad, más que un cura es un boludo.

—*Estoy de acuerdo. Aunque podrías haber dicho "tonto".*

¡Apareciste! No sabés cómo me alegro, Marianito, de que estés de acuerdo. Por otra parte, tu palabra no es un sinónimo exacto de la mía. Un tonto es un boludo light y éstos son bien cremosos.

—*No profundicemos. Ya dejaste la idea en claro y yo miro para otro lado haciéndome el tonto...*

¿Ves?... Eso es tonto. Hacerse el tonto, disimular, o equivocarse pero cándidamente. Estos curas racionalistas eran —y son, los que quedan, ya que aún quedan— lo que no quiero repetir para que no te enojes.

—*Serenate, por favor.*

Sí, ya sé. Paz serena, que no tengo ni idea todavía de qué corno es. Lo que pasa es que me pone nervioso esto de que sean jugadores de Boca y griten los goles de River. No entiendo. La fe va mucho más allá de la razón, lo dejó en claro San Agustín, ¿no es cierto? Los curas racionalistas, ¿qué leían en el seminario? ¿*Selecciones* del Readers Digest? ¿*Las aventuras de Tarzán*? ¿*Playboy*?

—*No te pases, galleguito.*

No, me bajo en ésta nomás, quedate tranquilo. Pero estás de acuerdo.

—*Absolutamente. Y no sólo yo.*

Ey, contame. ¿Cómo ven esto ahí arriba? Se los quieren comer crudos a estos aprendices de apóstatas, ¿no?

—*"Ahí arriba", como vos decís, nadie se come crudo a nadie.*

Lo cocinan, antes.

—*Tampoco. El que maneja esos temas es el Espíritu Santo, así que menos que nunca voy a opinar. Pero sé que hay prudencia, misericordia, hay comprensión, piedad, entendimiento.*

Todo por unos bolu...

—*Terminala ya, hermano.*

Yo no soy tu hermano, soy tu protegido. Hermanos son tus colegas.

—*Yo no tengo colegas.*

Ufa, no vamos a empezar de nuevo. ¿Puedo seguir?

—*Adelante, con cautela.*

Muy bien. Cautela es un filósofo contemporáneo que afirma que esos curas racionalistas son unos reverendos pedazos de...

—*¡¡Gallego!!*

Bueno, bueno. Bromita. Cautela no existe, pero lo dicho sí. Fijate que aquí, hace apenas unos pocos años, hubo un curita extraordinario que también sufrió los embates de los... ¿tontos, dijiste?

—*Sí, tonto.*

Perdón. ¿"Sí, tontos" o "sí, tonto"? Porque lo último me involucra.

—*Digamos que sí, tontos. Los de los embates.*

Ahora sí. El curita es un sacerdote completamente fuera de lo común, un hombre que logró rescatar muchísima gente que se había ido de la Iglesia y había recalado en otras creencias y, lo que es mucho peor, en sectas de esas raras. El padre Felicísimo Vicente es un barril lleno de fe, un cura magnífico que escuchaba a todos, que hacía imposición de manos para llenar de fuerzas a los fieles tal como se hacía en los principios del cristianismo y sin que nada haya hoy que lo prohíba, un ministro de Dios que convocaba en su iglesia del Sagrado Corazón de San Justo, en las afueras de la Capital, a unas siete mil personas en cada una de sus misas de sanación los domingos por la tarde. Siete mil, macho. No sé si me explico: siete mil, más que un recital de rock. ¿Y qué pudieron hacer sus superiores (¿superiores?)?... Pues enviarlo ya hace unos años lo más al sur que pudieron, a cientos de kilómetros de su convocatoria, a Caleta Olivia. No, si es fatídico: al catolicismo no lo va a vencer nadie, salvo los católicos, en especial algunas autoridades.

—*Desahogo, toma uno.*

Ya está. Tengo muchas más pero no me quiero amargar la madrugada. Hubo alguien del clero con quien me peleé públicamente porque atacaba a estos curas. No los entendió, pobre. No se daba cuenta de que, en la época en que vivimos, hace falta mostrar milagros genuinos porque los de la vereda de enfrente muestran los truchos, los falsos, y se llevan a la gente corriendo tras una zanahoria de plástico. Éste con el que me peleé duro fue injustamente cruel con todos ya que metió en la misma bolsa a algunos curas de dudosas intenciones con, por ejemplo, el Padre Pío. Y ahora, años después, ya ves: hoy el Padre Pío ha sido consagrado de manera oficial como beato y aquel cura con el que tanto discutí debe arrodillarse frente a su figura. Paradojas del catolicismo. Para jodas de los que miran desde afuera y se ríen. Los hermanos no estamos unidos como aconseja el Martín Fierro. O, como diría Perón, "el año 3000 nos va a encontrar unidos o dominados".

—*Falta mucho, ¿no?*

¿Cómo? ¿No era que ustedes no tienen tiempo ni espacio?

—*Pero hasta para nosotros mil años son mil años. Falta mucho. Pero volvamos a hoy, 2001. Retornaste con el Padre Pío. Si sos tan amable y ya te desahogaste, ¿podrías continuar con él?*

Será un placer. Pensaron en desplazarlo —como a Felicísimo— pero no pudieron ya que el pueblo italiano es más vehemente y defiende lo que en verdad ama. Los argentinos no sabemos pelear, lo que hacemos muy bien es llorar ausencias. Me duele aceptarlo, pero es así. El Padre Pío se quedó en San Giovanni Rotondo, entonces, y seguían ocurriendo a su alrededor cosas tan raras como ésta:

Iba a matarla. Ya había tomado la decisión.

El hombre estaba enloquecido. Le habían llenado la cabeza de calumnias sobre su propia mujer, asegurándole que lo estaba engañando. En un pequeño pueblo italiano como aquél, eso era una ofensa imperdonable. Por eso había dejado su trabajo en mitad de la mañana y, sin contar a nadie sus intenciones, se encaminó a grandes zancadas a su casa con la sangre hirviendo en sus venas y los ojos nublados por la ira. Iba a matarla. Pasó como siempre frente a la iglesia del lugar. Parado junto a la puerta de la sacristía, frente al hombre, estaba el párroco, mirándolo, solamente mirándolo. Y rompió el silencio:

—Todo lo que dijeron de su mujer no es cierto. Usted no debe pensar en matarla.

El hombre se paralizó. Nadie conocía sus intenciones. ¿Entonces era cierto que ese cura podía leer el pensamiento de las personas? ¿Qué estaba pasando?

—Vuelva a su trabajo y sáquese de la cabeza esas ideas estúpidas...

El hombre se puso a llorar. Quiso tomar las manos del cura para besarlas pero el sacerdote las retiró enseguida. Tenía sangre en ellas. Bendijo al hombre, que volvió a su trabajo y se dio cuenta de que había estado a punto de cometer no sólo una barbaridad sino, también, una injusticia.

El cura de este relato real era el Padre Pío, un capuchino que, en efecto, sabía lo que las personas pensaban sin que se lo dijeran, lo había demostrado muchas veces hasta en las confesiones, cuando le preguntaba a alguien por determinada cosa que había hecho mal pero no la había contado allí. Pero eso no era todo. El Padre Pío llevaba sus manos ensangrentadas porque hacía muchos años ya, en 1918, cuando tenía 31 de edad, le aparecieron los estigmas por primera vez y jamás lo abandonaron. Los estigmas son las heridas de Cristo en la Cruz, como ya ha quedado en claro en otro capítulo. Por petición de las autoridades vaticanas, el doctor Luigi Romanelli, director del Hospital Municipal de Barletta, estudió de cerca desde 1918 y hasta 1920 el extraño fenómeno. Su informe final, como el de muchos otros colegas suyos, no albergaba la menor duda: "He examinado al Padre Pío durante quince meses ininterrumpidos y declaro oficialmente que no he podido clasificar sus heridas sangrantes en ningún orden médico conocido. Estas heridas son: una muy profunda en el costado derecho de su pecho, paralela a las costillas y de unos ocho centímetros de largo, similar a la que pudiera haberle producido una lanza; otras en cada una de sus manos, cubiertas por una membrana rojiza pero sin inflamación; y otras en sus pies, de similares características. Desde mi punto de vista médico no encuentro explicación alguna a lo que he visto".

Lo mismo le ocurrió al doctor Georgio Festa, que examinara prolijamente al sacerdote estigmatizado. El doctor Giusseppe Sala confirmó todo lo anterior y agregó que un control estricto le permitió establecer que el Padre Pío perdía, a diario, alrededor de un cuarto litro de sangre que su organismo reponía de inmediato. Las profundas cicatrices de las manos del sacerdote estaban en sus palmas, cuando las de Cristo fueron en sus muñecas —siguiendo la bárbara costumbre romana— ya que un crucificado no podría soportar el peso de su cuerpo con sus manos clavadas al madero porque se desgarrarían. Pero en el Padre Pío, como en otros casos idénticos, lo que sufría era más un simbolismo de entrega a Cristo que una imitación exacta de lo que sufriera Nuestro Señor.

Al principio, las autoridades de la Iglesia intentaron como siempre mantener en absoluto secreto lo que estaba sucediendo con ese sacerdote del pueblo San Giovanni Rotondo, en Italia. "Prudencia" es la palabra que frenó a lo largo de la historia muchas maravillas ocurridas en el seno de la Iglesia Católica. Pero la noticia corrió y comenzó a llegar gente de otros pueblos. En esas épocas aún existía con su nombre original la Sagrada Congregación del Santo

Oficio que, como primera medida, hizo sacar de circulación todos los escritos sobre el Padre Pío. Fue entonces cuando quisieron trasladarlo y cuando su gente lo defendió. El cura no se movería de allí y, aunque sufrió muchas enfermedades que amenazaban seriamente su vida de manera casi permanente, murió recién 50 años más tarde, en 1968, al cumplirse exactamente medio siglo de la aparición de los estigmas. Durante todo ese tiempo siguió "sabiendo lo que pensaban", profetizando hechos, sanando a los enfermos que acudían por miles, propagando la fe, recibiendo más de un centenar de confesiones diarias, creando por primera vez grupos de oración y hasta llevando a cabo lo que se conoce como "bilocaciones", la facultad de estar en más de un lugar al mismo tiempo y que fue siempre un poder sólo concedido a los santos.

Francesco Forgione, el Padre Pío, se transformó así en una de las figuras más extraordinarias y sobrenaturales de nuestro tiempo, sin que él se lo hubiera propuesto.

EL PROFETA DE DIOS

Muchos años después y luego de un largo viaje desde su lejano país, otro sacerdote llegó al pueblo de San Giovanni Rotondo porque quería conocer al Padre Pío de quien ya hacía muchos años se contaban historias maravillosas. Le pidió confesión. Al terminarla, el Padre Pío le dijo con los ojos humildemente bajos: "Vas a ser Papa...". Seguramente el otro sacerdote debe haber sentido un estremecimiento del que ni siquiera llegó a reponerse porque su confesor de ese momento siguió: "También veo sangre. Vas a ser Papa y veo sangre".

El joven sacerdote no preguntó nada. Se fue del pueblo y volvió a él en varias ocasiones, sólo para confesarse con el Padre Pío, por el que sentía una gran admiración y un enorme amor de hermano.

Ese sacerdote era Karol Wojtyla, polaco. Mucho después sería elegido, en efecto, Pontífice de la Iglesia Católica. En 1981 un desquiciado lo hirió y hubo, en efecto, sangre, tal como está contado en detalle en otro capítulo.

Francesco Forgione murió en 1968. Tal como ocurre con los grandes cirujanos que no pueden operarse a sí mismos, él no pudo —o tal vez no quiso— emplear sus dones para sanar. Que se sepa, es la única persona en la historia del mundo que tuvo, de manera comprobada y fehaciente, los estigmas de Cristo durante exactamente cincuenta años. Cubría sus manos ensangretadas con vendas y es muy difícil hallar una foto de él sin ese agregado indispensable. Juan Pablo II impulsó su causa y, en 1998, la Iglesia le otorgó oficialmente su condición de beato. Pero no fue Juan Pablo II el primer pontífice que advirtió en él su capacidad milagrosa, su toque divino. El Papa Benedicto XV, que dirigió los destinos del mundo católico en la difícil época de la Primera Guerra (desde 1914 hasta su muerte en 1922) dijo del Padre Pío que era "uno de esos hombres extraordinarios que Dios manda a la tierra de vez en cuando para convertir a las almas".

Su obra está a la vista y sus milagros cuentan con miles de testigos. Durante un buen tiempo llevó unos guantes negros a los que se le habían cortado los dedos con el fin de no mostrar sus estigmas, que cargó con dolor durante medio siglo. Pero ni así podía ocultar lo evidente ya que, además, esas heridas dejaban escapar un dulce perfume que lo acompañaba adonde fuera. Una de las muchas oportunidades en las que quedó claro su poder de bilocación (estar en dos sitios al mismo tiempo, como dijimos) sucedió muy cerca nuestro, en Uruguay. En 1929, monseñor Damiani, un inteligente sacerdote italiano, viajó a ver al Padre Pío, como tantos. Allí le pidió que estuviera a su lado en el momento en que le llegara la hora de morir. El cura italiano lo prometió pero le dijo que aquello ocurriría años después y no en Italia sino en Uruguay. Monseñor Damiani fue nombrado Vicario General de Salto, en el país vecino. Trece años más tarde, en 1942, moriría por una deficiencia cardíaca. Unos instantes antes, el Arzobispo de Montevideo, monseñor Antonio Barbieri, se hallaba reposando a medianoche cuando se despertó sobresaltado por unos fuertes golpes en su puerta. Abrió y vio a un monje capuchino al mismo tiempo que escuchó una voz que no parecía provenir de esa figura y que decía: "Monseñor Damiani está a punto de morir, debes ir ya a su cuarto". Sin dudas alterado y sin saber quién era ese monje, corrió a la habitación de su amigo pidiendo ayuda a los gritos y siendo acompañado por varios sacerdotes. Al llegar, Damiani estaba muriendo con una sonrisa en sus labios. En su mesita de luz, de su puño y letra, había una breve esquela que decía: "El Padre Pío ha venido. El Padre Pío ha cumplido". No pudo aclarar nada más porque falleció inmediatamente. El Padre Pío, a la sazón, se encontraba en esos momentos en Italia y nadie tenía idea de que hubiera pensado en viajar al Uruguay.

Años más tarde, el Arzobispo Barbieri viajó a Roma. Se tomó su tiempo para visitar San Giovanni Rotondo. Conoció al Padre Pío y no pudo aguantar preguntarle si había sido él aquel sacerdote capuchino que golpeara su puerta cuando estaba muriendo monseñor Damiani. El cura italiano no respondió y siguió ordenando algunos objetos de la sacristía de su iglesia, donde se encontraban. El arzobispo insistió pero siguió obteniendo el silencio como toda respuesta. Al rato sonrió y advirtiendo que "esas cosas" no son para andar proclamándolas por ahí, dijo: "Ya comprendo, padre". El Padre Pío lo miró y solamente contestó: "Así es. Usted ha comprendido, finalmente".

El beato Francesco Forgione, el Padre Pío de Pietrelcina, es el más claro ejemplo no sólo de la posibilidad hoy de milagros y señales sino de la prueba de que en nuestros días pueden existir santos y que ellos no son algo de hace quinientos años. Él había experimentado hechos sobrenaturales desde su infancia pero —como ocurre aún hoy con todos los chiquitos— lo tomaba como algo normal, que seguramente debía pasarles a todas las personas. Es una de las maravillas de ser un niño: para una mente sin prejuicios lo sobrenatural es algo por completo natural. Lo perfecto sería mantener la inteligencia de un adulto pero el alma de un niño. Algunos lo consiguen. Francesco Forgione fue, sin dudas, uno de ellos.

—*El ángel del Padre Pío es muy amigo mío.*

Disculpame, pero ¿todos son amigos tuyos, al final?

—*No quiero contradecirte, pero vos no entendés. Acá todos somos muy amigos. ¿Qué te creés que es esto? ¿El mundo?*

No ofendas, viejo. Al fin de cuentas el Padre Pío mostró lo suyo aquí, en el mundo. Y hay otra gente que, a la larga, termina por entender las señales y llora y ríe y mira a la Mamita y a Cristo con los ojos llenos de amor como nunca hubiera imaginado antes. El mundo suele ser amargo, sí, pero hay explosiones de dulzura. ¿Querés que te muestre?

—*Quiero que me muestres.*

Te muestro.

22

A veces hay señales que indican cómo volver a casa

(Testimonio de hoy)

La fe es un milagro en sí misma. Y, cuando uno cree perderla pero se reencuentra con ella, el milagro se redobla. Hay historias cotidianas, nada grandilocuentes pero llenas de ternura que demuestran que a menudo lo único que hay que hacer es saber descubrir las señales. Y seguirlas, obedeciendo las indicaciones. De esa forma tomaremos con cuidado las curvas de la vida, no vamos a acelerar demasiado en las rectas largas, no intentaremos adelantarnos si no es el momento adecuado y volveremos sanos y salvos a casa, donde las puertas están siempre abiertas.

—Tu nombre es Marcela Pollera.

—Marcela Pollera de Mar del Plata.

—Marcela Pollera.

—Marcela Pollera de Mar del Plata.

—Me lo repetís como si fuera tu apellido de casada.

—(Ríe) Es que soy de Mar del Plata, ¿que querés?

—Me suena a esos que llaman a la radio y el locutor dice: "Aquí hay un mensaje de Cacho de Villa del Parque" o "Martita de Floresta"...

—(Ríe) Yo soy Marcela Pollera de Mar del Plata. Y bueno...

—Bueno es lo que me vas a contar ahora, sospecho.

—Para mí, sí.

—Parece que hace un tiempo te habías enojado con Dios, ¿no? No te asustés, les pasa a muchos que no saben dónde depositar la angustia de un mal momento y sucede que la ventanilla de Dios está permanentemente abierta. Por suerte después se arrepienten y Dios perdona como siempre. Alguien dijo alguna vez que perdonar era su trabajo. Contame.

—Sí, me había enojado con Dios porque había muerto una tía mía a la que yo amaba con toda mi alma.

—¿La mató Dios?

—No, pero yo tenía dieciséis años y no atendía razones. Para mí Él se había llevado a mi tía, que era como mi segunda mamá.

—Ni se te cruzó que seguramente estaba mucho mejor de lo que había estado aquí en el mundo, ¿no?

—No, qué se me va a cruzar. Lo único que entendía era que ya no la tenía más. Me tocó mucho, ¿sabés? Era una edad especial, además. Hasta ese momento todo era color de rosa para mí. Y el golpe fue fuerte.

—Y como no tenías con quien enojarte, te enojaste con Dios.

—Me enojé, me rebelé totalmente, no quise pisar nunca más una iglesia. Estuve en el Vaticano, con el Papa, y no quise ni escucharlo, no me interesaba. Hoy por hoy veo al Papa y me encanta, me produce una cosa que no sé... me mueve mucho. Pero en ese momento estaba muy enojada.

—No es justo, pero es humano.

—Creo que sí. Y creo que Dios comprende.

—Nadie como Él. Ése sí es "su trabajo". Bueno, ¿y cómo te amigaste?

—Resulta que un día mi mamá fue a hacerse un chequeo médico de rutina y, cuando le dan los análisis, me llama y con rebuena onda, con una fuerza que ella tiene para todo, me dice que no hay que preocuparse, que todo va a estar bien, que se va a arreglar...

—Pero...

—Pero tiene cáncer. Eso fue el 16 de junio de 1999 y...

—Te estás quebrando.

—Sí, tengo ganas de llorar.

—Calmate. O llorá. Yo te dejo tranquilita un rato.

♦ ♦ ♦

MARCELA VIVIAN POLLERA cumplió 35 años en junio de 2001. Está casada y es de Mar del Plata, claro. En su carta me cuenta que al principio todo parecía indicar que su mamá no tenía nada grave pero, para mayor tranquilidad, los médicos dispusieron una biopsia de algunas formaciones en el pecho. No hubo mayor tranquilidad sino el estallido de una granada emocional dentro de todos ellos. En su carta impecablemente redactada me cuenta que ella vivía temporariamente en Miramar, a unos 50 kilómetros de Mar del Plata, cuando su mamá fue a retirar los resultados de la biopsia en esta última ciudad y ellos la esperaban ya que festejarían el cumpleaños de Marcela, que es el 17 de junio. Escribe: "...Obviamente todos pensábamos que era un resultado más que nos corroboraría que mi mamá no tenía nada... La llamé varias veces y no la encontré. A partir de ahí empecé a preocuparme. Alrededor de la una del mediodía recibí la noticia más terrible de mi vida y dicha por ella. Me dijo así: 'Hija, quiero que seas fuerte, que no te preocupes por mí porque yo estoy bien, pero... me tienen que extirpar el pecho porque me encontraron un tumor maligno y células cancerosas'. No se puede imaginar lo que fue esa noticia para mí. Primero no atiné a decir nada y enseguida comencé a gritar, a llorar (como estoy llorando en este momento en que le escribo) y a preguntar por qué. Mi mamá, pobrecita, me daba fuerzas desde el otro lado de la línea...". Tan solo recordar la emociona como ahora que estamos charlando, en 2001, cuando la memoria del dolor vuelve a aparecer con su carcajada grotesca. Pero se repone de inmediato, digna hija de tigresa.

—Está todo bien —me dice.

—¿Querés que sigamos en otro momento?

—¿Vos querés?

—Lo que yo quiero es que no estés mal vos.

—Está bien, estoy bien.

—A todos nos pasa emocionarnos, creo que hasta es bueno. A mí me ocurre mucho con una bobada, con las películas. Tengo un método que consiste en aspirar fuertemente por la nariz y retener un poco la respiración... —le cuento.

—¿Y te sirve?

—No, para nada. Cuando largo el aire lloro más que nunca, pero al menos tengo un método, es mejor que nada.

(Se ríe con cascabeles. Es tan simpática, tan agradable. Una de esas personas que están puestas en la vida para alegrarla, pero eso tiene un precio: una sensibilidad tensa y aguda como la cuerda de un violín).

—Debe haber sido un viaje duro esos cincuenta kilómetros de Miramar a Mar del Plata —retomo tratando de ser serio pero no dramático.

—Sí, fue la hora más larga de mi vida. Fue un viaje que hice llorando sin parar. Y allí mismo empecé a necesitar creer en alguien como para pedirle por mi mamá. No era fácil porque yo ya no creía en nada desde hacía muchos años. Pero necesitaba fuerzas, agarrarme de algo en lo que pudiera confiar. Yo hablaba en voz alta estando sola y lo que decía era pedir por favor una señal para saber que algo no me dejaba sola y que podía curar a mi mamá.

—Le hablabas a Dios.

—Yo no sabía a quién le hablaba, hablaba al aire, había empezado a hacerlo en el viaje de Miramar a Mar del Plata y seguiría haciéndolo sin saber a quién me dirigía. Buscaba una ayuda superior.

—Y bueno, lo dicho, le hablabas a Dios.

—Sí, pero en esos momentos no me daba cuenta. No imaginaba que me iba a dar señales completamente claras de que no estábamos solos.

—¿Qué tipo de señales?

—Por ejemplo, a la tarde siguiente de haberme enterado de esto, yo estaba en mi negocio, en Miramar, y veo pasar un camión con una imagen gigante de la Virgen de San Nicolás. Era raro, porque por Miramar no pasa mucha gente y menos en invierno. La imagen de la Virgen así, de golpe, como algo completamente inusual, pasando en plena calle, fue un flash para mí. Yo estaba pidiendo algo así, una señal, y veo pasar el camión frente a mi cara. Me flasheó y me movió el piso, pero no era suficiente, podía ser algo casual. Sin embargo pasó otra cosa...

—¿Después de lo del camión?

—Al mismo tiempo. Mi hermano vive en Mar del Plata y le roban del auto que tenía en la puerta de su casa todos los papeles de donde él trabajaba y el pasacasete. Supuestamente, cuando los ladrones salen del auto, se les cae una medalla que queda allí. Mi hermano la encuentra. Él era como yo, medio escéptico, y ahora también es como yo, cambió. Le da la medalla a mi mamá. Era de la Virgen de San Nicolás.

—¿Con qué diferencia ocurren los dos episodios, camión y robo?

—Con ninguna diferencia. El mismo día y aparentemente a la misma hora. Cuando yo le cuento a mi mamá por teléfono que acabo de ver la imagen de la Virgen pasar en un camión, ella me dice que mi hermano Daniel acababa de regalarle la medallita que se les cayó a los ladrones.

—Pichón de señal, hermana.

—Sí. Y no habían sido las primeras. Todo arranca ese mismo día en que yo estaba en Miramar, hablando en voz alta como te dije, preguntando al aire si había alguien que pudiera ayudar a mamá, y de repente escucho a un hombre que está hablando por televisión. El televisor estaba encendido pero yo no le prestaba atención, pero ese hombre casi responde a mi súplica desesperada en voz alta porque dice que la Virgencita que cura es la de San Nicolás y que él da fe porque había curado a su mujer a quien los médicos habían dado por desahuciada. Yo me quedé pensando si no sería ésa la señal que esperaba y me fui al negocio, a trabajar. Y todavía estaba pensando en eso cuando pasa el camión con la imagen gigante. Y la llamo a mi mamá y me cuenta lo de la medalla que se les cayó a los ladrones... Una atrás de otra, ¿entendés?

—No sabés cómo me gustaría entender. Pero sí, comprendo.

—A partir de ahí quise saber más sobre Nuestra Señora del Rosario de San Nicolás. Sobre todo quería conocer su historia. Voy a una librería y la chica que atiende me dice: "No, de religión no tengo nada". Yo estaba medio triste y salgo pero no me voy. Me pongo a mirar la vidriera y, de repente, mezclado con otros libros, veo uno que dice que cuenta todo sobre Ella. Vuelvo a entrar y le digo a la chica: "Perdoname, pero ahí tenés un libro de la Virgen de San Nicolás". La vendedora no sabía de dónde había salido ese libro que, además, no figuraba en la computadora donde tienen la lista de todos y no tenía ni idea de cómo fue a parar a la vidriera del negocio.

—Qué maravilla. Amo esas cosas... ¿Y mamá qué decía, a todo esto?

—Mamá estaba contenta porque yo había vuelto a tener fe. Compré dos estatuillas de la Virgen de San Nicolás, una para ella y otra para mí.

—Y llega el momento de la operación...

—Sí. El 29 de junio de 1999, doce días después del diagnóstico. Yo ni sabía rezar el rosario y, con mucha vergüenza, le pregunto a una de las monjitas que había allí cómo se rezaba. Y entonces ella me explica.

—Sos una rica, un amor. Me parece muy tierno tu pudor.

—Me daba mucha vergüenza, pero quería rezarlo. Y ella me dice cómo se hace. Yo me había traído de México hacía un tiempo un rosario con una Virgen de... ¿de Guadalajara?

—De Guadalupe.

—Exactamente. Eso, de Guadalupe. Y recé con él. Lo hice mío pero en serio, no como un objeto decorativo. A mamá la operaron y todo fue bien. Yo le sigo pidiendo cosas a la Virgen, cosas de salud. Hasta ese momento no me había dado cuenta de que era tan importante, pensaba que las personas que yo amaba eran todas invulnerables. Y no es así.

—Ya pasó más de un año y medio. Todo está bien.

—Todo está bien. El cáncer estaba localizado y sin metástasis. Mamá sigue las instrucciones de los médicos y está bajo control. Desde el punto de vista psicológico está como siempre, extraordinaria. Es la mujer más positiva que conocí en mi vida, la más buena, la más dulce. Ella te da fuerzas a vos...

—Qué mamera que sos...

—La adoro. A veces no se lo demuestro tanto y eso es remalo, tendría que decírselo más a menudo y con más fuerza. Yo no soy de estarle encima y mimarla y esas cosas, pero la adoro, la amo con toda mi alma. Es una pena que no se lo hago sentir tanto.

—¿Sabés una cosa?

—¿Qué?

—Lo va a leer ahora en el libro. Va a quedar impreso todo lo que la querés, con tus exactas palabras.

Como estamos en el borde de un nuevo quiebre emocional, hagamos esta breve pausa, como dicen en la tele. En ella, en lugar de ofrecer cosas que muchas veces no necesitamos para nada, vamos a agregar que desde el punto de vista médico la atención fue óptima. El doctor Cassanello, del Hospital Privado de la Comunidad de Mar del Plata, es el profesional que tuvo a su cargo a Eva Carmen, que ése es el nombre de la mamá de Marcela. En este caso aparecen las dos cosas que son el núcleo de este librito: las señales que son muy evidentes y el milagro de haber retomado la fe, esa suerte de reconversión. En ambos casos y como ya saben, las dos cosas están siempre, lo que hace falta es verlas.

—Volviste a la fe.

—Sí, y me siento mucho mejor. Cuando le rezo a la Virgen siempre le digo que volví por Ella, que gracias a Ella volví a confiar, que es Ella la que me puso donde estoy hoy. Pienso en la Virgen y me da confianza y paz...

—Perdón, perdón... ¿Paz serena?

—Y, sí. La paz siempre es serena, ¿no?

—Es lo que yo digo, claro. Disculpame, seguí...

—Te decía que a veces, cuando estoy mal, le rezo y otras veces si voy viajando y pasó algo me pongo a rezar. Yo antes decía: "¿Rezar? ¿De qué me están hablando?". Lo veía como algo que yo jamás podía hacer. "Eso es una pavada", decía. Lo veía de esa manera. No me imaginaba que yo podía sentirlo tanto como hoy lo siento.

—¿Y cómo lo sentís?

—Le rezo y también le hablo como si fuera mi mamá, le digo cosas como "te requiero", "gracias por cuidarme"... A veces me da miedo de estar faltándole el respeto al hablarle así...

—Todo lo contrario, tontita. No sólo no le faltás el respeto sino que es una prueba de amor enorme, un amor natural que estoy seguro que Ella lo aprecia muchísimo. Vos le hablás como lo que es, la Mamita.

(Soy un gil atómico. Ahora soy yo el que se emocionó con ese amor simple y poderoso de Marcela por la Virgen. Yo soy el autor, hombre, ¿qué van a pensar? Van a pensar que es buena cosa que yo sea más persona que escritor, eso está bien. Meta, nomás, entonces, con el nudo en la garganta).

—Fui a San Nicolás después, porque lo había prometido. Y me golpeó muy fuerte. No puedo explicarte lo que sentí. Yo estuve en el Vaticano, ya te conté, pero en San Nicolás era distinto. Me sentí protegida, me sentí amada, me sentí en casa. Hoy, al Papa lo requiero, me parece muy tierno, lo amo mucho. Y a Dios lo siento con amor. Y a la Virgen ni te cuento, ¿entendés?

—Sí que entiendo. Y es simple: al reencontrar la fe, reencontraste el amor. Lo que pasa es que las dos cosas van de la mano, juntitas.

—Es muy posible. Pero con los curas tengo reservas...

—Sería más justo si dijeras que "con algunos curas" tenés reservas.

—Es cierto, pero los curas hacen muchas cosas feas.

—Algunos hacen muchas cosas feas. Y otros hacen muchas cosas lindas. Son hombres. Hay curas heroicos y curas despreciables. Pero no es buena idea tener fe pero separarte de la Iglesia, porque la Iglesia sos vos, la Iglesia somos todos los fieles, curas y laicos. Es como enojarte con vos misma o conmigo o con tu mamá o con mil millones de personas.

—Sí, tenés razón. Voy a tratar de pensar en los buenos curas. Y a agradecerle siempre a Dios por cuidarnos, ayudarnos, estar al lado mío como lo siento ahora.

—Siempre estuvo al lado tuyo.

—Sí, pero por ahí no me di cuenta y ahora sí.

—Se llama fe, Marce. Bienvenida... Seguí con la Mamita como mediadora y guía. Te sentís bien cuando le rezás, ¿no?

—Lloro. Cuando yo le rezo a la Virgen, lloro. No sé por qué. Debe ser que la quiero tanto que lloro.

23

Todo lo que hay que saber

Luego de la charla con Marcela me quedé pensando en que la candidez y la ternura no sólo son dos cosas muy sanas sino también muy sabias. Es que todo es tan simple, en realidad. Somos nosotros los que complicamos cada cosa como si fuera nuestra misión en el mundo. En eso estaba cuando advertí que tenía un envío en el correo electrónico. En los siguientes días recibiría este apropiado mensaje de varios lectores, ayudantes todos ellos de Mariano, seguramente, pero la primera que me lo mandó fue Graciela Magni, quien ha de ser muy dulce. El texto me pareció simplemente encantador y por eso aquí lo reproduzco:

Todo lo que hay que saber sobre cómo vivir, qué hacer y cómo debo ser, lo aprendí en el jardín de infantes. La sabiduría no estaba en la cima de la montaña de la universidad, sino allí, en el arenero.

Éstas son las cosas que aprendí:

- Compártelo todo.
- Juega limpio.
- No le pegues a la gente.

- Vuelve a poner las cosas donde las encontraste.
- Limpia siempre lo que ensucies.
- No te lleves lo que no es tuyo.
- Pide perdón cuando lastimes a alguien.
- Lávate las manos antes de comer.   .
- Sonrójate.
- Las galletitas calientes y la leche fría son buenas.
- Vive una vida equilibrada; aprende algo y piensa en algo y dibuja y pinta y canta y baila y juega y trabaja cada día un poco.
- Duerme la siesta todas las tardes.
- Cuando salgas al mundo, tómate de la mano de un compañero y no te alejes.
- Permanece atento a lo maravilloso.
- Recuerda a la pequeña semilla en el vaso. Las raíces bajan, la planta sube y nadie sabe realmente cómo ni por qué, pero todos somos así.
- Los peces de colores, los hamsters y los ratones blancos e incluso la pequeña semilla del vaso, todos mueren. Y nosotros también.
- Recuerda aquel libro de cuentos y una de las primeras palabras que aprendiste, la más grande de todas: MIRA...
- Todo lo que necesitas saber está allí, en alguna parte.

Toma cualquiera de estos ítem, tradúcelos en términos adultos y sofisticados y aplícalos a tu vida familiar o a tu trabajo, a tu gobierno o a tu mundo y se mantendrá verdadero, claro y firme.

Piensa cuánto mejor sería el mundo si todos tomásemos galletitas con leche cada tarde a las tres y después nos acurrucáramos en nuestras mantas para dormir la siesta.

O si todos los gobiernos tuviesen como política básica volver siempre a poner las cosas donde las encontraron y limpiar lo que ensuciaron.

Y aun es verdad, no importa cuán grande o viejo seas, que al salir al mundo es mejor tomarse de las manos con alguien y no alejarse...

¿No es adorable? ¿No es real? ¿Tendría algo que ver eso con la "paz serena" que yo estaba tratando de desentrañar desde un principio? Con lo que lo asocié de inmediato fue con la Virgen, claro. Es inevitable, ya que Ella es la imagen más perfecta de la inocencia, la calidez, esa tibieza irrepetible, ese amor sin condiciones, ese perdón perpetuo. Los que la amamos lo sabemos. Y la seguimos.

SOMOS UNA BANDA, LOS MARIANOS

Cuando uno es devoto de la Virgen es imposible ser calladito o medio tímido para decirlo. Uno lo grita. Ser mariano nos desborda, nos vuelve explosivos, alegres, afectuosos y ya no se habla más de yo sino de nosotros. Somos una banda, los marianos.

Asaltamos a la angustia a mano armada con esperanzas, nos agarramos a trompadas limpias con el jodido del maligno y en lugar de cadenas llevamos un rosario balanceándose en la mano. Gente brava, los marianos. Una banda, ya dije. Al primero que se nos cruce en el camino con una duda lo llenamos de besos para que aprenda. Y trabajamos de cosas muy distintas, hay de todo. Catadores de sueños, fabricantes de sonrisas, malabaristas de gracias, porteros de la caricia, patrones del coraje, de todo. Los que se quieran sumar, son bienvenidos. Como decía el Beato Escrivá de Balaguer: "Sé de María y serás nuestro".

Es mucho amor. Un misterio, miren. Si uno no sabe ni siquiera explicar por qué ama a otro ser humano, ¿cómo explicar, entonces, esa pasión del alma por algo que no se ve ni se toca en un mundo en el cual sólo parece importar lo que se ve y se toca? Se siente, eso es todo. Miren, no queremos ponernos pesados ni parecer lamevelas, pero la verdad es la verdad: la fe y el amor a Dios son un huracán y María es quien lo sopla, sólo interrumpiendo la cosa cuando se tienta con su propia risa. La fe y el amor a Dios son una cosquilla que nos hace la Mamita como cuando éramos chicos y nos revolcábamos de felicidad ahogados por nuestras propias carcajadas. El amor a Dios es reconocer su mano en las flores, la gente, la tierra, los colores, el cielo, la gloria y la bosta. Porque hasta esa bosta abonará la tierra dando nueva vida. No hay cosas feas, desagradables, malas, sino ojos que ven feo, desagradable o malo. Para amar a Dios es María quien enciende la luz de nuestros ojos. No es exactamente el personaje influyente que nos allanará el camino hacia su Hijo, sino nuestra compañera en el camino hacia Él. ¿Me estoy poniendo muy místico? En ese caso, disculpen, pero lo único que quiero es ayudar. A ustedes, claro. Si no fuera así, en lugar de estar escribiendo esto con luz artificial a las dos de la tarde, estaría disfrutando de este día de sol maravilloso y, al regreso, diría todas estas cosas frente a un espejo o a mi perra Indy, que al menos no me cuestiona. Esto no es eso que dieron en llamar autoayuda, lo advertimos de entrada. Esto es ayuda, lisa y llana. María está allí, todo el tiempo. Lo que pasa es que en la época en que vivimos —o tal vez habría que decir en muchos casos "sobrevivimos"— a veces no queda mucho espacio para estas pavadas de la fe, la esperanza y el amor.

Por eso estamos nosotros, la banda. Mucho cuidado. Si alguien se resiste, le hacemos una oferta que no pueda rechazar: una caricia, un beso, una palabra de aliento, una oración, lo que sea necesario, ya que no nos andamos con pequeñeces, no sé si me explico. Hubo ocasiones en las que llegamos a secuestrarle el rencor a alguien y no se lo devolvimos nunca más, se lo eliminamos, chau, kaput, se acabó, con nosotros no se juega. Incluso tenemos algunos códigos secretos pero no mucho. Estamos pensando en saludarnos haciendo la V con los dedos índice y mayor, igual a ese gesto de la V de la victoria, pero lo que sólo nosotros sabríamos es que es la V de la Virgen, ¿qué tal? Atención con nosotros, ya saben.

Somos una banda, los marianos. Y aceptamos nuevos miembros sin preguntarles de dónde vienen ni por qué.

Anden con cuidado. Ni siquiera importa a qué religión pertenecen porque está claro que todas respetan y admiran a María y Ella no es justamente alguien que los discrimine sino al contrario. Si en algún momento de sus vidas se sienten en medio de un callejón sin salida, aplastados por la oscuridad, llenos de sombras, ojo que nosotros podemos aparecer de repente y no dudar ni esto en llenar todo de luz. Vamos a destrozar las tinieblas, no sé si soy lo suficientemente claro. Porque vamos con la Jefa a todas partes, en las buenas y en las malas, protegiéndola y sintiéndonos protegidos, con esa palabra que llevamos colgando de los labios y que seguimos repitiendo y repitiendo porque nos hace bien y nos llenará de luz por siempre y para siempre: María.

La Mamita, caramba. La madre de Jesusito. Aquella a la que vengo aferrándome en tormentas muy fuertes, igual que ustedes. La que nos llena la vida de milagros, la que nos llena la vida de señales.

24

Algunas señales de la Virgen

Es simplemente impresionante la cantidad de milagros y señales que están ligados de una u otra manera a la Virgen. Impresionante.

Los hay pequeños en apariencia pero que algo encierran y tal vez ese algo pueda ser enorme, ¿quién puede saberlo? Por ejemplo los grandes rosarios de pared que en innumerables ocasiones han desprendido luz y chispas en muchos hogares de gente de San Nicolás. Rosarios hechos en madera, algo que no produce ni luz ni chispas a menos que se lo queme, cosa que por supuesto no ocurrió.

También las letras "eme" (M) que he visto marcadas en muchísimas bombitas eléctricas, en el piso, paredes, alfombras y en diferentes sitios, señalando la inicial del nombre de la Virgen.

Hay una foto que circula desde hace muchos años entre alguna gente, una foto de la cual —para serles sincero— no puedo dar fe de ninguna manera porque bien podría ser un truco de laboratorio pero que me emociona un poquito cada vez que la miro. En ella se ve a Juan Pablo II cayendo después de los disparos pero siendo sostenido por lo que es una indiscutible imagen de María que parece protegerlo amorosamente.

Un poco más en profundidad en lo que hace a signos inexplicables y esta vez a través de un episodio que aun pueden comprobar ustedes mismos está lo ocurrido con una imagen de la Virgen de Fátima de gran belleza y considerable tamaño que fuera donada al santuario de San Nicolás por la señora Lucrecia Saravia, en 1993. Durante un tiempo fue guardada por las Hermanas Carmelitas quienes, junto a cientos de personas, admiraban la belleza de esa imagen, con el típico manto de color blanco tiza que es habitual en todas las de Nuestra Señora de Fátima. El 25 de julio de 1993 fue colocada en un lugar de honor del santuario y bendecida por el obispo, que era aún Monseñor Domingo Castagna, ante centenares de asistentes a esa ceremonia. A partir de ese momento —y ante el asombro de todos— el manto de la imagen comenzó a volverse de color celeste, igual al de Nuestra Señora del Rosario. En aquella ocasión hablé con otro querido amigo, el padre Rafael Hernández, por entonces Canciller del Obispado. Y me dijo:

"Sí, es cierto. Al principio pensamos que podía ser un efecto de luz, pero probamos con otra iluminación y seguía igual. No se trata de ningún tipo de pintura ni de nada parecido. La imagen está protegida por una caja de acrílico y nadie tiene acceso a ella. No sabemos explicar el cambio pero lo real es que cientos de personas lo vieron".

No sé darle una explicación a este fenómeno y no creo que nadie sepa. Pero lo cierto es que fue tal como está contando, ante muchísimos testigos, nada de "ocurrió en la noche" o "cuando abrimos el templo estaba así". No. Fue de día y con la presencia de mucha gente.

He recibido no menos de una decena de cartas de personas que me cuentan que ocurrió exactamente lo mismo con imágenes que tenían en sus hogares.

Más allá aún, hay un hecho histórico sucedido el 13 de octubre de 1917 en Fátima, Portugal. Era una de las apariciones de la Virgen a los pastorcitos, un hecho que había atraído a muchos fieles pero también a muchos infieles que querían reírse de los que habían elegido la fe. Unas setenta mil personas se habían reunido con fines y objetivos diversos en la Cova da Iria, el lugar donde se había estado apareciendo María desde hacía unos meses. Había llovido, pero de pronto apareció el sol que giró sobre sí mismo de manera asombrosa lanzando a todas partes fajas de luz de variados colores. En un momento determinado se para en seco y parece caer como una inmensa bola de fuego sobre los allí reunidos. De repente frenó su caída de manera súbita a pocos metros del suelo, se mantiene allí durante unos segundos y luego vuelve a remontar hacia el cielo para ocupar su lugar habitual. Esto parece una locura imposible pero fue visto por las setenta mil personas que allí se habían reunido y quienes dieron los testimonios más estremecedores no fueron precisamente los devotos de María sino los escépticos y ateos que habían ido allí, en muchos casos, enviados por el gobierno de ese momento en Portugal, un gobierno sin creencias religiosas que se reía de esas apariciones. Por otra parte, todos comprobaron que sus ropas, que habían estado empapadas por una continua lluvia, se habían secado en el acto, lo mismo que la tierra que no sólo había dejado de ser barro sino que levantaba polvaredas en algunos sectores. Este fenómeno extraordinario, esta señal que dio la Virgen para apuntalar la credibilidad de los pastorcitos que eran hasta ese momento atacados de continuo, ese cachetazo a los negadores de oficio, fue conocido hasta hoy con el nombre de Danza del Sol. Duró doce minutos y, como está dicho, los testimonios fueron miles. Aquí rescato solamente uno, elegido por tratarse de un hombre de ciencia que no tenía ni el menor acercamiento con lo religioso. El doctor Almeida Garrete, profesor de la Universidad de Coimbra, era un joven veinteañero cuando presenció aquello. Luego recordaría:

"El sol radiante se abrió paso entre las nubes y todos alzamos los ojos hacia él como atraídos por un imán. Yo mismo lo miré de frente y advertí que, a pesar de su luz tan poderosa, no me enceguecía.

No había el menor rastro de niebla que alterara esa
visión a la que describo como una claridad cambiante
con tonos de perla. Daba vueltas sobre sí mismo a
una velocidad vertiginosa. De repente se descolgó
del firmamento y tomando un color rojo sangre se
lanzó sobre la tierra dándonos la sensación de que
iría a aplastarnos con su masa de fuego. Un clamor
de pánico surgió de la muchedumbre. Sentimos
miedo. Luego volvió todo a la normalidad. Declaro
que todo esto lo presencié personalmente, con calma
y frialdad, sin agitación mental de ningún tipo".

Desde entonces, la Danza del Sol es una manifestación
mariana de primer nivel. Durante el siglo XX se repitió algunas veces en diferentes sitios del mundo. En Argentina ocurrió
en la Semana Santa de 1994 en Santa Fe, con muchos testigos.

La Mamita ha generado muchas otras señales, algunas
colectivas como la del sol y otras privadas, estas últimas con
muchas manifestaciones. Uno de los signos más claros de su
presencia es, como seguramente saben, el aroma a rosas.
Puede darse en cualquier parte, en cualquier momento y de
manera tal que pueda ser percibido por mucha gente, por
una sola persona o por una familia, como lo que se cuenta
en el testimonio que leerán a continuación. Antes de que lo
hagan quiero que sepan que van a sentirse tan desconcer-
tados como yo. Y no sólo cuando escuché el relato sino aún
hoy, ahora mismo.

Señales inexplicables

(Testimonio de hoy)

Medité mucho antes de poner sobre papel esta historia. Dudé mucho. Finalmente decidí publicar todos los datos a mi alcance porque pensé que sería arrogante juzgar yo en nombre de todos. Por eso y con esto en claro, allá vamos. Y juzguemos juntos.

Lo que voy a contar ahora es algo sumamente curioso. No hay forma de encontrarle una explicación y eso es, tal vez, lo que lo hace más apasionante. Eso sí: si estamos hablando de señales yo diría que es imposible no prestarle atención a esta historia. Ya verán ustedes que los hechos van creciendo en magnitud y suspenso. A medida que se avanza en el tema uno frunce la cara, se rasca la nuca, se pasa la mano por la barbilla y siente que, tal como alguna vez escribió el doctor Albert Schweitzer: "Cuando más aprendemos, lo que aumenta no es el conocimiento sino el misterio". Ya reproduje esta frase en algún otro libro, lo sé. Pero me encanta, aquí viene de perillas y, además, para compensar esa repetición, les mostraré algo que no van a escuchar muy a menudo.

MARY BOFFINO tiene 40 años al ocurrir los hechos, vive en una localidad llamada María Susana, a unos 160 kilómetros de Rosario, en la provincia de Santa Fe, nombre muy apropiado para todo lo que vendrá a partir de ahora. El pueblo tiene no más de 3.500 habitantes, aproximadamente la cantidad de gente que vive en sólo cinco manzanas del barrio capitalino de Belgrano, para tener una idea. "Es una familia grande", dice Mary, uno de esos lugares donde, si uno llega de afuera, no pregunta por la calle sino por el apellido de los que busca. Ellos viven en medio del campo, a dos kilómetros del pueblo María Susana, bien aislados, tratando de sacarle provecho a la tierra, algo que a veces no es nada fácil. Son Mary, su marido Hugo, su hijo Andrés de 18 y María Florencia, su hija de 19, que es protagonista del relato. Flor está estudiando periodismo deportivo, algo que curiosamente tiene un punto en común con este misterio, como verán, y también estudia arqueología. Tal vez por esto último mira más al suelo y a su alrededor y le da a las cosas un vistazo más profundo que el resto de la gente. También eso tiene que ver con lo que sigue. Pero mejor dejemos que lo cuente Mary. Entren de a poco en esto como lo hice yo. Van a estremecerse.

Como es habitual, las palabras son respetadas tal como fueron dichas, grabador mediante, aun cuando la sintaxis no sea la perfecta. Lo que busco es naturalidad y no el Premio Nobel de Literatura.

—El día 4 de abril del 2000, mi hija María Florencia encontró en la calle una medallita de la Virgen de San Nicolás. Ese mismo día falleció Mirko Saric. Mi hija no lo conoció, nunca tuvo contacto con él, nunca lo vio. Por eso todo lo que pasó desde ese momento es tan raro.

Mirko Saric era un jugador de fútbol profesional no sólo muy hábil en lo suyo sino también muy querido por sus compañeros y por los simpatizantes de su club. Siendo muy joven, Mirko Saric ya estaba en el Olimpo de los famosos. Los que lo conocieron bien dicen que, antes de los problemas, se destacaba en él su frescura y su pureza de espíritu. Jugaba en San Lorenzo de Almagro y tenía veintiún años de edad cuando, por razones que por supuesto no se pueden ni se deben juzgar aquí, decidió quitarse la vida. Sólo Dios sabe.

—Cuando tu hija encuentra la medallita, ¿ya sabía que Mirko Saric había muerto?

—Iba caminando por la calle con dos amigas y compañeras de estudio.

—Perdón, ¿adónde ocurre esto?

—En Rosario. Ella estudia en Rosario y viven juntas en un departamento. Iban por la calle cuando a Mariana, una de las chicas, que vive en el Chaco, le sonó el teléfono celular y era la mamá que le comentaba lo sucedido con este chico. Ellas se quedaron frías. Se preguntaban: "Y por qué, por qué" y no entendían nada. Siguieron caminando y fue allí cuando Florencia ve algo en el suelo, lo levanta y es la medalla de la Virgen de San Nicolás. Desde ese momento lleva esa medallita siempre con ella.

—¿Cuándo comienzan esas cosas... inexplicables?

—Casi tres meses después... El día 2 de julio, cuando Florencia está limpiando una hoja de cuchillo muy vieja que había encontrado, aparece el nombre "Mirko"...

—Pero ¿en qué lugar aparece el nombre?

—En la hoja del cuchillo.

—El nombre del chico, pero ¿no sería la marca del cuchillo?

—No, no, no, no. El cuchillo tiene la marca impresa, pero el nombre Mirko está como grabado, es otra cosa...

—Bueno, aunque fuera de fábrica, no deja de ser una coincidencia. Pero, la medallita... ¿pasó algo con ella en esos tres meses?

—Un día pasó algo. Florencia viaja todos los lunes a Rosario, para estudiar. Siempre lleva la medallita en un monedero y a la noche la saca y la pone en la mesita de luz. Ese día yo la encontré aquí, en la casa. Se lo dije por teléfono y me dijo que se había dado cuenta pero no me había dicho nada porque creyó que la había perdido. Me dijo, además, que no entendía cómo la medallita apareció en casa porque ella nunca la saca del monedero. Esa misma noche del día martes, una perra manto negro que tenemos se puso a mirar muy fijamente a la ventana de la cocina que da afuera. Con mi esposo la llamábamos, Lassie, Lassie, y nada, ella miraba

243

fijo, como paralizada, sin ladrar. Entonces salimos ahí afuera y bueno... un perfume a rosas que era hermoso, muy fuerte...

—¿Vos no tenés rosales allí?

—Muy lejos de ese lugar. Un par de rosales viejitos que están en la otra punta, atrás de la casa, es una casa muy grande, incluso tengo la gruta que hicimos con un altarcito de la Virgen. Pero el perfume a rosas de esa noche era hermoso, inundaba todo el patio. Y de repente se fue de golpe, desapareció.

—¿Alguna otra vez pasó algo así?

—Varias veces la casa se llena de perfume a rosas. Adentro. Para el 7 de julio, Florencia...

—Disculpame, disculpame. Me gustaría redondear un poco lo del perfume. ¿Vos estás segura de que tus rosales estaban secos?

—Si, no tenían flores, ahora tampoco.

—¿Y no hay ninguna casa cercana donde puedan tener rosas?

—No tenemos casas cercanas. Estamos en el medio del campo. Sería un cuadrado, ¿no? Bueno, nosotros estamos en el medio de ese cuadrado. El único vecino está muy lejos. Ya no vive más nadie en el campo.

—¿Y el aroma a rosas no lo podía traer el viento? ¿Se sentía cerca?

—Abría la puerta y ahí estaba. Es como si usted tuviera un ramo en la mano, así de fuerte. Con mi marido decíamos: "¿De dónde viene?" porque era invierno...

—Ah... ¿además era invierno?

—Sí, sí, sí... Era invierno.

—En invierno no hay rosas.

—No, no hay.

—¿Ustedes ya sabían que el aroma a rosas es una señal de la presencia de la Mamita, de la Virgen?

—Sí, sí, sabíamos... Todos somos muy devotos de la Virgen, ya le dije, hace mucho que tenemos una gruta que hicimos para Ella... El 7 de julio Florencia se viene porque empezaban para ella las vacaciones de invierno. Esa noche llegaba de Rosario a las dos de la mañana, porque la Trafic me la trae hasta acá, en casa. Me dice: "Mami, mirá la lapicera". Miro y, en el capuchón de la lapicera tenía la letra M, bien marcada la eme. A los cinco días, en ese capuchón aparece escrito el nombre Mirko...

—Antes, cuando estaba la eme, ¿no estaba el nombre Mirko entero?

—No, no. Mariana, la amiga de mi hija, había visto la letra eme en Rosario y la pobre chica se asustó mucho, casi se descompuso. Bueno, unos días después aparece el nombre completo, Mirko. Y con la misma letra que había aparecido en el cuchillo.

—¿La misma letra? Bueno, eso ya descarta que sea una coincidencia. Deja sólo dos opciones: la escribió una misma persona por motivos que desconozco o se trata de algo que va más allá del entendimiento natural. ¿Hubo algún otro episodio?

—En esas mismas vacaciones de invierno, sí. Florencia colecciona monedas. Un día se pone a limpiar algunas que tenía, agarra una y ve que tiene grabada la letra eme. Miramos el año y era de 1978. Si el chico tenía 21 años, ese era el año de su nacimiento. Había cuatro monedas de cien pesos de ese año. Y aparece, en cada una, la I, la R y la K. Al último le faltaba la letra O y Florencia no tenía más del año 78. No tenía más monedas de cien pesos. Yo la ayudé a revolver y encontramos la O en una de 50. También era del año 78.

—Perdón, Mary, pero a esta altura ¿ustedes no intentaron comunicarse con la familia de Mirko?

—Sí, antes de lo de las monedas. Después de lo del cuchillo y lo del capuchón. Hablamos con el padre. Fue terrible contarle algo así. Uno lee de esas cosas o escucha que a alguien le pasó, pero cuando le tocan no es lo mismo, no es fácil.

—¿Qué dijo la familia de Mirko?

—No lo entienden.

Resumamos para no abrumar. En otra ocasión, María Florencia, ya sin tanta sorpresa, descubre en una cartuchera suya donde guarda lápices y pequeños elementos de estudio, nuevamente el nombre Mirko, escrito en tres sitios diferentes de ese útil de lata. Otro día le dice a su mamá que le duele mucho el brazo izquierdo, la miran y ven sobre su mano una marca que parecía la de unos dedos que la hubieran apretado, le sacan el reloj al que nada encuentran y lo devuelven a su muñeca pero, al continuar el dolor, vuelven a sacarlo y descubren, ahora sí, que en un lugar del broche de acero inoxidable dice Mirko. De acuerdo con el relato de Mary, una hora antes no había nada escrito allí y, cuando le pregunto quién tuvo en sus manos el reloj en ese lapso, me dice que tanto el reloj como ellos mismos no se movieron de esa habitación. En otra oportunidad el dolor es en la mano, a eso del mediodía a Florencia se le cae solo su anillo y, al mirarlo, ven escrito en él el nombre ya familiar. Luego sería un dolor en el pecho y encontrar el nombre Mirko en ambos lados de un corazoncito de nácar que tenía ella desde hacía tiempo.

—Los dolores esos se le pasan enseguida —cuenta Mary—. Son como una señal...

—Posiblemente, pero todavía no entiendo de qué, Mary.

—Nosotros tampoco. No sabemos por qué y justo a Florencia.

—¿Ustedes consultaron con algún sacerdote?

—Sí. Fuimos con todo lo que teníamos a San Nicolás. Vimos a un sacerdote que acababa de dar una misa y le contamos todo, le mostramos el cuchillo, las monedas, el anillo...

—¿Y él que dijo?

—Escuchó lo que le contábamos y tenía esas cosas en las manos, que le empezaron a temblar. Enseguida encendió un cigarrillo, me acuerdo que a mi marido, Hugo, le llamó mucho la atención que encendiera un cigarrillo... Y le dijo a Florencia: "Mirá, petiza, no te preocupés porque esto es muy bueno. Es un mensaje que él quiere darte a vos, te eligió a vos". Eso fue todo lo que dijo.

—¿No saben el nombre de ese cura?

—No. Se ve que era un cura de afuera, estaba como muy apurado y nos dijo que tenía que irse. Recién había dado misa, pero se fue muy rápido y no lo vimos más... Le llevamos lo que teníamos, porque los mensajes escritos todavía no habían empezado...

—¿Qué mensajes escritos?

—Seis hubo. En cada vez María Florencia estaba como... no sé...

—¿En trance?

—Sí, en trance, como hipnotizada, una cosa así. Y se ponía a escribir cosas que no eran de ella. Eran mensajes de Mirko, como si el chico se los dictara... Y, además, ahí empezó a aparecer el nombre Mirko en los cuadernos donde Florencia escribía sus cosas de estudio... Igual que en los demás lugares de antes.

En todos los casos se trata de la misma caligrafía, letra de imprenta mayúscula. Mary Boffino me cuenta que la madre de Mirko le dijo que él escribía así: mayúscula imprenta, sin punto sobre la letra i. Este dato me puso nervioso. Mi trabajo es dudar, entre otras cosas. Debo hacerlo y arranco siempre dudando, casi diría sospechando. Nunca pienso que me quieren engañar sino que pueden engañarse a sí mismos, así de simple. A veces uno necesita tanto ver a Cristo que de pronto cree verlo. O tal vez sí lo vio, ¿quién puede decir qué cosa es posible y qué no lo es en este mundo que Dios creó de la nada como una maravilla y nosotros partimos de un todo y lo recreamos como un caos? "Nunca se sabe" es una de mis frases preferidas, pero en todas las entrevistas, para escuchar lo que luego les contaré a ustedes, es imprescindible que tenga el corazón abierto pero la mente también. Por tener tanta fe no tengo por qué enojarme con la razón, sino al contrario. De cada diez entrevistas sólo un par pasan la prueba de mi obligado escepticismo. En este caso, confieso que mis dudas eran muy grandes y que aún sigo buscando una explicación, pero la afirmación de la madre de Mirko con respecto a que su hijo escribía así su propio nombre me sacudieron. Por eso me puse en contacto con la familia Saric. En primer lugar hablé con la hermana mayor de Mirko: seria, serena, muy educada y amable, dijo que no tenía nada que decir sobre estos hechos y que lo concreto era su profundo dolor, algo absolutamente razonable que, por supuesto, respeté. Luego me pondría en contacto con la mamá de Mirko. Y eso me golpeó más aún.

—Sí, la letra es la de mi hijo —me confirmó Ivana.

Allí empezaron a cabalgarme por el alma todos los misterios y fue cuando advertí lo que les cuento al principio, que yo solo no podía juzgar esto y que debía asociarlos a ustedes. La cosa se me fue de las manos. A poco de hablar con ella uno advierte que Ivana es una mujer de un carácter de roble, dura para los golpes, enérgica, fuerte hasta lo increíble, con una evidente capacidad de mando y acostumbrada a tomar decisiones. Es de origen croata y de religión católica pero no es propensa a inventarse consuelos fáciles ni a creer cualquier cosa que le pongan enfrente. Por el contrario, tiene bien en claro lo que quiere y aquello en lo que cree. Cuando hablamos, el 24 de marzo de 2001, faltaban sólo once días para que se cumpliera apenas un año de la muerte de Mirko, pero ella no flaqueaba y hacía oír su voz potente y sus ideas más potentes aún. No hubo llanto, no se quebró ni por un instante, no se subió tampoco al carro de las ilusiones. Fue directa y concreta.

—La señora me mandó por fax un papel donde aparecía el nombre de Mirko y a mí la grafóloga me dijo que...

—Ah, ¿vos lo llevaste a una grafóloga?

—Sí y la grafóloga se impresionó porque yo le llevé cartas de Mirko para que viera cómo él escribía y todo coincidía.

—¿Qué era? ¿Un mensaje, un texto?

—No, no. La chica estaba usando un cuaderno y en esa hoja le aparecía el nombre Mirko. Eso es lo que me mandaron. Ahora lo tiene la grafóloga, todavía. Y es exactamente como él escribía su nombre. No la firma, ¿eh? Como él escribía su nombre en cualquier parte: con letra de imprenta, "Mirko" con la eme abierta, sin el puntito de la i, igual igual que como la escribía él...

—Eso me vuelve loco...

—Y a mí también. Encima hay otras cosas que me llaman la atención.

—¿Más cosas?

—No sé si te comentó lo de la pelotita de tenis...

—No. ¿Qué es eso?

—Un día me llamó por teléfono la señora y me preguntó si a Mirko le gustaba jugar con una pelotita de tenis... Entonces, antes que nada, yo agarro y le digo ¿por qué? sin decir nada. "No —me dice—, porque yo estaba sola acá en mi casa, con mi perra, estaba limpiando, y sentía un perfume hermoso". Y Mirko usaba perfumes buenos, siempre perfume francés y qué sé yo. "Y como una presencia, porque para nosotros es como de la familia. Y una pelotita que golpeaba así el piso, tip-tap, tip-tap..." ¿Viste como las de tenis?

—Sí, como si la tiraras y rebotara.

—Bueno, así. Y escuchó ese ruido sin saber de dónde venía. Estaba sola con la perra y empezó a recorrer toda la casa. Hasta que la encontró. Había una pelotita de tenis en medio de la cocina...

—Eso yo no lo sabía.

—Y bueno, me lo dice a mí: "¿A Mirko le gustaba jugar con una pelotita de tenis?". ¿Por qué?, le pregunto yo. Ella me cuenta y yo le digo que sí, que siempre estaba jugando con una pelotita de tenis...

—¿Y así era, nomás? ¿Jugaba siempre con una pelotita de tenis?

—Sí. De tenis o de fútbol o lo que sea. Jugueteaba y la tiraba para que rebote contra la pared, contra el piso.

—Y Mary te lo contó antes de que vos se lo dijeras...

—Claro. Yo, por eso, antes de decir nada le pregunté por qué, no le dije "sí". Y me contó eso.

—Así que ella no tenía idea. Esto se pone cada vez más difícil de descifrar...

—Exactamente. Por eso te digo: hay muchas vivencias que ella tuvo. Yo le pregunté: "Decime, ¿vos tenés miedo de mi hijo, si vos pensás que está ahí o tu hija...?". Y ella me dijo: "No, al contrario. Estamos recontentas, le prendo una vela blanca todos los días, rezamos por él, nosotros lo tenemos como parte de la familia y lo que queremos es que se eleve y que tenga paz"...

—¿Vos qué pensás de todo esto, Ivana?

—No sé. Yo siento que, a lo mejor, mi hijo se quiere comunicar conmigo...

—Lo que no me cierra es por qué a través de Florencia, alguien que no conoció a Mirko ni a nada ligado a tu familia.

—No sé. En una de ésas porque viven en un lugar muy apartado, muy tranquilo.

—Bueno, más que eso puede ser porque son gente muy devota, buenos cristianos, buena gente.

—Y sí, puede ser eso, no sé.

Nadie sabe, Ivana, ¿quién puede explicar algo semejante? Ni siquiera María Florencia, que es protagonista de este asombro. Fue inevitable la charla con ella que, como las otras, transcribo respetando exactamente las mismas palabras que salen del grabador.

—La historia es impresionante, Flor... ¿Vos nunca conociste a Mirko?

—No, nunca lo vi personalmente. Dos o tres veces lo vi jugar, pero a él, así, no. Nunca lo conocí.

—Florencia, debo hacerte una pregunta muy personal pero te ruego que me entiendas... ¿A vos te gustaba mucho como chico, como varón?

—No, no, nada que ver. Era un lindo chico pero nada que ver.

—¿No sentías ninguna atracción por él?

—No, no.

—Mis disculpas por preguntarte estas cosas, Flor, pero puede ocurrir que, a veces, alguien magnifica mucho a una persona que ni siquiera conoce y piensa mucho en ella, se obsesiona.

—No, nada que ver.

—¿Y por qué creés que te toca vivir todo esto justo a vos?

—Yo a veces me pregunto lo mismo y no tengo la respuesta de eso. No me lo explico. Tampoco cuando leí las cartas...

—Contame cómo es lo de las cartas. Para tener una idea, contame qué hacías, dónde estabas y cómo fue con la primera carta.

—Fue el 20 de agosto, después de que el nombre había aparecido en un montón de lugares. Yo estaba en mi habitación, estaba estudiando y me ponía a copiar unas cosas en la carpeta. Iba a empezar y, bueno, cuando me descuidé, estaba haciendo otra cosa. Yo sabía qué estaba escribiendo pero no sabía qué era lo que escribía, realmente. Cuando terminé, me puse a leer y, en realidad, no comprendía. Arranqué la hoja, se la di a mi mamá, que tampoco comprendía hasta que nos dimos cuenta que eso era un mensaje...

Leí los mensajes, pero he tomado la decisión de no publicarlos salvo un párrafo que enseguida leerán. Los textos son personales y sé que ustedes los respetarían tal como yo lo hago. Así debe ser. Basta con saber que allí aparece la frase "No tengan miedo"; la repetición que asegura "Todavía estoy por aquí" y un arrepentimiento que queda expresado en las únicas líneas que reproduzco ahora de manera literal:

"La vida es lo mejor que nos puede pasar. Es bella y hay que vivirla porque como ella no hay otra, sólo en la eternidad. No sé por qué hice lo que hice. Traté de librarme de todos los problemas y lo que me hacía mal, pero no pensé que de alguna manera se podían solucionar".

También esos textos repiten que su autor siente un gran cariño por María Florencia y que tiene la certeza de ser comprendido por ella. Llama la atención que reitera que aún está "por aquí" dando a entender, también, que lo hará por un tiempo hasta que se le permita partir del todo. Existen viejas leyendas que dicen que las almas de aquellos que se quitan la vida deambulan por un tiempo en este mundo hasta encontrar la paz que habían perdido al tomar su decisión fatal. El autor de los mensajes pareciera estar recuperando esa paz gracias a la oración de los Boffino, quienes toman esto con naturalidad y, simplemente, oran. Y esto, ya se sabe, tiene una potencia que supera lo que le pongan enfrente.

—¿Vos qué sentís, Florencia, mientras escribís esos mensajes?

—Es como un estado... de inconsciencia, una cosa así, porque yo no sé quién está alrededor, si estoy escuchando música no sé qué música escucho, es como si yo no estuviera allí.

—¿Vos sentís como si la mano te la guiara otra persona?

—Exactamente, una cosa así.

—¿Siempre estabas sola cuando te ocurría eso?

—No, en la tercera carta estaban mi mamá y mi papá. A mí me dio eso y me puse a escribir y ellos me miraban desde atrás mío pero yo no me daba cuenta de nada de eso, solamente escribía.

—Ya me dijiste que no tuviste nunca ningún tipo de contacto con Mirko, ¿tampoco con alguna persona ligada a él, un amigo, un familiar?

—No, nunca.

—¿Soñaste alguna vez con Mirko, antes de todo esto?

—Antes no. Después de su muerte sí, soñé muchas veces con él.

—¿Qué soñaste?

—Me acuerdo de un sueño en especial. Estábamos toda mi familia en la cocina, mirando televisión, y él estaba en la punta de la mesa, sentado. Mirando. Él estaba vestido con un buzo negro y un vaquero... Después, otro día, soñé que estábamos en una cancha, que él estaba sentado al lado mío, que me decía que estaba bien, que se iba a quedar a ver el partido y otras cosas que no recuerdo y después se fue...

—¿Nunca sentiste miedo a lo largo de todo este tiempo?

—Al principio me asusté un poco. Después no. Nunca tuve miedo.

—¿Y qué tuviste? ¿Qué es lo que sentís vos con todo esto?

—Ese susto del principio que se me fue enseguida. Después siento... no sé si tranquilidad... A veces pienso que no sé qué es lo que siento, realmente. Cuando apareció el nombre en el corazoncito me dolió el pecho pero después sentí como un alivio.

—¿Por qué vos, Florencia?

—No sé. No tengo ni idea.

Mary, la mamá de Flor, me contaría luego que en aquella oportunidad en que con su marido Hugo la vieron en esa suerte de trance, la observaron con mucho detenimiento haciéndose señas para no hablar pero parecía que daba igual ya que María Florencia estaba completamente abstraída, fuera del mundo cotidiano. Dice Mary que, al terminar de escribir, arrancó la hoja, hizo un relajamiento moviendo el cuello y aflojando todo el cuerpo y siguió en lo suyo como si nada hubiera pasado. Ni siquiera se había dado cuenta de lo que había escrito y mucho menos del porqué. Después de estas charlas hubo dos nuevas apariciones repentinas del nombre Mirko: una en unos pendientes de Florencia y otra en una medallita en la que se ve un delfín.

—Mary, ¿vos atribuís todo esto a algo, se te ocurre alguna idea, pensaste en alguna posibilidad?

—No. Nada. Ahora sentimos a Mirko como de la familia. Si Mirko eligió a nuestra hija y a nuestra casa es algo que escapa a nuestro entendimiento y lo único que podemos hacer es lo que haría cualquier buen cristiano: le damos amor y oración. Nada más. Nada más.

Una frase me rebota por los abundantes espacios vacíos de mi cerebro: "El hecho de que yo no pueda explicar algo no hace que sea inexplicable". Tal vez, para los más escépticos y positivistas, que rechazan hasta el análisis o la posibilidad, vale otra frase: "El hecho de que yo no pueda creer algo no lo transforma en falso".

La primera pregunta que uno debe hacerse cuando investiga un caso como éste es: "¿Qué gana quien lo está contando?". Aquí la respuesta es, sin dudas: "Nada. Absolutamente nada". Por el contrario, como la misma Mary Boffino me dijo: "En el pueblo no le contamos a nadie de todo esto porque siempre tuvimos miedo de que piensen que tendríamos que ir al psicólogo". Yo fui más lejos, fui al psiquiatra.

VAMOS MÁS A FONDO

El doctor HUGO SKARE es uno de mis amigos más queridos, un hermano de la vida, pero además es psiquiatra y neurólogo, dos especialidades que juntas van de maravilla, como la leche con el cacao. El doctor Skare es excelente en lo suyo: profesional de primer nivel, permanente invitado a congresos médicos internacionales en Alemania, Suiza, Italia y Estados Unidos, católico sobrio y con una cualidad no muy común como es la de atender a sus pacientes con alegría, mimetizándose con ellos a puro cariño de tal manera que ambos parecen compinches en la aventura de vivir y no psiquiatra sabelotodo y enfermo asustado. Siempre me asombró el tiempo que les dispensa a cada uno, mucho más que el habitual en casi todos sus colegas. Ocurre que es sabio pero humano, y tal vez el orden sea al revés. El doctor Skare no para de estudiar nuevas tendencias, descubrimientos flamantes, posibilidades ante lo imposible. Como ven, estoy orgulloso de mi amigo y recurrí a él sabiendo que, como todos los grandes, tiene mente y corazón abiertos. Vive y atiende en La Plata y en la Capital. Le conté el caso con pelos y señales. Quería tener la opinión de alguien en quien mucho confío y que conoce muy bien las travesuras que el cerebro nos juega a menudo. Como otras veces, busqué a la ciencia porque sé que es fundamental.

—Hugo, pongamos en claro que vos estás opinando sin conocer a los personajes de este caso. Lo hacés, como una deferencia que agradezco, basándote sólo en mi relato, que es lo que saben los lectores y yo mismo en este punto de la investigación. Hecha la aclaración, la pregunta es: ¿hay alguna explicación científica para todo lo que te conté?

—No, definitivamente no hay una explicación científica para esto.

—¿Cómo se lo entiende a esto desde la ciencia, entonces?

—No todo lo que ocurre puede ser entendido, vos lo sabés. La ciencia es maravillosa pero no tiene todas las respuestas.

—Es curioso, pero la fe casi no te da ninguna respuesta.

—Es que a la fe no hay que hacerle preguntas. Se la siente y chau.

—Bueno, al final vas a vapulearme justo a mí con temas religiosos y ese puede ser el comienzo de una horrible enemistad... Pero tenés razón. Lo cierto es que hay ciertas cosas sin explicación. ¿La ciencia terminó por aceptar eso?

—Por supuesto. La ciencia sí, pero algunos cientificistas o incluso médicos comunes, con vidas comunes, sienten algo así como la obligación de tener que dar un diagnóstico a todo. Algunos creen que si no lo dan, pensarán de ellos que son ineptos. Y no es así.

—La manía de diagnosticar porque piensan que si no quedan pagando. Pero eso ¿no hace que a veces se diagnostique cualquier cosa?

—Lamentablemente sí, a veces pasa. No mucho pero pasa, aquí y en cualquier lugar del mundo. Todo porque es difícil para un profesional de la medicina encontrarse con algo y decir simplemente "no sé qué es". No se trata, tampoco de abandonar al paciente, sino de derivarlo, hacer más estudios, interconsultas. Nadie es Dios. A veces hay que decir "no sé". Pero el miedo a pasar por inepto y el afán de etiquetar todo hace que el médico, a veces, se diga "tiene este síntoma y esta reacción, y bueno, en ese caso tiene tal cosa". A menudo hay síntomas que parecen indicar una enfermedad y, sin embargo, si se profundiza más en las costumbres, la vida, el entorno, la alimentación y los miedos de ese paciente, se descubre que no tenía esa enfermedad que parecía cantada sino otra que puede ser mucho más fácil de curar.

—En este caso, uno de esos médicos tendría un diagnóstico rápido.

—Es posible. Podrían decir que la chica Florencia sufre de histeria o de algún trastorno de personalidad esquizoide, pero con lo que vos me contás, no hay absolutamente nada de eso. Es una chica por completo normal, sin antecedentes, con buena socialización y apego a su familia, con cosas que le gustan, ¿no es cierto?

—Definitivamente cierto.

—Y lo que también saca a este caso de las etiquetas fáciles es que la chica y los Saric jamás se habían conocido pero, sin embargo, la mamá de Mirko Saric dice que ésa es la letra de su hijo y una grafóloga termina por confirmarlo.

Chau, ¿qué diagnóstico das en este caso? Creo que es una de esas veces en que, sanamente, hay que decir "no sé".

—No hay respuesta.

—Tal como me planteaste todo, no existe ninguna explicación desde el punto de vista psiquiátrico. Es inexplicable desde lo científico, médico y psiquiátrico.

—La psiquiatría en general ¿admite lo sobrenatural? ¿O lo soporta, al menos, como algo posible? Hay que poner en claro que "sobrenatural" no es una mala palabra. El Papa Juan Pablo II dijo en un sínodo de obispos en Roma, hace diez años, una frase que casi se transformó en mi lema: "Negar lo sobrenatural es negar la existencia misma de la Iglesia, del Cristianismo y de la mayoría de las religiones"... Por supuesto que la fe no sólo acepta sino que avala lo sobrenatural, lo que va más allá de lo natural y no puede explicarse. ¿Y la psiquiatría, la ciencia?

—La psiquiatría no niega ni avala lo sobrenatural. Eso, más que pertenecer a una disciplina médica, forma parte de lo que siente cada profesional. Es como la fe misma: la psiquiatría como tal no la respalda explícitamente ni la defenestra de manera alguna. Cada psiquiatra la siente o no, libremente. Es algo personal.

—Entonces, ¿la psiquiatría no niega lo sobrenatural?

—No. No lo niega en absoluto.

—¿Eso significa que algunos psiquiatras estudian lo sobrenatural?

—Sí, claro, aquí y en todo el mundo. No necesitan permiso de nadie para hacerlo de la misma manera que vos tampoco lo necesitás, ¿no?

—Es cierto. En lo tuyo, incluso, hubo personajes como Carl Jung, quien no sólo no negaba lo sobrenatural sino que lo tomaba como propio y lo incorporaba a la psiquiatría. Para él había como un mundo que se nos iba de las manos, que no podíamos explicar pero que tenía gran influencia en nuestras vidas.

—Sí. Jung, con sus teorías, modificó de una manera notable las estructuras de la psiquiatría moderna. Pero mirá, más allá de todo esto, yo soy católico y elijo, sin dudas, basarme en lo que me dijiste recién sobre Juan Pablo II: si uno niega lo sobrenatural está negando a prácticamente todas las religiones del mundo que, sin eso, perderían una gran parte de su fuerza, su tradición, su historia y hasta su sentido.

—¿El caso Mirko podría ser un hecho sobrenatural, entonces?

—No puedo saberlo, pero a juzgar por lo que vos me contaste, podría serlo, perfectamente. Con los hechos a la vista, esa manía de querer encasillar todo, de querer ponerle etiqueta con nombre de enfermedad, aquí no tiene más remedio que frenarse. Tenemos que acostumbrarnos a admitir que hay cosas que no sabemos y, si es así, decirlo. Por lo que te escuché hasta ahora, éste es uno de esos casos.

—Hugo, vos sos un hombre de fe y sos un científico. Y las dos cosas las sentís de manera ferviente. Noto, hace ya un tiempo, que existe, en general, un acercamiento entre la fe y la ciencia. Me parece excelente. No tienen por qué ponerlas en veredas opuestas.

—Nunca jamás. Nunca jamás y creer todo, nunca decir no a nada.

—¿Todo es posible?

—Todo es posible.

El 2 de abril de 2001 faltaban solo dos días para cumplirse el primer aniversario de la muerte de Mirko Saric. Ese día les tocó a los Boffino que la imagen peregrina de la Virgen de Fátima fuera dejada en su casa por veinticuatro horas.

Hablé con el padre de Florencia el día 3.

HUGO BOFFINO tiene 51 años, es agricultor y sus convicciones son bien fuertes en muchos aspectos, incluyendo los hechos que leyeron.

—Yo no sé por qué este muchacho eligió a Florencia, pero lo que importa es que todo esto le sirva a alguien para algo.

—Vos creés en que hay otra vida después de esta.

—No tengo ni la menor duda. La religión lo dice claramente. Además, la vida no tendría sentido si fuera solamente un paso por este mundo y después se acaba todo...

—Lo que es difícil explicar es todo lo que les pasa a ustedes, lo de Mirko, digo.

—Y claro que es difícil, pero nos pasa. Lo que nosotros quisiéramos ahora es que este muchacho encuentre por fin su camino y pueda descansar en paz, con el perdón y la bendición de Dios.

—Al fin de todo esto sólo surgen dos palabras: "No sé".

—No, yo no digo eso de ninguna manera. Yo sé. Yo sé porque lo vivo.

—Hugo... Todo esto ¿los acercó más o los separó algo de la religión?

—Nos acercó muchísimo más a la religión. La fe se te fortalece con las señales, con los milagros. Ayer, que tuvimos a la imagen peregrina de la Virgen de Fátima en casa, la honramos con todo nuestro amor, cada uno le pidió lo suyo y todos le pedimos que ayudara al alma de este muchacho a encontrar el camino. Hacemos lo que hay que hacer.

TODOS JUNTOS, AHORA

Cerremos los ojos, abramos las mentes y aceptemos que los hechos ocurrieron y ocurren (porque continúan) exactamente como me han sido relatados: todo este caso está repleto de señales pero también de interrogantes. ¿Tal vez sucede, como asegura la vieja leyenda, que el alma de quien decide terminar con su vida sigue un tiempo en el mundo tratando de recuperar la paz perdida? Se me ocurre que se parece en algo a esas ocasiones en que intentamos recordar un sueño que se esfumó al despertar y buscamos retazos para armarlo como un rompecabezas, pedacitos de sensaciones que queremos juntar prolijamente para volver a sentir lo que sentíamos mientras el sueño duró y, entonces, poder analizarlo. A veces lo logramos.

Quizá todo sea más simple. ¿Se acuerdan de la piadosa anécdota de Santa Teresa? Un joven se había suicidado lanzándose a las aguas desde un puente del pueblo de Ávila. Al día siguiente, Teresa se inclinó sobre la baranda, cerró sus ojos y oró por él. Un hombre del lugar pasó por allí y, al verla, le recriminó su actitud en uno de esos gestos en que salen a la luz los que son más papistas que el Papa: "Teresa, ¿cómo es posible que estés rezando por el alma de alguien que ofendió a Dios quitándose la vida?". Teresa, santa pero con ese carácter tan fuerte que debía ser contenido por ella a cada instante, le clavó los ojos y sólo respondió: "Desde el puente hasta el río hay un trecho muy, muy largo, en el cual puede caber el arrepentimiento". Punto. Quien quiere oír que oiga. Eso es piedad en serio, caridad auténtica, esperanza de verdad. Por eso digo que quizá sea todo más simple que cualquiera de nuestras conjeturas. Si me permiten volar un poco a la altura de los sueños más deseados, me atrevería a imaginar que Dios le dio un permiso al alma de Mirko para que en primer lugar estableciera su presencia entre personas que no sólo no se asustan sino que lo aceptan como si fuera de la familia, buena gente con fuertes convicciones religiosas. Hecho esto dejaría con ellos sus mensajes, en especial el del arrepentimiento, tal como queda claro en el fragmento reproducido aquí mismo y en otros, como por ejemplo: "Lo que hice no sé por qué lo hice, sólo para acabar con lo que tenía adentro y me lastimaba" y otro en el que no caben dudas de que admite que su elección fue pésima, diciendo: "Pensé que lo que estaba haciendo me iba a librar de todo aquello que me estaba haciendo mal. Pero no fue así". Por último anuncia más de una vez que luego irá a un lugar donde realmente todo será paz y donde será reconfortado.

Todo esto es una mezcla, como ven. Hechos como el suicidio, que la Iglesia hace rato que pasó de condenarlo severamente a, por lo menos, considerarlo piadosamente sin negarle a la persona la liturgia de la despedida de este mundo. Lo del alma errante que no encaja en la doctrina católica pero que pocos se atreverían a negar con pruebas que fueran contundentes. Y lo definitivamente cristiano: el arrepentimiento que le abre las puertas del Cielo, el mensaje para todos donde establece sin dudas que ésa no fue en absoluto una solución, la esperanza de ser perdonado por el Creador, la certeza de ir a un lugar donde todo será paz y será reconfortado.

La llamada new age lo explicaría fácilmente, con un par de sus argumentos carentes de historia e inteligencia. Pero la new age no es seria, además de ser peligrosa, y yo estoy tan cerca de ella como lo estoy de un plomero que en este mismo instante arregla una canilla en los suburbios de Tokio. Por eso todo esto es difícil y surge el sano consejo del psiquiatra Skare, decir "no sé" ante lo inexplicable. Por eso, también, elijo terminar el caso con las mismas palabras con las que lo empecé.

Medité mucho antes de poner sobre papel esta historia. Dudé mucho. Finalmente decidí publicar todos los datos a mi alcance porque pensé que sería arrogante juzgar yo en nombre de todos. Por eso y con esto en claro, allá fuimos. Y juzguemos juntos.

¡ATENCIÓN!

El texto que acaban de leer fue terminado en la primera semana de abril de 2001. Hoy es 10 de junio del mismo año y ocurrieron dos cosas que tienen que ver con todo lo anterior e, incluso, casi puede decirse que le dan un final que yo no encontraba. Un final impresionante donde hay señales, fechas y hechos de la realidad tan increíbles que ninguna ficción podría empatarlos.

Hace apenas minutos llamé a Mary Boffino a su pueblo santafesino porque es mi costumbre confirmar que nada haya cambiado en un caso antes de cerrar un capítulo. Obsesión, le dicen. Y a menudo sirve, como esta vez. Mary Boffino me dijo que Florencia, su hija, recibió un último mensaje el día 15 de abril. Era el día de Pascua de Resurrección, les recuerdo. Ese mensaje tenía todas las características de los anteriores pero un texto muy diferente. En su parte esencial, dice:

> "Ya estoy, por fin, en este lugar maravilloso. En este lugar donde hay paz, amor, felicidad. Todo es belleza. Ahora estoy mejor. No más sufrimientos, no más llantos, no más temores. No hay nada malo, sino amor".

Luego agradece a Florencia, a quien califica como "alguien especial" y que por eso la eligió para que lo ayudara. Dice: "La vida vale mucho, hay que disfrutarla", lo que es muy significativo en su caso, agregando que lo que queda luego es la eternidad.

Sigo sin tener comentarios para hacer, salvo la similitud del texto con otros que yo he publicado en libritos anteriores y en los cuales quienes partieron (todos muy jóvenes) cuentan por ese mismo medio de locución interior que el lugar donde están es inigualable.

Y otra cosa ocurrió exactamente ayer, domingo 9 de junio de 2001. El club al que pertenecía Mirko, San Lorenzo, se consagró campeón después de nueve años de no lograr el título. Mirko hubiera cumplido 22 años tres días antes, el 6 de junio. Los muchachos del equipo, varios de ellos llorando, rescataron un momento a la euforia para recordarlo con un homenaje bien futbolero y cariñoso. Se agruparon y entonaron, saltando, el grito a su memoria, un canto emocionante que lo sería aún más si ellos hubieran conocido esta historia: "Se siente, se siente, Mirko está presente".

Tal vez estuvieron más cerca de la verdad que lo que jamás imaginaron.

Pero insisto: juzguemos juntos. Esto es mucho para mí solito.

26

Llora la Virgen

Una de las señales más dolorosas que nos deja la Virgen es la de su propio llanto. En incontable cantidad de ocasiones se han visto imágenes de Nuestra Señora derramando lágrimas —de agua, de sangre— en un acto conmovedor de por sí y aún más si uno intenta encontrar respuesta a ese llanto. En los últimos diez años es incontable la cantidad de imágenes de la Virgen que lloran en diferentes sitios de la geografía mundial, incluyendo a nuestro país. Hace mucho le pregunté a mi querido amigo monseñor Roque Puyelli, tan enamorado de la Virgen como para ser fundador de la Asociación Mariológica Argentina, el porqué de esas lágrimas. Me dijo que no tenía nada de extraño, que cualquier madre llora cuando sus hijos van por caminos equivocados y que Ella, Nuestra Madre, lo hace al advertir que la mayoría de nosotros va por esos caminos. Llora de pena, llora de puro amor. Hoy siento un nudo en la garganta porque desde aquella respuesta de mi querido Puyelli (¿siete, ocho años atrás?) las cosas no han cambiado demasiado y demasiados hombres hacen demasiadas atrocidades. Por eso llora María.

MILAGROSA MEDJUGORJE

Hace hoy 20 años, el 24 de junio de 1981, la Virgen se apareció por primera vez a cinco adolescentes y un chico de diez años en el pequeño pueblo de Medjugorje que, por entonces, pertenecía a Yugoslavia. A pesar de la tenaz oposición de las autoridades comunistas, el lugar se vistió de gente que llegaba desde lugares muy lejanos para honrar a Nuestra Señora. Desde entonces hasta hoy es impresionante la cantidad de personas que han visitado el sitio y los hechos milagrosos que se produjeron allí o en cualquier lugar del mundo donde se haya pedido algo con verdadera fe a la Madonna de esta advocación. Ella misma, en uno de sus mensajes, se autotituló como Reina de la Paz. Si bien en mi amado librito *La Virgen* ya hablo de Medjugorje, aquí es necesario destacar especialmente algunas señales y algunos milagros. Tiempo después de aquella primera aparición de 1981, muchísimos testigos pudieron leer en el cielo de Medjugorje un mensaje de la Virgen que era todo un alerta y que se resumía en una sola palabra en croata: MIR. En enormes caracteres esas tres letras aparecieron de pronto en blanco, contrastando con el brillante celeste de ese día. MIR. Que en croata significa PAZ. Ése era y sigue siendo el punto capital de los mensajes de la Mamita en Medjugorje. Advirtió en aquellos tiempos sobre un futuro muy negro si no se luchaba por la paz y, lamentablemente, no fue escuchada. Ya fuera de la órbita soviética, en esa zona de Bosnia se desataría luego una guerra que puede figurar en los anales de la historia como una de las más crueles y sangrientas. Fue una lucha de casa a casa, ya que los motivos eran tanto políticos y territoriales como raciales y religiosos. Una guerra donde no se tomaban prisioneros.

En ese tremendo clima ocurrían milagros que asombraron al mundo: el templo donde se rinde homenaje a la Reina de la Paz, entronizada allí donde recibe a miles de peregrinos, no fue rozado siquiera por una sola bala. Los serbios amenazaron en muchas oportunidades con destruirlo hasta que sólo quedara tierra rasa, lo cual no era tan difícil debido a que la iglesia se encuentra en un sitio muy visible y expuesto. Muchas poblaciones fueron transformadas en escombros sin piedad pero Medjugorje, blanco predilecto para el enemigo, se mantuvo en pie. Y no precisamente porque tuvieran misericordia por el lugar, todo lo contrario. En una ocasión tres bombas fueron arrojadas allí y las tres cayeron en un terreno fangoso, sin que ninguna de ellas llegara a explotar. Luego, el 8 de mayo de 1992, se lanzaron seis misiles cuyo objetivo era destruir esa iglesia y desmoralizar así a los croatas de todo el territorio. A pesar de la precisión de estos engendros bélicos, los seis cayeron a unos 400 metros, en un terreno abandonado, dejando como todo saldo mortal la pérdida de una vaca, una gallina y un perro.

En aquella pequeña localidad se han vivido, desde 1981, una sucesión de hechos a los que se puede calificar de milagrosos o —al menos— por completo inexplicables. Muchos testigos vieron que la cruz montada en la cima de la colina donde comenzaron las apariciones marianas se esfumaba ante la vista de todos para dar lugar a la luminosa silueta de la Virgen con los brazos abiertos en un gesto de amor. También, el 23 de septiembre de 1985, una imagen del Jesús Misericordioso lloró sangre y mostró en una de las mejillas del Señor la marca de unos dedos como si le hubiera sido aplicada una bofetada. Cuando ya estaba avanzada la guerra —que comenzó en 1992— un hombre ciertamente piadoso de Medjugorje tenía en su casa unos pocos kilos de papas como todo alimento. Pero comenzaron a llegar los refugiados desesperados por la hambruna y a pedirle que las compartiera con ellos. El hombre, sabiendo que él mismo y su familia se quedarían sin alimentos, accedió igualmente al pedido. Y allí ocurrió lo inexplicable: en la medida que aquel campesino iba dándoles papas a los que huían de la guerra, éstas se iban multiplicando. Cuantas más papas daba, más iban apareciendo de manera increíble y de esta forma pudo dar comida a muchísima gente. Nadie se atrevía siquiera a mirar en el fondo de la bolsa, pero todos elevaban sus ojos al cielo porque, en realidad, tenían muy en claro a Quién debían agradecer. Amigos míos que estuvieron con él en Medjugorje me contaron que el humilde y piadoso campesino llora cada vez que relata esta historia. Y que recuerda, como fin del relato, las palabras de uno de los mensajes de Gospa Moja ("Gran Señora", como la llaman a la Virgen los croatas del lugar): "Con el amor, queridos hijos, haréis lo que parece imposible".

Esta presentación a grandes trazos se debe a que lo que sigue tuvo como figura central a una imagen de la Virgen de Medjugorje.

LA VIRGEN LLORA

El padre Pablo Martín Castellán fue uno de los veinticinco millones de peregrinos que se llegó a Medjugorje para dar o pedir, para dar y pedir. De vuelta a su pueblo en Italia, Civitavecchia, llevó con él una pequeña imagen de la Reina de la Paz. Civitavecchia queda a unos 120 kilómetros de Roma y su población es de alrededor de 60.000 habitantes. El padre Pablo se encontró con que una familia amiga de él, los Gregori, estaba pasando por un mal momento, esas cosas que pasan, pequeñas cruces. Por eso el curita decidió dejarles por un tiempo la imagen que traía desde Bosnia. A fines de febrero de 1995 la imagen lloró sangre. La conmoción fue grande y el hogar de los Gregori se transformó en una suerte de impensado santuario al que acudían cientos de personas por día. La señal del llanto de la Virgen, un signo tan doloroso, suele movilizar rincones ocultos del alma. Unos creen que así será más milagrosa y acuden a pedir lo que sea, otros comprenden el porqué del dolor —nosotros mismos— y dan la sensación de ir a consolarla y pedirle disculpas. Luego están los investigadores, los miembros de la Iglesia que suelen ir sin su vestimenta sagrada y disimulando para tratar de averiguar qué es eso, periodistas, policías y los inevitables curiosos. El Vaticano advirtió que aquello crecía y tomó cartas en el asunto. Dos médicos de inobjetable seriedad fueron designados oficialmente para estudiar el caso y realizar un informe. Ellos eran en verdad indiscutibles en sus opiniones: el doctor Ángelo Fiori, del policlínico Gemelli, y su colega Giancarlo Umani Ronchi, de la Universidad de Medicina de Roma. Ambos se tomaron su tiempo y concidieron en el informe elevado a las autoridades vaticanas: sin ningún lugar a dudas se trataba de sangre humana y no podían dar ninguna explicación científica al hecho.

El Vaticano, sin embargo, siguió manteniendo su tradicional prudencia y no se expidió al respecto de manera alguna. Simplemente se devolvió la imagen, poniéndola en manos —para mayor seguridad— del obispo del lugar, monseñor Girolamo Grillo. Casi de inmediato ocurrió lo que nadie podía haber imaginado: la Virgen de aquella estatuilla lloró sangre nuevamente, esta vez mientras el obispo la tenía en sus manos. Monseñor Grillo, a pesar de su alta jerarquía eclesiástica, se topó con la pared vaticana en lo que hace a la famosa prudencia. Pero se lanzó a la lucha enardecida por el reconocimiento del fenómeno ya que él mismo fue testigo de lo sucedido. Aún se investiga.

Hacía apenas poco más de un año, el 22 de abril de 1994, una Virgen pintada en madera en la iglesia católica ortodoxa de San Jorge, en Cicero, Illinois, Estados Unidos de Norteamérica, también conmovió a los sacerdotes y a los fieles al llorar lágrimas de sangre en presencia de muchos de ellos. Desde entonces ese lugar fue —y lo es, hasta hoy— un sitio de peregrinaje, un santuario espontáneo como lo llamo yo porque no sé cómo llamarlo, ya que el Vaticano no opina oficialmente respecto de estos hechos a los que se denominan como "revelaciones privadas" y mucho menos va a darle el título de santuario oficial al lugar donde ocurrió todo. La Iglesia aconseja mucha prudencia a sus fieles ante casos que no tengan explicación y, aunque a veces parecen exagerar, creo que es mil veces preferible eso a avalar graciosamente algo que puede transformarse en un circo ingobernable. Una vez más que quede en claro: los milagros no son el fin de la fe, son un medio más para llegar a ella o reforzarla si es necesario. Pero es muy cierto que la famosa prudencia a veces se vuelve molesta. Al viajar a la Argentina por segunda vez, en 1987, Juan Pablo II hizo llegar un pedido al piloto del avión que lo traía al país: quiso saber si era posible pasar sobre el santuario de Nuestra Señora del Rosario de San Nicolás volando lo más bajo que se pudiera. El piloto solicitó un pequeño cambio de ruta que le fue otorgado desde tierra y cumplió con el pedido del Papa que, pegado a la ventanilla, miraba hacia abajo musitando un susurro que tal vez fuera una oración. El Papa, dije. Y, sin embargo, catorce años después de aquella anécdota que me llegó por medios insospechables pero inobjetables, el Vaticano no oficializó ni avala las apariciones de la Virgen en ese lugar. Por supuesto tampoco las condena ni mucho menos. Deja en libertad a los fieles para que actúen de acuerdo con lo que crean conveniente. En cada aniversario hay en San Nicolás unas 300.000 almas que llegan bañadas en esperanza y fe, pero sólo porque ellos mismos optaron por eso, incluyendo a una enorme cantidad de sacerdotes y a un puñado de obispos. Pero nada oficial. Lo mismo ocurre en Medjugorje o en Garabandal o en Japón o con la Rosa Mística o tantas otras advocaciones. En el pasado siglo veinte (suena raro nombrarlo así, ¿no?) hubo una cantidad de apariciones de la Virgen mucho mayor que sumando las que se dieron en los diecinueve siglos anteriores. Si eso no es una señal, yo soy Cleopatra y esta noche me pasa a buscar Julio César para ir al cine. Lo más cercano a un reconocimiento oficial de la Iglesia es algo que debería escribir en letras de molde gigantescas y en tridimensional, teniendo en cuenta que viene de una de las mentes más lúcidas del Vaticano y un hombre francamente muy reacio a aceptar lo que no es concreto. Me refiero a la máxima autoridad de la Congregación Para la Doctrina de la Fe (el antiguo Santo Oficio), el severo Cardenal Joseph Ratzinger, quien escribió en el informe que lleva su apellido: "Una de las señales de nuestros tiempos es el anuncio de la multiplicación de 'Apariciones Marianas' en todo el mundo".

El 30 de noviembre de 1992, un diario chileno de reconocida seriedad, *El Mercurio*, publicó una extensa y detallada investigación que fue llevada a cabo por pedido del arzobispo de Santiago, monseñor Carlos Oviedo Cavada. El prelado había solicitado a un equipo muy serio en cada una de sus especialidades, que diera su opinión sobre la imagen de una Virgen que había llorado lágrimas de sangre. Dijo al periódico algo breve y bien claro, como hombre de fe: "Hay que hacerlo porque esto podría ser, efectivamente, una señal de la Santísima Madre".

El Servicio Médico Legal de Chile determinó, sin posibilidad de dudas, que se trataba de sangre humana. El caso continúa bajo investigación. Ocurrió en el hogar de Gonzalo Núñez y Ana Delso, en la localidad de La Cisterna. La imagen tiene 25 centímetros de alto y es de yeso.

En 1994 se dio el caso de una Virgen pintada al óleo que lloró sangre en el lugar donde aún se conserva, una modesta iglesia del barrio de Brooklin, en Nueva York. Lo hizo ante muchos testigos. Se investiga.

Desde el 13 de febrero de 1990 y cada día 13 del mes, una estatuilla de la Virgen que tiene 70 centímetros de alto llora de manera abundante ante cientos de testigos, aunque esta vez no es sangre. Ocurre en la iglesia San Sebastián, en Louveira. Acudieron muchas personas, como siempre ocurre, incluyendo a varios científicos. Uno de ellos, el doctor Nelson Massini, profesor de medicina forense de la Universidad de Campinhas, quien analizó el líquido y declaró luego que no se trataba de agua común sino, sin ningún lugar a dudas, de lágrimas humanas. Y agregó que, de acuerdo con sus estudios sobre la imagen, no existía ninguna probabilidad de fraude. Su colega, el profesor de patología Fortunato Badán, de la misma universidad, participó en los estudios y luego dijo a la prensa, textualmente: "No podemos encontrar otra explicación que la sobrenatural".

En la Argentina, el fenómeno se repitió en muchas ocasiones. Una de las más recordadas es, sin dudas, aquella en que una Virgen peregrina —es decir la que va pasando de casa en casa— lloró varias veces en el hogar de la familia Santamaría, en Rosario, provincia de Santa Fe. Hasta eso parece una señal o, al menos, una curiosa coincidencia: ciudad, Rosario; provincia, Santa Fe; familia, Santamaría. Enterado de este episodio, un sacerdote italiano que recibe locuciones de María desde hace años, el padre Stefano Gobbi, viajó especialmente desde Italia y, al estar orando frente a la imagen peregrina, levantó de pronto los ojos y confirmó con voz temblorosa por la emoción lo que estaba viendo: "¡La Madonna piange!", la Virgen llora. De inmediato tomó una de las lágrimas con el pétalo de una rosa, símbolo clásico de María. Al día siguiente había quedado manchada por la salinidad del líquido. Una vez más se confirmó que se trataba de lágrimas humanas.

El 1° de agosto de 1984, en la casa de Francisco Gómez y su esposa Nélida Ríos, en Villa Constitución, provincia de Santa Fe, otra estatuilla de la Virgen dejó caer lágrimas de sus ojos. Hubo una gran conmoción. El párroco del lugar, padre Ramón Carrizo, declararía: "Yo la vi llorar, yo mismo soy testigo. No tengo autoridad para decir si es un fenómeno sobrenatural, pero el milagro es que la gente ha vuelto a Dios". Perfecto lo del padre Carrizo. Casi explicó en una frase y sin proponérselo una de las funciones fundamentales del milagro.

El 12 de diciembre de 1991 el laico Ricardo Pereda, el sacerdote Mario Serafini y el médico Ricardo Vitale rezaban frente a una imagen de la Virgen en la capilla San José Obrero, de Neuquén. Se estremecieron cuando de los ojos de la estatuilla comenzó a brotar un líquido rojo. Los tres hombres, incluyendo al de ciencia, no estaban influenciados por ninguna situación personal y, además, fueron testigos simultáneamente del fenómeno. Se dio aviso a las autoridades eclesiásticas y se hicieron todos los estudios de rigor que confirmaron, otra vez, que se trataba de sangre humana.

En febrero de 1995, un chico llamado Benjamín pasaba con su bicicleta por una vereda de la calle Bolívar, en Munro, provincia de Buenos Aires. De pronto miró hacia una de las casas y se asustó mucho al ver una imagen de la Virgen que lloraba sangre. Varios adultos fueron con él los primeros testigos. Muy poco después, Walter Cancino se encontraba ejerciendo su labor de custodia en esa cuadra de Munro. Eran las cuatro y media de la madrugada cuando se detuvo extrañado ante el frente de una de las casas. Era la que compartían las familias Bacardi y Moschiar. En ese frente estaba, siempre iluminada, la Virgen de Luján entronizada que había visto Benjamín. Cancino se detuvo porque la imagen lloraba sangre. Solito en medio de la noche cerrada, se conmovió tanto que retrocedió, se plantó en medio de la calle y detuvo con señas a un taxi. Les explicó al conductor y a su pasajero lo que ocurría y les pidió que bajaran del auto para comprobarlo. Lo hicieron y en ese momento ya eran tres los testigos de aquella situación inexplicable. Poco después se les unieron los dueños de casa y, todos juntos, se arrodillaron y rezaron frente a la estatuilla de la Santísima Madre.

Jorge Spinosa, un querido amigo con el que nos conocimos a raíz de este episodio, es un maravilloso personaje de poco más de cincuenta, padre de cinco hijas, taxista, casado con la dulce Soledad, ex evangélico que se enamoró de

Nuestra Señora y trabaja para Ella desde hace años de una manera suavemente estremecedora. Todos los que lo conocemos y queremos, que son emociones casi simultáneas, lo llamamos desde hace mucho "el gordo de la Virgen", como la mejor forma de identificarlo sin que queden dudas. El gordo fue especialmente a aquella casa de Munro, varias veces y siempre con Soledad, su esposa. Hasta que presenció la maravilla. Hace unos años me lo contó así, textual:

—Cuando nos enteramos admito que estábamos medio escépticos porque hay que tener mucho cuidado con estas cosas, pero igual fuimos. Al llegar no vimos ni rastros de sangre y ahí nos dijeron que un testigo de Jehová había borrado todo con un trapo. Yo le dije a Sole: "Mirá, vamos a volver mañana porque tengo el presentimiento de que esta madrugada va a llorar de una forma tremenda". Dicho y hecho. No sé por qué lo presentí, pero era como estar seguro. Fuimos a la madrugada y era... hasta abajo de todo unas manchas de sangre fresca que eran impresionantes. Ese día no la vimos llorar pero vimos las marcas, unas manchas que me transmitieron todo Su dolor y por dos días yo estaba... triste, muy triste, mal, y me preguntaba por qué ese dolor y ese llanto ¿no?... Después seguimos yendo, hasta tres veces por día, a consolarla, a rezarle, a estar al lado de ella, ¿no?... Y un día fuimos, con Soledad, cuando ya no iba tanta gente. Estaba lloviznando. Había nada más que un diariero, que apoyó en la pared una bicicleta con un carrito con ropa de trabajo, rezándole solito. Estuvimos atrás de él, el señor se fue y seguimos rezándole nosotros, rogando también por esa alma, por ese hombre, por los pedidos que debe haber estado haciéndole, ¿no es cierto? La imagen tenía unos surcos ocre, de la sangre seca. Esos surcos se empiezan a enrojecer, se ponen más brillantes a medida que las gotas de sangre iban saliendo de los ojos y cayendo. Y Sole me miraba de reojo y yo la miraba a ella de reojo. Ninguno de los dos se animaba a decirle lo que veíamos al otro, hasta que al final nos apretamos la mano y: "¿Vos estás viendo lo que yo estoy viendo, Sole?". "Sí —me dice—, yo también lo estoy viendo"... Bueno... ahí rezamos, nos quedamos un rato largo acompañándola, pero te digo que no fue ni un asombro ni una cosa de saltar ni nada sino una paz, una especie de paz y tristeza que nos agarró a los dos y que era tremendo... Así como eso el aroma a rosas, que también sentimos en el auto, cuando volvíamos a casa y durante todo el viaje. Esa fue la única vez que la vimos realmente derramar lágrimas.

Spinosa querido, gordo de la Virgen, debe ser corpulento para meter en algún lado todo ese caudal de amor y ternura que lleva a todas partes. Si suben a su taxi y son de otra religión, entréguense. Al terminar el viaje estarán convertidos porque Jorge les va a disparar a quemarropa y, les advierto: donde pone el ojo pone la Virgen.

Mi amigo Spinosa es tan bueno y calmo que asusta. En aquel momento le pregunté si tenía alguna interpretación personal de este fenómeno del llanto de la Mamita. Cuando me la dijo yo aún no había leído la de los más serios religiosos. Hoy sé que coinciden de manera casi exacta. Esto me dijo Jorge:

—Mirá... Yo pienso que la Virgen derrama sangre de Su Hijo Jesús, las lágrimas de sangre son de Su Hijo... Una, es por la gran apostasía que hay en la Iglesia, ¿no es cierto?, que en todos los mensajes de la Virgen aparece esa apostasía... Otra es por los grandes crímenes que están ocurriendo en la humanidad, por la gran cantidad de abortos, de vidas que se truncan antes de nacer y, sobre todo, por la falta de amor que tenemos los unos con los otros. Queremos sobresalir siempre, tratar de abalanzarnos sobre el otro, pisarle la cabeza para llegar primeros y no nos damos cuenta de que eso nos conduce nada más que a nuestra perdición. Porque si vivimos como cristianos realmente y creemos que hay una vida después de esto, una vida eterna y una vida hermosa, actuaríamos de otra forma.

LOS APÓSTATAS

Aparece mucho la mención a estos personajes cuando se dan los motivos del llanto de la Virgen o cuando se habla de una clara señal de estos tiempos que nos tocan vivir. Aclaremos: un apóstata es lo peor que le puede ocurrir a la Iglesia Católica. Un hereje es el que discute uno o dos dogmas o ciertos puntos de la doctrina religiosa. Pero un apóstata es el que tiró todo por la borda, el que estando bautizado abomina de lo que fue hasta entonces y, sobre todo, del catolicismo como religión. Es decir que no se trata de una persona que cambió de creencias sino alguien que escupe con sus palabras o sus acciones lo realmente sagrado de lo católico. Es muchísimo más doloroso que un converso a otra religión y mucho más que, incluso, un ateo. Es un traidor. Y, como la mayoría de los traidores, se queda dentro para hacer más daño.

En los últimos cincuenta años se habla con insistencia en ciertos grupos del catolicismo de la peor de las apostasías, la apostasía por naturaleza, la de los sacerdotes en cualquiera de sus jerarquías.

El Papa Paulo VI, en 1977, dijo algo escalofriante:

> "En este momento hay una gran turbación en el mundo y en la Iglesia y lo que está en juego es la fe. Me sucede que me repito la frase oscura de Jesús en el Evangelio de San Lucas: 'Cuando el Hijo del Hombre venga, ¿encontrará fe en la tierra?'".

Eso se lo estaba repreguntando el Papa, en 1977. Un Papa —Paulo VI— que se caracterizaba por su enorme prudencia y su recato en cada frase que hacía pública pero que, en ese momento, sentía la fiera de la desesperanza atacando sus entrañas. Y en otra ocasión había avanzado más aún con sus temores y su denuncia. Nada menos que él, el pontífice, dijo:

> "Los humos del infierno se están filtrando por las grietas de la Iglesia".

Una acusación severísima ya que era como decir que el clero era el que estaba pudriendo al sistema desde dentro mismo. Atención: hablaba, lo descuento, de una parte del clero y no de todos. Pero esa parte existe y tal vez hasta aumente.

Quizás a ustedes les pasó: estoy cansado de oír a gente, a buena gente en muchos casos, que me dicen que aman la religión católica pero que no quieren saber nada con los curas. No lo dicen tan suave. Agregan ciertos adjetivos de variado calibre. Harto estoy de escuchar una frase que ya es un clásico: "Yo creo en Dios pero no en los curas", y de decirles que es injusto que metan a todos en la misma bolsa y que es aún peor que se separen de una religión tan bella como ésta sólo porque algunos de sus integrantes son basura. Pero cuesta. Si a ustedes les pasó o les pasa, saben que cuesta.

Sin embargo, hay curas heroicos en todas las jerarquías, curas que están peleando por la gente sin hacer política barata sino aferrados a la doctrina social de la Iglesia, curas que sufren, que no se entregan, que saben que la verdad en el fondo del frasco siempre será la fe, que no se olvidan que lo primero que hay que hacer es evangelizar y que el milagro existe a pesar de la educación racional que tienen.

En el otro rincón, hay curas que creen fervientemente en las apariciones, pero en las apariciones de ellos mismos por televisión. O los que hacen nada en cantidades industriales. O los que se creen superiores desde su parroquia y olvidando por completo a su patrono, el Cura de Ars, tratan a los fieles como si todos fueran de jardín de infantes. O los que ejercen sus ministerios como si fueran empleados públicos de Dios, sin pasión y sin ganas. O tantos otros a los que ustedes mismos pueden ponerles rótulo en la frente y, si eso fuera posible, escribir allí una dirección bien lejana para aprovechar y mandarlos a la mismísima...

—¡¡Bueno!!

Vos aparecés en los mejores momentos.

—Si ése de recién es de los mejores, no quiero enterarme de los peores... ¡Ay, galleguito!

¿Qué es eso?

—¿Galleguito? Es el diminutivo de gallego, alguien con orígenes en una región al norte de España y que tienen...

No me refiero a qué es un galleguito, no me tomes el pelo.

—¿Cuál?

¡Mariano! Este pelo. Todavía tengo pelo.

—En primer lugar me parece apropiado que digas "este pelo" y te refieras a él en singular, pobrecito. En segundo lugar, cuando pregunté "¿cuál?" no me dejaste terminar... ¿Cuál es tu pregunta?

Mi pregunta fue "¿Qué es eso?" refiriéndome al suspiro profundo que sentí cuando dijiste "¡Ay, galleguito!".

—*Entendí, entendí. Lo que pasa es que quiero aflojar un poco la tensión porque a mí también me duele el tema de la apostasía y lo de los malos curas. Te hago bromitas para parar la máquina. La tuya y la de los lectores.*

Es un tema peligroso, Marianito, nos pueden robar nuestra Iglesia de las manos sin que nos demos cuenta.

—*Eso no va a ocurrir nunca. Volvé a lo tuyo, la Mamita, los signos, su llanto, los hombres. Seguí, dale.*

Con fe.

—*Y con paz serena, no lo olvides.*

Otra vez sopa. Bueno, ya veremos. Vuelvo. El padre Stefano Gobbi es un sacerdote italiano que en 1972 comenzó a recibir lo que se da en llamar "locución interior". Esto significa que siente dentro de él determinados mensajes que escribe para luego hacerlos conocer. En su caso, esos mensajes eran y son de la Santísima Virgen. En una de esas charlas interiores que el padre Gobbi mantiene con Ella, le preguntó: "Queridísima Madre, ¿por qué no eliges para esto a alguien más capacitado que yo?" y, según el mismo don Stefano cuenta, la Virgen le respondió: "Hijo mío, te elegí a ti porque eres el instrumento menos apto, de manera tal que nadie podría decir que esto es obra tuya".

El padre Gobbi es, más allá de esa anécdota que suena a cálida broma, un hombre sumamente inteligente. Los mensajes que escuchó dentro suyo con la inconfundible marca de Nuestra Señora están reunidos en un libro muy famoso para el clero: "A los sacerdotes, hijos predilectos de la Santísima Virgen". Lo que más se repite en esos miles de mensajes es el tema de la apostasía y el dolor de María por los apóstatas.

De acuerdo con lo que puede consultarse en el libro del padre Gobbi, un fragmento de un mensaje del 26 de agosto de 1983 recibido en Canadá, dice:

"Crece la falta de fe y de muchos templos se eliminan las imágenes de los santos y hasta la de Vuestra Madre Celestial. La apostasía se ha difundido por todas partes en la Iglesia, que ha sido traicionada hasta por algunos de sus obispos, abandonada por muchos de sus sacerdotes, por tantos hijos suyos que han desertado de ella, y que ha sido profanada por mi Adversario".

En el mensaje del 13 de junio de 1989 la advertencia parece ser más que clara. De acuerdo con lo escrito por el padre Gobbi, la Virgen habla de los que corroen los cimientos de la Iglesia desde su mismo seno y dice:

"Obran para oscurecer la divina palabra de Dios por medio de interpretaciones naturales y racionales y, con el pretexto de volverla más comprensiva y aceptada, la vacían de todo contenido sobrenatural".

Me da miedo leer y escribir estas cosas, no sólo porque el padre Gobbi hace casi treinta años que dice recibirlas en forma de locuciones interiores directamente de María, sino porque he visto hombres del clero que se comportan como en esa advertencia. También vi apóstatas laicos, como los que comulgan a diario pero no se les mueve un pelo cuando echan empleados de sus empresas o se les mueven todos los pelos cuando tienen habituales encuentros clandestinos con sus amantes. En el Gran Bazar La Porquería, atendido por sus propios dueños que van a misa diariamente, uno puede encontrar en sus instalaciones espléndidas obras de auténtica indiferencia hacia el prójimo; grandes exponentes de hipocresía; saldos de egoísmo, vanidad, soberbia, mentira y una variada colección de los famosos sepulcros blanqueados que menciona el Nuevo Testamento, primorosamente impecables por fuera y apestosamente podridos por dentro.

Así como no hace falta ser cura para llegar a santo, tampoco hace falta serlo para llegar a apóstata.

Los mensajes publicados del padre Gobbi son, a menudo, muy dolorosos. Nuestra Señora, de acuerdo con esos textos, sufre por lo que ve. Incluso llega a explicar Ella misma en uno de ellos el porqué de su llanto. De acuerdo con lo recibido por el padre Gobbi, la Virgen dijo textualmente:

"Estoy llorando porque la Iglesia continúa por el camino de la división, de la pérdida de la verdadera fe, de la apostasía y de los errores que son cada vez más propagados y seguidos".

Muchas mentes brillantes de la Iglesia coinciden. ¿Por qué llora? El sacerdote católico alemán Gerhard Herm, experto en estos temas, da una larga explicación que puede resumirse en una de sus frases:

"María llora por la terrible situación en que se encuentran la Iglesia y el mundo. Se da hoy algo nuevo en la historia humana: una organizada enemistad contra Dios en grandes extensiones del mundo combinada con un total desprecio de la persona".

Cuando le pedí, hace rato ya, a mi amigo y hermano en Cristo monseñor Roque Puyelli que me ampliara más la explicación de por qué llora María, otra vez me deslumbró una vez más con su respuesta:

"Ante todo, las manifestaciones de la Virgen que llora se han dado en estos últimos tiempos. En algunos casos hay que tener cuidado con un posible fraude que consiste en poner en los ojos de la imagen una crema que usan los magos y que, con el calor que pueden producir las velas, por ejemplo, produce algo que es a simple vista igual que las lágrimas. Esto se detecta fácilmente y se advierte de entrada si aquellos que los muestran están lucrando con el hecho. Lo primero que hay que hacer es analizar en un laboratorio la sangre o las lágrimas. Y seguir investigando. No dudo de que, en efecto, haya muchos casos de imágenes que lloran de manera sobrenatural. ¿Por qué? Vos no tenés que olvidarte de que, cuando María estaba al pie de la Cruz, Jesús le dijo a Juan: 'Ahí tienes a tu Madre'. Juan era la representación de todos nosotros, era como decirnos a nosotros que allí estaba nuestra Madre y decirle a Ella que todos éramos sus hijos. En eso está la real explicación a lo que me preguntás. María es nuestra Madre y toda madre, cuando sus hijos sufren, llora. En los últimos cuarenta o cincuenta años la Iglesia, con todos los que formamos parte de ella, sacerdotes o laicos, ha vivido problemas hasta el punto de llevar a decir a Paulo VI, textualmente, que 'por entre las resquebrajaduras de la Iglesia se ha colado el humo del infierno'. La angustia y el llanto de María son porque Ella quiere la conversión de todos los pecadores. Ya a los pastorcitos de Fátima les dice que son muchas las almas que se condenan y, por supuesto, eso la tiene que afligir a Ella porque quiere la salvación de todos. Ve a muchos hijos que siguen por malos caminos por su propia elección, ya que nosotros somos libres de optar aun cuando elijamos lo peor, y Ella sufre. Sufre como Madre, como lo haría cualquier madre aquí, en la tierra. Y llora."

Cada una de las explicaciones que se dan al llanto de María terminan indefectiblemente en lo mismo: llora por el dolor causado por quienes Ella ama, curas y laicos; llora porque nos ve subidos a una Ferrari, corriendo a 300 kilómetros por hora rumbo a una pared y Ella grita y grita pero el ruido del motor no nos deja oírla y seguimos pegándole al acelerador mientras sonreímos como idiotas. Por eso llora. Por los inconscientes, como en el temita de la Ferrari, y por los malintencionados, como en el caso de los apóstatas. Tiene motivos sobrados para llorar, en realidad.

Ese llanto, por otra parte, es una señal muy clara. Una advertencia, un alerta, un grito más que tal vez sea el último.

También hay otro tipo de señales. Y otro tipo de gente que las recibe. Por favor, no se pierdan el testimonio que sigue. Es extraordinario.

27

Himno a la vida.
Si creen que tienen problemas es porque no conocen este relato
(Testimonio de hoy)

Sabía que iba a encontrar milagros y señales en mucha gente, pero nunca imaginé la potencia del relato que sigue. Escucharlo hizo que me avergonzara de mis crisis, mis batallas interiores que ahora parecían pequeñas y absurdas. Lo que van a leer tiene muchas señales y algunos milagros, pero el mayor de ellos ha sido que su protagonista mantuviera la fe a pesar de tantas pruebas terribles. No sé qué les puede estar pasando a ustedes, pero es posible que sientan menos pesada la carga después de este ejemplo de esperanza en medio de una pesadilla.

Las palabras de quien testimonia están respetadas, como siempre, tal como salen del grabador y sin que tenga mayor importancia lo literario porque una historia como ésta no podría ser adornada y supera de manera infinita a cualquier producto de la imaginación. Esto es la vida.

LA IMPRESIONANTE VOZ DEL FUEGO

El sol, tibio, ronronea sobre la piel cuando nos encontramos. Era uno de esos días que nos hacen sentir que la vida no está tan mal después de todo. Al sumarla a ella, besarla en la mejilla y reparar en el brillo de sus ojos, la buena sensación aumenta. La acompaña una amiga común, Lucía Agüero, un aljibe de fe que es quien nos contactó y ahora asiste a la entrevista bajo la condición de no hablar en su transcurso, algo así como un castigo medieval para Lucía. Ella vino con su amiga en la vida y en la fe, buena compañía. Sí, es cierto, la vida no está tan mal después de todo.

MÓNICA SAAVEDRA DE LÓPEZ, 41 años, casada, una hijita, trabaja en el Ministerio de Salud de la Provincia de Buenos Aires, en la ciudad de La Plata. Tiene un aspecto rozagante que la hace ver como pariente cercana de la felicidad. Nadie sospecharía que ha pasado por una situación que a más de cuatro los hubiera tirado a la lona por toda la cuenta. Pero ocurre que Mónica da catequesis, es una mujer de profunda fe. Y eso cambia todo. La familia vive en Temperley, a menos de una hora de la Capital, en una casa típica de la zona, amplia, sólida, acogedora, sobre la calle San Eduardo, a pocos metros de Pasco. Esa casa es protagonista de esta historia, pero cuando nos reunimos para esta entrevista yo aún no lo sabía.

—Contame cómo arranca todo.

—¿Vos decís el accidente o el aviso del accidente?

—Y, el aviso. No olvides que aún no sé nada, no sé cómo fue el accidente y ni siquiera sabía que hubo un aviso.

—Bueno. Mi mamá vive con nosotros y ella reza el rosario en su habitación todos los días. Una semana antes del accidente estaba rezando y en la pared se formó un rostro... bueno, en el medio del rosario ella siempre tiene manifestaciones...

—Ah, ¿no era la primera vez?

—Nooo...

—¿Qué tipo de manifestaciones?

—Y... luces, música, olor a rosas... Ella es de rosario diario y, tan para adentro, que lo tiene que rezar sola, ella lo quiere así, ¿no?

—Es su decisión y no está mal. ¿Cómo fue lo del rostro?

—Un rostro en la pared, una semana antes del accidente, ella vio eso. Un rostro de nube, decía ella. Un rostro.

—Etéreo.

—Claro, pero no una cara que se pudiera identificar. Era como una nube chiquita con forma de rostro. Y soplaba.

—Cuando tu mamá tiene esas manifestaciones, ¿las cuenta siempre?

—No, no. A mí sola. No quiere contarlas porque además de su fe es una persona muy mental y no lo cuenta porque dice que la van a tomar por loca o algo por el estilo. Yo le digo que hay que dar testimonio, pero ella no quiere saber nada.

—Es su elección. Vayamos al accidente.

—Bueno, en la misma semana yo estaba durmiendo la siesta y de repente me desperté y vi a mi lado unas llamas altas hasta aquí (señala un metro del suelo)... Yo enciendo siempre una velita de esas chiquitas frente a una imagen de la Virgen que tengo ahí. Me desperté y la mesita de luz estaba en llamas. Lo pude apagar. Eso fue unos días antes del accidente.

—Ah, ¿eso no fue el accidente? Era otra señal, entonces.

—Claro. El lunes 15 de septiembre de 1997, que era el aniversario de nuestro casamiento por Iglesia, yo no había ido a trabajar. A mi marido le habían puesto un holter a la mañana...

(NOTA para los afortunados que no tienen idea de lo que es un "holter" [se pronuncia "jólter"]: se trata de un aparatito del tamaño de un grabador que va registrando minuto a minuto las alteraciones cardíacas y señalando la hora en que ocurrieron. A la vez, quien lo usa va anotando en una tarjeta cualquier actividad cotidiana como ir al baño, comer, discutir con alguien, caminar, tomar unas copas, reírse con amigos, lo que sea. También anota la hora. Luego se compararán la hora del enojo, por ejemplo, con la del holter y se verá si allí se alteró y cuánto el ritmo cardíaco. Sencillo y efectivo. Este aparatito hay que llevarlo durante 24 horas, incluso durmiendo. Eso era lo que le habían puesto aquel día a Omar López, el marido de Mónica).

—No quiso quedarse en casa porque con el holter hay que tener un día normal, así que se fue a La Plata porque él también trabaja allí. Yo me quedé en casa, descansé, y a eso de las ocho, ocho y media de la noche, empiezo a preparar la tabla para planchar. Vivíamos allí en la casa de mi mamá, compartíamos la casa. Mi habitación da a la calle, lo mismo que el comedor. Yo puse la tabla y había empezado a preparar la comida de los perros en la cocina, que da a la parte de atrás de la casa, como la habitación de mi mamá... En un momento voy a ver la comida que les estaba cocinando a los perros. Como ya estaba, corro la olla. Y, cuando corro la olla, la llama de la hornalla sube.

—¿De golpe? ¿Sola?

—Sí, fue todo muy rápido. Yo te lo cuento ahora así pero fue todo muy rápido, un segundo... La llama sube y enseguida se empieza a quemar el extractor, que tiene esa lana de vidrio. Y de repente el fuego sube, baja y cubre todo. Todo es fuego a mi alrededor.

—Momentito. Para no cortarte después el relato prefiero hacerlo ahora y pedirte que cuentes si se supo por qué ocurrió eso.

—Sí. Un caño maestro de la avenida tuvo una pérdida. Nosotros vivimos en una zona de eucaliptus que, en algunas cuadras, han sido sacados. Lo que quedó son las raíces. Por ahí se filtró esa pérdida de gas, se metió debajo de la casa y salió por los zócalos, por las paredes, todo...

—¿Y el olor? ¿No sentiste olor a gas?

—No. No había olor. Lo que explica la gente del gas es que es un caño de alta potencia y que entró de golpe, muy rápido, en ese instante. El gas sube, claro, y en un segundo toda la casa estaba llena de gas.

—Y al tomar contacto con la llama de la hornalla...

—A mí se me formó un monstruo de fuego. La cocina, la mesada, el extractor, todo. De repente veo que todo es fuego. Todo fuego, no había paredes...

—Un monstruo de fuego... Es una definición aterradora.

—Es que es así. Hasta el ruido que hace el fuego parece una voz que te asusta más todavía. Es un zumbido, un aullido. Es un monstruo... Como yo estudié medicina y tengo un curso de la Cruz Roja, sabía que en un caso así tenés que tirarte al piso. Lo primero que se me quemó fue la cara, en un segundo, menos. Miro al piso y el piso estaba celeste, como una alfombra de fuego celeste. Y no me pude tirar. Eran décimas de segundos, te digo que la cabeza funciona tan rápido que ni lo imaginás...

—A tu alrededor era todo fuego: paredes, piso, techo...

—No había paredes, ni piso, ni techo. Todo era fuego, un monstruo que soplaba y aullaba. ¿Vos viste la película *Llamarada*?

—Sí. Impresionante.

—Bueno, vos estás dentro de eso. Y es cierto lo que allí te cuentan: dicen que cuando el fuego se encoge, como si se fuera para atrás, es porque va a atacar con todo. Parece mentira lo que es la mente: yo me acordaba de un millón de cosas al mismo tiempo, en décimas de segundo, como te dije, y una de esas cosas era lo de la película porque veo que el fuego se chupa para atrás, te da toda la sensación de que se está retirando, de que algo lo absorbe, y sabés que te va a atacar. "Tengo que correr —pensé, y además: —si corro me va a agarrar la espalda". Todo en décimas de segundo, "Me va a agarrar la espalda pero tengo que correr". Corrí. Y siento que atrás viene con toda la furia, me ataca con toda la fuerza. Yo estaba con un camisón de satén y una bata de satén. Cuando estoy corriendo en el pasillo, ya ahí, esa ropa hizo fffff, así, desapareció. Me quedé desnuda, solamente con la ropa interior que me quedó pegada acá, en la panza. En lugar de salir para afuera, para el patio, no, arranqué para la habitación de mi mamá... Y ahí empiezan las cosas más fuertes. Yo golpeo desesperada la puerta de mi mamá, rodeada por el fuego, y mi mamá me abre. Entro y me tiro al lado de su cama, que tenía un acolchado de nailon. Yo estaba en llamas. Mi mamá estaba allí, rezando el rosario, porque todos los días interrumpe lo que sea de ocho a nueve para rezar el rosario, para ella en esa hora se para el mundo. Cuando yo me tiro al lado de su cama, mi mamá me apaga el fuego que yo tenía sobre el cuerpo...

—¿Con qué te lo apaga?

—Con las manos, con las manos. Y me agarra y me saca al patio. Desde el patio yo veo a mi vecino que había puesto una escalera para sacarnos. Pero antes de eso, después de apagarme el fuego con las manos, mi mamá se va caminando, caminando, ¿entendés?, por el pasillo, para ir a cerrar la llave del gas. La cerró, volvió a buscarme a mí que seguía tirada en su habitación, me ayudó a levantarme y me sacó al patio.

—¿Se metió en el fuego?

—Se metió en el fuego. Todo era fuego. Las llamas salían por las aberturas, todo fuego, todo fuego, y ella que se mete en medio de eso. Quería cerrar la llave del gas, ella creyó que era eso y ¿podés creer?, se metió entre las llamas a cerrar esa llave.

—Dios mío.

—Cuando yo entré a la habitación de mi mamá, con mi cuerpo encendido, ella me lo apagó con las manos, ya te dije. Y, además, al abrir la puerta se supone que el fuego, al encontrar oxígeno, entra arrasando a ese lugar. Pero no. Entró una llamarada que fue directo al techo, dio una vuelta rapidísima bordeándolo todo y se fue. La casa se quemó entera menos esa habitación. Había perfumes, ropas, el acolchado de nailon, los muebles, de todo. Y no se quemó nada. Fue la única habitación que quedó intacta.

—¿Me estás hablando en serio?

—Qué te parece... El fuego entró, hizo un remolino alrededor del techo y salió por la misma puerta sin afectar absolutamente a nada de lo que allí había. A nada. Nada.

—¿Y tu mamá?

—Ella es la que me sacó al patio y tampoco se quemó nada... El fuego, siempre en ese segundo o menos, salió para la calle por las ventanas. Voló todo a la calle.

—¿Voló? ¿El fuego empuja las cosas a la calle?

—Sí, nadie imagina la fuerza que tiene. El portón del garaje saltó para afuera, las rejas de las ventanas quedaron retorcidas en el medio de la calle como si fueran de lata, las patas de mi cama estaban en la vereda de enfrente de mi casa...

—Dios. Fue una tremenda explosión.

—La explosión la hizo en el momento en que corrí la olla y el fuego tomó contacto con todo el gas acumulado. Esa explosión se escuchó a quince cuadras a la redonda, pero ni mi mamá ni yo la escuchamos, no escuchamos nada...

—Lo primero que hace el fuego es consumir de golpe todo el oxígeno, no se puede respirar más. Por eso en los incendios casi todas las víctimas no pueden ni resistirse y mueren por asfixia antes que por quemaduras. ¿Cómo pudo caminar tu mamá en una casa arrasada por las llamas? Y, encima, sin quemarse nada... ¿Y el pelo? ¿No se quemó el pelo?

—No. Ni las pestañas. Se cortó un poquito un dedo con un vidrio, al romper una puerta de vidrio gigante que dividía la cocina del garaje. Nada más. Eso fue cuando buscaba las llaves del gas para cerrarlas.

—¿Y por qué las dos salieron para atrás? ¿El primer reflejo no hace que busques salir de la casa? Es decir, que salgas a la calle...

—No sé. Nosotras no teníamos ni idea, pero en el momento en que salíamos por la parte de atrás de la casa, al patio, en la parte de adelante, por la puerta de entrada, la del portón, las ventanas, estaba volando todo hacia la calle...

—Por eso te pregunto. Si ustedes hubieran intentado salir por el frente, que es lo instintivo, habrían volado por el aire con todo lo que voló hacia afuera, no había posibilidad de que sobrevivieran...¿Cómo es que ustedes eligieron lo menos natural, que es buscar el patio en lugar de la salida?

—La Virgen —acotó nuestra amiga común Lucía, que escuchaba un relato que ya conocía muy bien y había visto la casa destruida. La reté por meterse en la entrevista, pero no mucho en realidad porque esas dos palabras que pronunció eran, a esta altura, la única explicación. La más "razonable", aunque parezca una paradoja. Pero aún quedaban misterios.

Mónica respondió a mi pregunta de una manera previsible:

—No sé. No sé por qué fuimos para el patio. Bueno, a mí me sacó mi mamá...

—¿Cuántos años tenía tu mamá en ese momento?

—Sesenta y cinco.

—¿Ella te explicó algo, después?

—Me dijo que ella de esas cosas no entendía, pero que fue muy claro que sintió que alguien la llevaba a cada uno de los lugares. Sentía que no era ella. No sé si era por el shock, pero no razonaba como lo hace siempre, en un estado de relax.

Incluso cuando me llevaron a mí y vinieron los del gas para hacerle firmar unos papeles, ella no firmó. Después me dijo que sentía voces dentro de ella que le decían que no debía firmar, que no hiciera nada a las apuradas, que esperara.

—¿Voces internas?

—Lo que sentía ella, según me cuenta después, es que sentía que la iban guiando, que la estaban guiando...

—Es maravilloso.

—Y pasaron más cosas... Siempre que ella está rezando el rosario, como esa noche, cierra la puerta de su habitación con llave porque antes yo no me daba cuenta y la interrumpía para preguntarle algo de la comida o lo que sea. Por eso, desde hacía rato, siempre cerraba la puerta con llave...

—Esta vez estaba abierta...

—No. ¿Te acordás que te conté hace un rato que yo golpeé desesperada y ella me abrió la puerta? Bueno, ella no me abrió la puerta. Cuando pasó todo me preguntó: "¿Y quién te abrió la puerta de mi cuarto?". Yo le dije: "Vos". Ella movió la cabeza diciendo que no. "Yo no te abrí la puerta. Cuando vos entraste yo estaba lejos de la puerta, rezando".

—Pero vos la viste a ella, abriéndote la puerta.

—Es lo que yo vi, sí, pero no era ella. Mi mamá misma es la que me lo confirma y no duda ni por un segundo. Yo pedí mucho en oración saber qué había ocurrido allí, lo pedí mucho hasta que humildemente dejé de hacerlo porque sentí que no tenía que hacer más preguntas. No era mi mamá la que abrió. Debo aceptarlo y agradecerlo, sin preguntas.

—¿No la habrás abierto vos misma, en medio de ese caos?

—La puerta estaba con llave, como siempre. Mi mamá me confirmó eso. Yo golpeé y me tapaba la cara con los brazos, la puerta se abrió y vi la silueta de mi mamá, la forma de mi mamá, pero no era mi mamá. Ella me dijo que estaba acostada, rezando, y que me vio entrar y tirarme al lado de la cama. Allí empezó a apagarme el fuego.

—Eso es fantástico.

—Yo ahora te cuento todo esto y estamos aquí sentados, tranquilos.

—Yo no tanto. Tu relato es impresionante.

—Pero, bueno, una cosa es contarlo aquí y otra vivir todo eso en unas décimas de segundo... Y el que pasó por algo parecido sabe que no estoy exagerando: el fuego es un monstruo. Un monstruo que te persigue y que sabés que lo que quiere es matarte. En medio de eso, yo te aseguro que a pesar del caos yo sentía la presencia de algo fuerte, algo más fuerte que el monstruo del fuego que nos estaba ayudando. Y hubo más.

—¿Más?

—Cuando salimos al patio trasero ya el vecino había puesto una escalera y una frazada sobre el muro, que mide unos tres metros. Me pasó por allí para su casa. Mientras, mi mamá volvió a entrar a la casa que estaba en llamas...

—¿Otra vez?

—Otra vez. Yo gritaba "mi mamá, mi mamá, sáquenla de ahí" y aparece un hombrecito...

—¿Un hombrecito? ¿Por qué decís un hombrecito y no un hombre?

—Porque era un hombrecito, chiquito, que andaba en un carro juntando cartones, trapos, diarios viejos, botellas... Mi vecino había abierto el portón del garaje de su casa y el hombrecito entró y dijo: "Yo voy a sacar a tu mamá". Saltó el muro, pasó a mi patio y se metió en mi casa...

—Pero todavía había fuego...

—Sí, claro que había fuego.

—El hombre ¿cómo era? Digo cómo era la cara, si era joven, eso...

—Un hombre chiquitito, yo en la noche no le veía la cara. Aparte yo estaba toda quemada, me estaban atendiendo como podían.

—¿Y la gente no lo vio?

—La gente es la que me contó que era un hombre de un carro tirado por un caballo, un cartonero... Y se metió en la casa y la sacó a mi mamá, que estaba adentro y dale con que quería apagar el fuego, ¿cómo iba a apagar ese fuego que se estaba devorando toda la casa con lo que había adentro?... Y salieron por el lado de la calle, por el garaje. La verdad es que, pensándolo ahora, no sé cómo salieron porque la puerta del garaje había quedado toda retorcida y trabada, pero creo que el hombre, tironeando, la debe haber abierto para que pudieran salir...

—¿El hombrecito?

—Sí, debe haber tironeado...

PEQUEÑA INTERRUPCIÓN: un mes después de esta entrevista hablé por teléfono con la mamá de Mónica, la del rosario diario, la que volvió a entrar pretendiendo apagar el fuego. Se llama María, nombre muy atinado para esta situación. María es simplemente adorable en su ímpetu al hablar, su enormísima fe al sentir y su pureza al pensar.

—¡Ay! ¡Qué gusto escucharlo! ¡Me alegró el día con este llamado!

—Hola, heroína.

—No, que voy a ser una heroína. No era yo.

—¿Qué quiere decir eso de "no era yo"?

—Desde el momento en que la saqué a mi hija afuera no era yo. Sentía como una fuerza que me hacía ir de un lado a otro ¿vio?, una fuerza que me llevaba...

—Bueno, digamos que la fuerza del coraje. O la mano de la Virgen o el ángel, qué sé yo, estas cosas me fascinan pero me marean. Justamente yo quería confirmar algo y por eso estoy llamando: ¿El hombrecito y usted salieron por el frente de la casa?

—Sí, por el portón. La lata estaba toda retorcida por las llamas.

—Precisamente... ¿cómo salieron por ahí si no se podía abrir? Tengo entendido que eso era un amasijo de hierros, lata, aluminio...

—Ah, no tengo ni idea. No sé cómo salimos.

—Pero ¿era, efectivamente, un amasijo de metal que tapaba la entrada?

—Eso sí. Me acuerdo porque antes de que apareciera ese hombrecito yo entré al garaje en llamas para sacar una garrafa de gas que había ahí y yo quería evitar que explotara ¿vio?... Pero ya había explotado. Y el portón era una cosa de metal toda retorcida, por eso no pude salir por adelante... Después no sé. No sé cómo el hombre la abrió y salimos.

—¿Y cómo se llama ese hombre?

—No sé. No volví a verlo en medio de ese lío.

—¿Y después?

—Después tampoco. No volví a verlo nunca más.

—¿Y adentro? ¿Lo vio bien cuando entró a sacarla?

—No lo vi para nada en medio del humo y todo eso. Yo solamente me acuerdo de que alguien estaba detrás mío y lo único que me decía con voz muy suave era: "Tranquila... tranquila...".

FIN DE LA PEQUEÑA INTERRUPCIÓN. Retrocedemos un mes para estar otra vez frente a Mónica con su relato que ahora sigue brotando del grabador.

—...Y cuando salen de la casa ya estaban los bomberos, todo cercado, lleno de gente, y aparece mi mamá con un huevito de gallina en la mano.

—¿Perdón?

—Un huevito de gallina. Había entrado a buscarlo a la heladera y me dice "Te voy a poner un poco de huevo que es muy bueno para las quemaduras". Y yo temblaba, quemada de pies a cabeza. "Te ponés el huevo porque te va a hacer bien", me decía. Había entrado a eso, a buscar un huevo en la heladera para curarme, como si me hubiera quemado un dedo. Allí es cuando viene la ambulancia y me meten para...

—¿Y el hombrecito? ¿Qué pasó con el hombrecito?

—Al hombrecito no lo vi más.

—¿Y los vecinos? ¿Alguno lo conocía?

—No. Nadie lo conocía.

—Pero, alguno tiene que haberle dado las gracias, aunque sea. La salvó a tu mamá sacándola de entre las llamas y abriendo el portón con sus manos de... hombrecito. ¿Nadie le dio las gracias?

—Es que desapareció. En cuanto salió con mi mamá, desapareció. No lo vio ninguno de los que estaban ahí.

—¿Y el carro, el caballo?

—No sé. Después de salir con mi mamá nadie volvió a verlo.

—Pero la gente no se esfuma... Y ya pasaron casi cuatro años. ¿No volvió a aparecer en todo este tiempo ni siquiera para saludar?

—No. Nunca.

—Oíme, Mónica, vos sos una mujer de fe, ¿te das cuenta de que me estás hablando de un ángel? O eso parece, al menos...

—Sí, yo pienso lo mismo, pero me da no sé qué.

—Llega de golpe, es un hombrecito cartonero como para que nadie pueda reparar especialmente en él, da ayuda sin que se la pidan, entra a la casa de tu vecino sin que nadie se lo impida, salta un muro de tres metros, entra a una casa en llamas, ubica allí a tu mamá en medio de esa pesadilla de fuego y humo, le dice que esté tranquila, la saca a la calle por un portón que era prácticamente imposible de abrir al estar retorcido por el calor, la deja a salvo, desaparece sin que nadie lo advierta ni esperar que le agradezcan, ninguna persona recuerda su cara y no vuelve nunca más a la casa ni al barrio. ¿Quién es? ¿El llanero solitario? Es un ángel. Corporizado para hacer todo eso.

—Sí, nosotros siempre pensamos eso.

—Seguí, por favor, con el día del accidente.

—Bueno. A mí me meten en la ambulancia y yo veía desde ahí como lo que se ve en las películas de un barrio bombardeado ¿viste?... Cosas en la calle, hierros retorcidos, la gente mirando. Los vecinos después me contaron que todo eso, patas de mi cama, sillas rotas, adornos, de todo, volaba por arriba de los coches que pasaban cerca.

—Uno no se da cuenta de tanta potencia.

—No. Yo me topé con él y todavía recuerdo con nitidez el aullido de él en medio de...

—¿El aullido de...?

—De él. Del fuego.

—Es increíble. Hablás del fuego como si fuera una persona. El aullido de él, dijiste. La voz de él, la voz del fuego. Es impresionante.

—No me doy cuenta, pero yo lo siento como una presencia viva. Ataca y no respeta nada. Salvo algunas cosas que lo frenan.

—Los bomberos, supongo.

—No, no me refiero a los bomberos. Hay otras cosas que lo frenan. En el comedor nosotros teníamos siempre en una mesa de madera una imagen de Jesús Misericordioso en un marquito de plástico porque es el que siempre llevamos al grupo de oración, y al lado una imagen de la Virgen de Medjugorje. Les poníamos flores, esas cosas. El comedor se quemó todo. Pero las dos imágenes quedaron intactas. Ni los marcos de plástico ni las imágenes impresas en papel sufrieron ningún daño. No se quemaron. Lo mismo pasó con las que tenía mi mamá en su habitación. Un montón de estampitas, ¿te acordás que te conté?, no sé cuántas, un montón. No se quemó ninguna. Ella se quejaba un poco porque hubo dos o tres que se pusieron algo oscuritas por el hollín.

—¿Qué explicación le das a algo así?

—Es una señal bien clara para que entendamos que no estuvimos solas. Tenemos una certeza total de que no estuvimos solas y de que Omar, mi marido, se salvó porque de estar en casa se hubiera tirado en la cama un rato a mirar tele como hace siempre mientras yo plancho. Y esa habitación voló por el aire con todo lo que tenía adentro, no se hubiera salvado. Nada quedó en esa habitación te digo, pero nada. El colchón con sommier salió despedido en llamas por la ventana, el televisor quedó derretido, nada quedó, en serio.

—Escuchándote, casi parece que agradecieras el incendio.

—Es que lo agradezco. El accidente fue una bendición.

—¿Una bendición algo semejante? ¿Escuché bien?

—Sí, una bendición. Enfrentarte a algo que creés que es el final y después ver que todo lo que se perdió es solamente material te hace pensar en muchas cosas, vos lo sabés. Te hace apreciar el tiempo, las cosas de todos los días, eso en lo que no pensás casi nunca cuando todo está bien. Te están dando una segunda oportunidad y tenés que agradecérsela a Dios desde el alma, aprovechar esa vida nueva para no cometer los mismos errores. Si ocurrió algo tan terrible y nos salvamos, para algo es. Si te quedaste, te quedaste para algo porque, si tenés que volar con la explosión, volás.

—Estoy de acuerdo con vos, Moni. ¿Por qué creés que te salvaste?

—No lo puedo saber. Yo estoy dispuesta a cumplir la voluntad de Dios y no puedo saber cuáles son sus designios. Nosotros nos salvamos de algo que suena increíble y otros se mueren por una pavada, pero todo forma parte del plan divino, por algo ocurre. La mayoría de nosotros nos creemos omnipotentes y pensamos que los accidentes, las enfermedades, la muerte, son cosas que les pasan a otros. Pero no. Uno se puede morir así, con un chasquido de los dedos, por cualquier cosa, somos frágiles. Si me salvé, es posible que Dios espere algo de mí y ojalá que yo pueda cumplir con eso.

—Sos muy inteligente y muy sensible... Oíme, ¿cambió tu vida?

—Bueno, hay cosas que se refirmaron... Yo te digo que el accidente que destruyó por completo nuestra casa con todo lo que tenía adentro es una bendición y parece que estuviera loca, pero no. Ese incendio salvó cosas más importantes que las que se llevó...

—¿Por ejemplo?

—Mi matrimonio. En aquella época ya hacía un tiempo que yo vivía muy triste porque no podía quedar embarazada y tenía sentimientos muy... muy negativos, ¿no?... Y me sentía culpable porque no le podía dar un hijo a mi marido, nietos a mi mamá ya que soy hija única, sentía que no servía para nada. Eso no dejaba que mi matrimonio funcione bien, que disfrute de mi marido o de mi mamá. Pobrecitos los dos, tuvieron mucha paciencia. Yo fui un desastre porque vivía quejándome... Fue de una manera dolorosa pero aprendí mucho con este accidente, aprendí a disfrutar cada día lo que tengo, aprendí a no estar esperando ansiosa lo que no tengo o angustiarme por eso que no tengo...

—¿Sos otra? ¿Se acabaron las ansiedades por completo, en serio?

—No del todo, claro, soy humana. A veces me pongo ansiosa y empiezo a ponerme quejosa, pero enseguida me digo a mí misma: "¿Te acordás cómo estabas antes del accidente? Siempre quejándote por lo que no tenías. Todo lo que tenías lo desaprovechabas porque te la pasabas pensando en lo que no tenías. No te dabas cuenta de lo que Dios te había regalado: un marido buenísimo, una madre que no hizo más que darme amor, una familia que siempre me contuvo, mi padre también cuando lo tuve, una educación, salud, tantas cosas. Y renegabas sin pensar en lo que ya te había dado Dios. Tenías sentimientos de culpa, de destrucción, de enojo permanente... ¿vas a volver a eso?"... Y enseguida me digo que no y me aguanto las ansiedades y disfruto de lo que tengo. Vivo mejor, ¿sabés?, vivo mucho mejor...

LA ESCUELA DEL DOLOR

—El dolor te enseña, te enseña mucho y bien. Yo aprendí. Me di cuenta de que tenía que interpretar la vida y de que cada segundo es un regalo. Desde el accidente, cada noche, le doy gracias a Dios por haberme dado un día más junto a los que quiero. Eso yo no lo hacía antes. Aprendí.

—¿Sufriste mucho?

—Mirá... Después del accidente me llevan en la ambulancia al Hospital Gandulfo, en Lomas de Zamora. Al llevarme a la Guardia, yo ya estaba toda ampollada, con el noventa por ciento del cuerpo quemado. Y ¿viste lo que hacen en esos casos?

—No, no sé qué hacen.

—Bueno, te tiran agua helada y empiezan a reventarte las ampollas una a una... Ya estaba en el hospital el sacerdote de mi parroquia que se peleaba con todos, el gallego, diciéndoles: "A ver si la atienden, que no la atiende nadie, hombre"...

—¿Como se llama?

—Felipe Gabriel Mayor, de Castilla la Vieja...

—¿De Castilla? Cuando se entere que le dijiste "gallego" va a querer excomulgarte... ¿Y quién más llegó enseguida?

—Ella llegó enseguida (Lucía Agüero, ya saben, allí presente) y las otras dos chicas del grupo de oración. Por ellas ya había mucha gente que estaba rezando por mí, allí empecé a saber lo que era el amor fraterno... A Omar, mi marido, lo esperan dos vecinos a una cuadra de casa para que no se asuste al ver todo de golpe y él llega y se encuentra con ese desastre.

—El holter estalló. Buen día para tener puesto un holter.

—Sí, pobre. Lo llevan al hospital. Yo estaba en la Guardia, él me mira y sigue de largo, buscándome. No me conoció.

—Estabas desfigurada.

—Es poco decir. Yo era Freddy Kruger, más o menos, el de las pesadillas. Nadie podía conocerme, yo era una llaga roja y ampollada de pies a cabeza. Cuando le dijeron que ésa era yo, me abrazó y se puso a llorar... Al día siguiente, cuando revisaron el holter, vieron que en esa hora en que primero se encontró con la casa destruida y después conmigo toda desfigurada, el holter le marcó un pico de aceleración del pulso que, según los médicos, tendría que haber muerto allí mismo ya que era prácticamente imposible que soportara eso. Lo que te digo está en el informe del cardiólogo. No sólo no se murió, después de ese shock o en una de ésas por el mismo shock, se curó.

—Ah, bueno, eso me supera.

—Nos pasaba a nosotros, cada cosa nos superaba, lo milagroso y también lo doloroso. A veces uno cree que es mucho lo que le está pasando pero se equivoca. Con mis llagas ardiendo yo tenía un instante para decirme a mí misma: "Pensar que yo creía que no poder tener hijos era lo peor". Y no, no era lo peor. Lo sentía en mi cuerpo, ahora.

—¿Cómo se definía tu estado?

—Grave, muy grave, después supe que estuve varias veces a punto de morir... Me trasladaron al Instituto del Quemado, en la Capital, y me internan en terapia intensiva. A partir de ahí empieza un mes de agonía. Día por medio me daban anestesia general para meterme en los piletones porque no me podían hacer los lavajes sin eso. Me tenían que dormir. Así fue en las primeras siete veces, hasta que el corazón no aguantó más la anestesia. Entonces me tenían que hacer los lavajes en vivo...

—Dios mío. Me duele sólo de escucharte.

—No te puedo explicar... Es como a las vacas, viste. Te atan a la camilla con cadenas y así te meten en el piletón. Y te dan con el cepillo, te van limpiando con un cepillo que pasan sobre el cuerpo...

—Sobre el cuerpo llagado. Eso es dolorosísimo.

—Sí. Es doloroso. Yo estaba siempre en un grito y tenía permanentemente a mi lado en esas ocasiones a Omar, mi marido. Las enfermeras me decían que era raro algo así en ese lugar porque los maridos no aguantan una cosa como ésa.

—Es razonable. Y vos, ¿cómo aguantabas?

—¿Me quedaba otra?... Aparte de la limpieza, no me podían tocar. Yo estaba en una carpa. Pero la espalda también la tenía quemada, así que las sábanas se me pegaban y, cada vez que me levantaban para llevarme al piletón, era otro suplicio, me lastimaba de vuelta. Y venía el cepillo.

—Yo no entiendo de eso, ¿por qué el cepillo? ¿No hay otra manera?

—No, no hay. Tienen que limpiar la piel quemada, sacar las ampollas. Y no me podían dar más anestesia general, como te dije. Parece que el peligro más grande en un quemado es la infección y, después, que el corazón no aguante. La anestesia total tan seguida es un riesgo cardíaco muy grande... Lo que me pasaban por el cuerpo eran cepillos. No eran de cerda, pero yo los sentía como si fueran de acero. Lo único que podía hacer yo era gritar como gritaba, con desesperación. En ese momento no se puede pensar en ninguna otra cosa.

—Y cuando estabas sola, a la noche, ¿en qué pensabas?

—Nunca estuve sola, mis hermanas se turnaban y...

—¿Tus hermanas? ¿Vos no sos hija única?

—Mis hermanas del grupo de oración, mis hermanas en la fe. Nunca voy a poder agradecerles lo suficiente...

—Lo estás haciendo ahora. ¿En qué pensabas al quedarte a solas?

—Ya te digo, no me dejaron sola nunca.

—Me refiero a esos momentos en medio de la noche, cuando los que te acompañan duermen o están callados, cuando están Dios y vos nada más.

—Los primeros días de la agonía lo único que repetía a los gritos era "Dios mío, Dios mío". Cada vez que me llevaban al quirófano, igual, con alaridos porque ya me dolía antes de que me tocaran. Y cuando me sacaban del quirófano volvía gritando lo mismo, "Dios mío, Dios mío". El dolor era permanente y muy fuerte, no había momentos de calma. No podía pensar en otra cosa que no fuera un gran enojo. Y en el momento del sueño eran pesadillas. Lo único que sentía era eso, enojo.

—¿Con Dios también?

—Con Dios especialmente. Estaba muy enojada con Él. Intentaba rezar y no podía. Dentro mío le decía por qué me estaba pasando eso si yo siempre le había servido bien. Eso creía yo. Pero no era así. Después supe lo que es servirle bien en verdad. Por eso te digo que el accidente fue una bendición. Y que el dolor enseña.

—¿Cómo te reconciliaste con Dios?

—De a poco. Un día viene el médico y me dice que la siguiente semana me iban a llevar a injerto. Es algo muy duro eso. Y ella (Lucía, a su lado) me dice: "No vas a ir a injerto, porque vamos a rezar para que no vayas a injerto". Entonces yo la insulto, me enojo a pesar de que estaba todo el tiempo a mi lado, y le digo: "Vos sos una ignorante, porque si el médico dice que me van a hacer un injerto, ponete a rezar para que salga bien y no para que no lo hagan, no seas tarada". La trataba muy mal, pobre. Lucía no se ofendía. "Bueno, vamos a rezar", decía. Yo no rezaba porque no podía. Ellas, mi grupo de oración, rezaban al lado mío y yo me quedaba dormida con la oración de mis hermanas. A la semana siguiente vino el médico, me revisó y dijo: "A ver... Está pigmentando. Acá no vamos a hacer injerto. Pero acá seguro, no hay más remedio..." y me señalaba otra zona de mi cuerpo. Entonces yo ya les decía a ella y a las chicas: "Bueno, ahora recen para que acá tampoco"...

—Ah, te fuiste al mazo. Ahora les pedías vos.

—¡Claro! Porque el médico me decía que no había otra y después de los rezos él mismo reconocía que todo había cambiado pero sin poder darle una explicación. Y volvía y decía medio asombrado: "Aquí también pigmentó, tampoco vamos a hacer un injerto", ¿entendés? La ciencia era la que no encontraba otra solución. A mí la razón era la que me había abandonado. Y la fe empezó a crecer otra vez.

—¿Cómo es el final de este aprendizaje?

—La agonía que te describí dura normalmente tres meses, pero en mi caso duró veintiocho días. La oración fue permanente. Nunca tuvieron que hacerme ningún injerto.

—Lucía tenía razón.

—No. El Señor tenía razón. La fe de Lucía tenía razón. Y la de mis hermanas, que rezaban el rosario día tras día junto a mi cama.

—Tal vez tantas señales provocaron el milagro más grande: que retomaras tu propia fe con esta fuerza de hoy, que no la para nadie.

—Gracias a Dios y gracias a la Virgen. Ahora cuento esto para agradecerles a Ellos y para que le sirva a quien lo necesite.

—Me dijiste que todo se inicia con el incendio, el 15 de septiembre.

—Sí.

—¿Sabés qué día es?

—Sí. El día de la Virgen de los Dolores.

La casa fue reconstruida en el mismo lugar con un piso más. Lo van a necesitar, porque veinte meses después del accidente, el 2 de mayo de 1999, nació María Daniela, la hija del corazón, la tan deseada, la tan esperada, la tan amada. María sigue rezando el rosario todos los días y recomendando huevo crudo para las quemaduras. Con "las chicas" del grupo de oración son cada vez más hermanas. Nadie volvió a ver al hombrecito nunca más. El matrimonio también tiene cimientos y paredes nuevas y fuertes. Mónica se recuperó por completo de las quemaduras que parecían definitivas y fatales. Recuerda con absoluta claridad que, cuando ella estaba internada en terapia intensiva desgarrada de dolor, su marido Omar se sentaba junto a la cabecera y le susurraba en el oído: "Vas a estar bien, mi amor... ¿Te acordás cuando nos fuimos de luna de miel a Córdoba y caminábamos por las sierras? ¿Te acordás el día en que vos...?", y la llenaba de recuerdos gratos, de momentos felices, de palabras que sanaban. Por eso elegí una frase de ella para que sea la última del capítulo, porque creo que es ideal para cerrar la historia. Si se les ocurre un final mejor, avisen.

—En medio de un dolor tan intenso, tan insoportable, yo me quería ir. Me quería morir, era lo único que deseaba. Pero las oraciones, la manera en que me cuidaban, la fe que me enseñaban, esos recuerdos que Omar me repetía en el oído, me dieron fuerzas. Porque... ¿sabés qué?: a mí me hicieron de vuelta desde el amor...

28

Señales y milagros

Era noche cerrada pero, sin que nadie lo esperara, estalló de pronto una luz sin ruidos, lo cual la hacía más aterradora. Esa luz era brillante y daba la sensación de un día gloriosamente soleado, interrumpiendo sin permiso y mostrando un absurdo para las nueve de la noche, hora en que ocurría todo aquello, en campos y ciudades, sobre ricos y pobres, en Europa entera al mismo tiempo y de una vez por todas, como un flash gigantesco que duró largo rato. El profesor Walter Gardini, a quien veo poco pero quiero mucho, fue uno de los millones de testigos de aquello. Gardini, que luego sería docente en la Universidad del Salvador, miembro del Conicet, periodista, autor de más de una docena de libros y uno de los hombres con mayor conocimiento sobre las diferentes religiones del planeta, era muy jovencito cuando, desde su Lombardía natal, en Italia, presenció aquel fenómeno y hace unos cinco años me lo describiría con detalles, aunque lo resumía muy bien en una frase: "Era un espectáculo de fuego". Me contó que ninguno de los testigos entendía lo que estaba ocurriendo pero que se preguntaban: "¿Y ahora qué pasará, qué pasará?".

Se trataba de un fenómeno meteorológico conocido como aurora boreal, al ocurrir en el hemisferio norte. Tiene una explicación científica, pero es realmente muy raro y nunca se había dado (ni volvió a darse) con tanta intensidad y en semejante extensión, prácticamente toda Europa. Se lo puede explicar con las armas de la ciencia, así es. Pero había algo más que hacía que, luego, muchos se preguntaran cosas que no tenían respuesta. En una de sus apariciones en Fátima, la Virgen había anunciado que lamentablemente los hombres no iban a escarmentar con la Guerra Mundial que ya estaba terminando (esto era en 1917) sino que un conflicto aún mayor y más terrible iba a manchar de sangre a la tierra si los seres humanos no cambiaban. Agregó que ese espanto, la guerra total, tendría un anuncio previo que sería el último aviso: "...Acontecerá, primero, en el cielo, un gran espectáculo que todos verán y que será la señal".

Los seres humanos no cambiaron, claro. El anuncio en el cielo, aquella impresionante aurora boreal que transformó a la noche en día, ese espectáculo que todos vieron, sucedió en 1938. Unos meses después daría comienzo la Segunda Guerra Mundial que dejaría un saldo de alrededor de sesenta millones de muertos y duraría hasta 1945.

Eso fue una señal. Una señal colectiva.

Antes de cumplir los tres años de edad, Gastón ya sabía el Padrenuestro enterito sin que nadie, nunca, se lo hubiera enseñado. Miriam Santángelo, su joven mamá, tampoco podía entender cómo era posible que el nene dijera, por ejemplo: "Hoy va a venir José", lo cual era bastante improbable porque ella no conocía a nadie de ese nombre pero, sin embargo, un par de horas después golpeaba la puerta un vecino al que no conocían pero venía a saludar y se ponía a disposición. Por supuesto, se llamaba José. Gastón también dijo un día a su mamá: "Vas a verlo a Fabián". Ella no conocía a nadie así llamado y trató de no darle mayor importancia a la frase, pero unos pocos días más tarde un dolor de muelas terrible la lleva al consultorio de un dentista de urgencias al que jamás había visto y que, obviamente, se llamaba Fabián. Gastón tuvo una gran cantidad de episodios similares que publiqué en mi librito *El ángel, un amigo del alma*. Tan fuerte fue lo suyo que el magnífico cantante José Luis Rodríguez, "El Puma", me llamó por teléfono sin que nos conociéramos, para decirme que había quedado impresionado por esa lectura y preguntarme si era posible que lo pusiera en contacto con la mamá de Gastoncito. Sabiendo el alto nivel espiritual de José Luis, lo hice, claro. Gastón, tan chiquito, sentía cosas que otros no sentían, cosas que parecían destinadas a él.

Ésas son señales. Señales privadas.

Ocurre, también, que a veces la cosa parece menor pero es como esas puertas muy chiquitas que trasponemos para sorprendernos con un salón enorme y lujoso. Hablar o tan sólo pensar en alguien y que esa persona llame o aparezca; estar en medio de un gran problema, abrir la Biblia al azar y encontrar en algún lugar de esas dos páginas la frase que aclara nuestra mente o calma nuestra ansiedad; equivocarnos de calle pero hallar en ésa algo o a alguien que veníamos buscando desde hacía mucho; o, incluso, desear algo determinado pero advertir que se nos cruzan montones de inconvenientes inesperados como para convencernos de que no es lo que nos conviene. La lista de estas cosas sería larga.

Ésas también son señales. Señales personales.

Muy especialmente en estas últimas tiene que ver, yo diría que con certeza, el accionar de los ángeles.

—*Bueno, era hora. Creí que nos quedábamos afuera.*

En especial de aquellos que actúan silenciosamente.

—*No hay ángeles mudos. A todos nos encanta comunicarnos.*

Los que saben que mejor que decir es hacer.

—*Un ángel peronista.*

Que no pierdan tiempo haciendo chistes.

—*Un ángel aburrido.*

Serio y profundo, como un artista.

—*Un Miguel Ángel Buonarroti.*

¿Esto va a durar mucho?

—*Hasta aquí nomás, no quiero importunar. En especial cuando estás hablando de nosotros. Adelante, por favor.*

Los ángeles, decía, suelen ser los que manejan determinadas situaciones a las que nosotros damos el nombre de coincidencias, por ejemplo. También en lo que llamamos imaginación. O ideas, sorpresas, advertencias, ayudas o inspiración, por mencionar sólo a algunas. Y lo hacen bien, hay que reconocerlo. De manera eficaz y oportuna.

—*Muchas gracias. Quiero dedicar este premio a...*

Listo. Finito.

—*Si hablás de vos estoy de acuerdo con la primera palabra pero no con la segunda. De finito nada, hijo.*

Terminado. Dame un poco de paz.

—*Paz serena te doy. Todo el tiempo, querido galle.*

Jesús resucitando a su amigo Lázaro, sanando a paralíticos, caminando sobre las aguas, multiplicando panes y peces, y tanto más, es el mejor ejemplo de quebrar las reglas de la naturaleza para obrar el bien con propia mano.

Las apariciones de la Virgen; los millones sanados por la fe sin una explicación científica; los santos que levitaban sin siquiera desearlo, como Santa Teresa o San José de Cupertino; Gonzalo cayendo desde un quinto piso a los tres años de edad y contando que una señora con un vestido largo hasta los pies y celeste como su chupete lo tomó en el aire y lo dejó despacito en el suelo y por eso no tiene ni siquiera un moretón; y tanto más, son ejemplos de hechos inexplicables que también rompen las normas naturales y cambian la vida de las personas.

Ésos son milagros. Colectivos, privados, personales, como sea.

Persignarse es una señal, un signo, como el verbo lo indica. Y nada menos que de la más grande de las señales cristianas, la Cruz.

Ni hablar de los signos sacramentales. El bautismo es la señal por la cual se expulsa al maldito y se abraza al catolicismo. La Eucaristía, bellísima señal y a la vez milagro de la presencia viva de Cristo. La Confirmación, el Matrimonio, el Orden Sagrado, la Unción de los Enfermos, la

Penitencia, miren qué magnitud de signos, qué festival de señales para el alma. Allí están la vida y la muerte, la entrega y el dolor, el arrepentimiento y la gloria, el amor y la esperanza, la fe y la vocación, el Cielo y la Tierra como en una sinfonía que aturde.

Puede decirse, con infinito respeto, que el Gran Director de esta orquesta de emociones, el "patrón de los milagros y las señales" es la Tercera Persona distinta para un solo Dios verdadero. El de perfil más bajo, quizás, pero potencia enorme. El Espíritu Santo.

Tiene que ver, de manera directa y total, con todos los milagros, con todas las señales. Y tiene sus propios símbolos: el agua, el aceite, el fuego, la nube, la luz, el sello, la mano, el dedo y la paloma.

Por lo que se desprende de la misma fe, cualquiera de ustedes, cualquiera de nosotros, puede ser objeto de señales o de milagros. Voy a repetirlo para que quede bien claro: cualquiera puede vivir señales o recibir el regalo de un milagro. Absolutamente cualquiera. Hemos visto que pareciera más fácil para los que oran a menudo, los frecuentadores del santo rosario, los piadosos, la gente de fe. Pero a veces esas cosas se dan en otros no tan cercanos a la religión. Puede sonar injusto pero, aparte de que no tengo ni la menor intención de discutir los desginios divinos, eso habla de la misericordia absoluta de Dios y de una manera más de acercar fieles. La palabra Iglesia viene del griego y significa algo así como "la gran convocadora", de la misma manera que en inglés (church) en su origen significa "la que pertenece a Dios". En ambos casos su misión es acercar a la fe. Y los milagros y las señales no son el camino hacia ella, pero son un buen atajo.

Todo queda más o menos claro. Los datos y testimonios, ambos absolutamente reales y comprobados, nos acercaron a tocar la túnica del milagro y sentir de cerca cómo es. También probamos que cualquiera puede ser beneficiado por un milagro o halagado por señales. Y sabemos que existen hoy de la misma forma en que ocurría hace miles de años. Todo queda más o menos claro menos algo. Ya olvidada por completo, pobrecita, la bíblica serpiente de bronce que yo pretendía buscar al principio del librito, queda saber cuál es, finalmente, el verdadero símbolo del milagro y qué quiere decir "paz serena", esas dos palabras que parecen abrir las puertas de lo milagroso y dar la bienvenida a las señales.

—*Bueno... Agarrate fuerte que allá vamos.*

Ni siquiera pude preguntar adónde, tan rápido fue todo.

29

El verdadero símbolo del milagro

Nunca supe qué pasó ni cómo. Lo único que recuerdo es que, de repente, yo estaba de pie en un pasillo con paredes blancas y el viejo Pedro avanzaba hacia mí tan lentamente como cuando se fue, internándose en el fondo del vivero, ¿se acuerdan? No identificaba el lugar y, a decir verdad, jamás lo hice. Supe en un par de minutos que estábamos en un hospital pero no sé en cual. Podía ser un hospital de cualquier parte y tal vez, ahora que lo pienso, la intención era justamente ésa, que para mí pudiera ser un hospital de cualquier parte.

A pesar de su edad Pedro era fornido y alto, así que no le costaba mayor esfuerzo pasarme un brazo por sobre mis hombros mientras caminábamos por el pasillo. Las llaves que llevaba en su cinto se entrechocaban a cada paso y emitían para mi asombro un sonido que no era de llaves sino de pequeños cascabeles, como de campanitas que parecían transformar los sonidos en colores. Yo sé que suena raro eso, pero era mi sensación. A mí también me parecía raro pero me gustaba. "Lucas nos espera", fue todo lo que dijo con un gesto de abuelo consentidor, sonriendo un poquito.

Lucas apareció de golpe, con su impecable guardapolvo y su apuro de siempre. Me miró directamente a los ojos y dijo:

—Así que serpientes de bronce...

—No, ya me olvidé de eso —quise defenderme—. Lo que quería era buscar el símbolo del milagro... ¿No podés entender?...

Dio media vuelta y avanzó con la seguridad de los que transitan camino conocido. Pedro y yo detrás de él. Todo lo anterior había ocurrido en pasillos desiertos, de ésos en los que si uno levanta un poco la voz puede sentir su propio eco. Pero al trasponer una puerta entramos de lleno en un lugar idéntico pero con mucha luz, médicos y enfermeras que se movían como hormigas nerviosas, gente esperando, alguien que lloraba, alguien que reía sin que lo pudieran controlar, un murmullo perpetuo que mezclaba las voces haciéndolas sonido solamente, un clima de que allí pasaban cosas. Lucas nos fue abriendo paso en ese mar humano con su sola presencia. La gente parecía abrirse ante su avance como las aguas del Mar Rojo ante Moisés, ahí tienen otro milagro, ya que estamos. Y Pedro y yo detrás, siguiéndolo. No a Moisés, a Lucas. Estoy escribiendo tan rápido como un poseído por algo bueno y temo hacer lío con lo que cuento, por eso les aclaro que seguíamos a Lucas que no parecía preocuparse para nada por nosotros y no se dio vuelta ni una sola vez para saber si estábamos ahí. Salvo cuando se detuvo frente a una de las muchas puertas de ese sitio y se volvió hacia mí para responderme como si recién le hubiera hecho la pregunta:

—Sí que puedo entenderte.

Abrió la puerta de un tirón, entramos a un pequeño hall y la cerró detrás de nosotros aislándonos otra vez del bullicio del pasillo. Allí había un clima como de susurro, aunque nadie estaba susurrando nada. Frente a nosotros, otra puerta. Pedro me empujó suavemente hacia ella y Lucas la abrió, esta vez suavemente. Y sentí miedo y gloria.

La cabeza del bebé ya asomaba entre las piernas de la mujer que estaba a un par de metros de distancia, boca arriba en esa cama rara, con el rostro colorado, los ojos muy abiertos, respirando con fuerza y sin pausa, jadeante y tensa. El médico y las enfermeras que la asistían le daban ánimo, le decían cosas en voz alta, casi parecía que pujaban con ella y, sobre todo, ahora le gritaban que ya había aparecido el bebé, que su hijo estaba naciendo, que empujara un poco más, que ya estaba, que ya estaba. Y salieron unos pequeños hombros detrás de esa cabecita empapada. Y unos bracitos leves con manitas tan chicas que no parecían ser reales. Y un tórax de muñeco, y unas piernas chuequitas y delgadas, y unos pies con deditos que chorreaban madre. Lo pusieron enseguida en el pecho de la mujer que ahora lloraba y se reía sin saber con cuál de las dos cosas quedarse. Y yo me sentí igual, lloraba y me reía. Y el médico y las enfermeras solamente reían porque ellos ya estaban muy acostumbrados a ese milagro. ¿Milagro?, pensé, pero Lucas no me dio tiempo a darme cuenta del todo ya que me tomó suavemente del brazo y me sacó de allí, cerrando la puerta y quedando otra vez los tres solos en el hall de los susurros que ahora se llenaban, también, con mi risa y mis hipos de llanto emocionado.

—Ése es el símbolo del milagro —dijo Lucas.

—Y es la mejor señal de Dios —dijo Pedro.

Más que sentarme, me desplomé en una banqueta larga junto a la pared. Y lloré tapándome la cara con las manos, apoyando los codos en mis piernas. Supongo que lloré todas mis dudas, mis miedos, mis batallas internas, los pequeños fracasos, las grandes decepciones, los sueños que murieron fusilados por rebelión contra la realidad. Y estalló del otro lado de la puerta el llanto del bebé, no muy distinto del mío. Era un alma flamante aquí en el mundo y quizás llorara también dudas y miedos, pero estaba dispuesto a luchar contra ellos. No aflojaba porque sabía que había milagros. Él era uno. El mayor de todos, el símbolo del milagro. La vida, queridos míos, la vida pese a lo que sea.

Todavía gimoteaba con la cara metida en las palmas de mis manos cuando al llanto del bebé tras la puerta se sumó el de otro bebé, y otro, y otro más, y otro, y miles que sonaban en mi aturdida cabeza como para dejarme en claro que el símbolo del milagro se repetía en el mundo cada segundo, llenándolo de posibilidades, colmándolo de aliento.

La vida era el milagro. Y el amor que generó esa vida. Es posible que me esté poniendo cursi, pero ni siquiera eso me incomoda. Hay muchos ya que escriben sobre los desencuentros, los odios, los rencores, la violencia, la ira y, por supuesto, no los juzgo. Sin embargo, casi estoy excusándome por hablar de esto que, después de todo, es tan natural. ¿Es que llegamos tan al fondo que debo disculparme por escribir sobre la vida y el amor? No lo sé, está tan raro el mundo que no lo sé, pero sé que lo estoy haciendo a conciencia y me gusta, me gusta mucho.

Y de repente reventó el silencio. Se acallaron los llantos todos al mismo tiempo. Levanté la cabeza despacito imaginando que Pedro y Lucas habrían desaparecido y yo estaría solo en el hall de los susurros. Pero me equivoqué. Allí estaban, en silencio, mirándome sin hacer preguntas ni pretender posarla de filósofos. Solamente me miraban con el cariño y la ternura con que se mira a un recién nacido.

—*Y entendiste.*

Entendí, Marianito. En las primeras páginas me preguntaba si valía la pena escribir sobre milagros porque todo está patas para arriba. Dudaba, temía, estaba deprimido y ofuscado. Ahora, muchos meses después, las cosas no cambiaron demasiado a mi alrededor pero sí en mí porque con cada testimonio, cada dato, fui aprendiendo a soportar la noche y esperar el día. El de pantaloncitos blancos, después de todo, ganó una pelea que creía perdida. Pero faltaba ese símbolo que llegó para removerme el alma. Me vi nacer a mí mismo, allí. Me vi salir pegajoso y confuso de un mundo ideal a otro más frío, más hostil, pero en el que todas las posibilidades están abiertas. La vida sigue siendo el mayor de los milagros, es cierto. Y el mejor de los símbolos.

—*Así de simple, galle querido. Los demás milagros, los que asombran porque rompen las reglas naturales, son absolutamente misteriosos. Se le pueden buscar pelos en la leche, tratar de descubrir cómo se produjeron o por qué, intentar por todos los medios encontrarles una explicación. Pero el milagro no tiene explicación. Si la tuviera ya no sería un milagro.*

El milagro es una bondad inexplicable.

—*Es una buena definición. Sí, señor, es una buena definición.*

Les contaba al principio de este capítulo que nunca supe qué pasó ni cómo en aquel día que acabo de relatar. Recuerdo vagamente un abrazo con Lucas, otro con Pedro, una emoción muy grande y verme de repente en mi casa, sentado en mi sillón preferido. Alguien puede pensar que todo lo que cuento en este capítulo es solamente un sueño. No podría discutirles eso, no lo sé, fue todo tan etéreo y tan real. Lo que puedo decirles es que no deberíamos decir "solamente" un sueño. La Biblia considera a los sueños como un tipo de revelación idéntica a las visiones, es decir una manera eficiente y clara en la que Dios desea comunicarnos algo. Y que lo hace con todos, sin distinción. El Antiguo Testamento está llenito de ejemplos. Y en los Evangelios basta recordar que un ángel se le apareció en sueños a José el carpintero, antes del nacimiento de Jesús. O que los que hoy llamamos Reyes Magos fueron advertidos en un sueño que no debían volver a ver a Herodes y por eso emprendieron de inmediato el regreso a sus tierras orientales. O que José, enseguida, tuvo un sueño en el que se le indicaba que debía tomar a María y a Jesús y partir a Egipto. O que, mucho después, la esposa de Poncio Pilatos soñó y contó a su marido que "no debía meterse con ese hombre justo". Todos pueden recibir signos a través de los sueños, los creyentes y los que no lo son. Porque Dios no discrimina y todos son sus hijos, aun los que lo niegan.

Lo que importa para la Biblia es el mensaje y no si el receptor está despierto o dormido.

Por eso es que no me preocupa casi nada cómo fue lo de aquel día. Pero me maravilla el mensaje: la vida es el símbolo del milagro.

En el año 258 de nuestra era, el emperador Valeriano mandó decapitar al Papa y a sus seis diáconos. Mataron al pontífice y a cinco de ellos pero aún dejaron con vida a Lorenzo a quien le ordenaron que les llevara los tesoros de la Iglesia. Lorenzo reunió a los pobres, desamparados y enfermos a los que cuidaban y daban de comer y con ellos se presentó al emperador. "Éstos son los tesoros de la Iglesia", le dijo señalando a los desprotegidos. El emperador, enfurecido, ordenó que lo mataran con tortura. Lorenzo fue atado a una parrilla y encendieron el fuego debajo suyo. Fue impresionante para todos que no dejara de hacer bromas a sus verdugos ni por un segundo, hasta el instante mismo de su muerte.

Unos mil trescientos años después, Felipe II de España debía combatir contra los franceses y eligió para hacerlo el día en que murió Lorenzo, el 10 de agosto. La batalla fue la de San Quintín y Felipe II salió victorioso a pesar de tener mucho en contra. Cuando alguien le preguntó a Felipe II por qué había elegido esa fecha para el enfrentamiento, él les dijo que era el día de San Lorenzo mártir, el que había logrado morir en una parrilla haciendo bromas, sin un quejido. Y al vencer a la misma muerte había demostrado que nada era imposible. Felipe II mandó construir en su homenaje el monasterio de El Escorial que tiene la forma de una gigantesca parrilla. Y la tradición hace que aún hoy muchos repitan que el 10 de agosto es el día de San Lorenzo, el día de las batallas que parecen perdidas pero se ganan, el día de los milagros.

Tal vez todos los días sean, después de todo, un 10 de agosto.

Cuando todo es posible.

30

Paz serena

Lo único que quedaba por resolver era el significado exacto de las dos palabras que ya me tenían obsesionado: paz serena. No entendía qué escondían pero sospechaba que era algo muy importante porque todos los que sabían la respuesta (Mariano, Lucas, Pedro) me habían puesto en claro que ese significado era el disparador de los milagros y, a la vez, los milagros encerraban sin dudas a ese significado. Parecía un juego. Y en verdad, casi lo era. Paz serena, repetía. Y lo pensaba y lo escribía y lo soñaba. Pero no me salía otra cosa que no fuera paz serena. Le pedí ayuda a Mariano.

—*Creo que está muy claro. Muchos lectores ya deben haberlo descubierto y vos seguís en el laberinto.*

Mis lectores siempre fueron más inteligentes que yo. Ayuda.

—*Tenés que encontrarlo solo. Pensá.*

No sé pensar, pensar duele. Ayuda.

—*¿Es que no te das cuenta?*

Ayuda, por favor.

—*No gimas más. Te voy a dar solamente el fragmento de una ayuda.*

Lo que sea. Ayuda.

—*Ana.*

¿Ana?... ¿Ana qué más? Ana era la mamá de la Virgen.

—*Nada que ver. Ya está. Hablé de más. Repasá todo, por favor.*

La obsesión estaba montada en mis hombros como cuando mi hijita Rocío era chica y yo joven y fuerte. Esa pequeña metáfora surgió porque yo estaba ordenando cosas de esas que no se ordenan nunca, cuando me topé con una caja de fotos y, en una de ellas, allí estaba mi nena jineteando mi cuello y riéndose con sonidos de cristal que no estaban en la imagen, claro, pero que aún conservo en mi alma. En verdad era así como sentía a esa obsesión, montada en mis hombros, firme e inseparable. Y encontré un perrito de lana que le había fabricado su mamá pero al que llamábamos "el burrito" porque se parecía mucho más a eso debido a la absoluta falta de habilidad para esas cosas por parte de mi esposa Rosita que remplazaba su carencia con buena voluntad y mucho amor. "El burrito soy yo —pensé—, que soy incapaz de descubrir qué significa paz serena". Y apareció en medio del polvo que ya me hacía estornudar, un títere al que siempre llamamos Jalisco porque estaba vestido con ropas mexicanas y provocaba el dulce manantial de la risa de Rocío cuando yo lo hacía mover mientras cantaba aquello de "Ay, Jalisco, Jalisco, Jalisco, tú tienes tu novia en Guadalajara". A pesar de estar solo, no pude evitar hacer que se mueva un poco, cantarle una estrofita y después poner voz nasal para hacerle decir: "Yo tampoco sé qué es en verdad paz serena". No ayudó mucho, no les voy a mentir. Seguí ordenando sin dejar de repasar lo que cada uno me había dicho sobre paz serena. Una cocinita de plástico y el recuerdo de Mariano diciéndome: "La clave está contenida en dos palabras: paz serena". Un muppet que tiene camiseta rayada y se llama Ernesto y el doctor Lucas que me dice: "El milagro genera paz serena". Una muñeca Barbie a la que le falta una pierna y Pedro que me saluda de entrada con esas dos palabras y, al despedirnos, me dice que Jesús estaba lleno de paz serena. Y unos cubos de madera manchada que en cada una de sus seis caras tienen una letra y hacen que los limpie despacito mientras no dejo de pensar, ahora en la historia.

Pensé en los cristianos de los primeros tiempos, que no podían hacer pública su condición religiosa y se ocultaban en las catacumbas y usaban signos como el pez para identificarse entre sí y hablaban en susurro y tenían algo así como códigos para decir algunas cosas porque en eso les iba la vida. Ordené en el suelo polvoriento los cubos didácticos y formé con sus letras las dos palabras: paz serena. Las miré por un rato. Y, de repente, todo se apretó en mi diminuto cerebro. "Contienen la clave"; "El milagro genera paz serena"; "Jesús estaba lleno de ella"; "Es el disparador de los milagros"; "Sin ella no se puede vivir"; los códigos secretos para ocultar palabras; "Ana —me dijo Mariano— sólo es un fragmento de una ayuda". "Anagrama" dije en voz alta aunque estaba solo. Anagrama. Una o más palabras que en realidad esconden otra que lleva las mismas letras. Por ejemplo: "amor" esconde "Roma"; "cubos" esconde "busco". Anagrama, repetí lanzándome sobre los cubos y comenzando a moverlos sabiendo ya cuál era la palabra escondida. Ésta aquí, ésa allá, paz serena va desapareciendo para formar, con exactamente las mismas letras, la clave del milagro y, a la vez, lo que el milagro provoca, aquello sin lo cual no se puede vivir, lo que todo lo puede: esperanza.

Me quedé mirando los cubos como hipnotizado. Esperanza, decían, rodeados de un osito de peluche que alguna vez fue blanco, una carterita rosa para guardar los úrtiles del jardín de infantes y un zapato tan chiquito que parecía de muñeca y en realidad lo era porque había pertenecido a mi hijita. No podía haber encontrado la respuesta en un lugar mejor. Ahora tiene 23 años, pero era su infancia la que me develaba la esperanza tal como había ocurrido en la realidad desde que nació. Eran esos juguetes, esas pequeñas grandes cosas cargadas de recuerdos, esos pedacitos algo polvorientos de lo mejor de mi propia vida los que me la instalaban a ella enfrente de mí riendo con sus dientes separados y aplaudiendo con manitas de seda porque yo, al fin, había descubierto la palabra secreta que no podía ser otra que esperanza, esperanza, esperanza.

Me sentía tan lleno de vida, tan feliz del hallazgo, tan completo, que en un primer momento ni siquiera advertí que había llegado al final del librito con esa señal hermosa que podía compartir con ustedes. Un regalo que me place dejarles como trofeo del de los pantaloncitos blancos para recordarles que nada está perdido aun cuando a veces parezca lo contrario.

—¿*Te gustó?*

Mucho, Mariano, amigo. Paz serena, esperanza. La vida es el símbolo del milagro. Me encanta. Lo único que faltaría ahora es saber quién me mandó la tarjeta. Tal vez un colega tuyo.

—*Yo no tengo colegas.*

¿Vamos a empezar de nuevo?

—*Siempre hay tiempo para empezar de nuevo.*

Eso es muy cierto, Mariano. Definitivamente cierto.

Después de todo

El que sigue fue el último e-mail que apareció en la pantalla, tal vez como la señal definitiva, ya que deja en claro cuál es el principio de todo lo que vale la pena, de todo lo que vale la alegría. A la larga, qué es lo que mueve a los milagros, convocándolos. Es simple y contundente, como respirar. Dice así:

Ama...
Porque la vida sin amor no vale nada.
La justicia sin amor te hace duro.
La inteligencia sin amor te hace cruel.
La amabilidad sin amor te hace hipócrita.
La fe sin amor te hace fanático.
El deber sin amor te hace malhumorado.
La cultura sin amor te hace distante.
El orden sin amor te hace complicado.
La agudeza sin amor te hace extraño.
El apostolado sin amor te hace agresivo.
La amistad sin amor te hace interesado.
La posesión sin amor te hace avaro.
La responsabilidad sin amor te hace implacable.
El trabajo sin amor te hace esclavo.

La ambición sin amor te hace injusto.

Y ama... porque el amor es la vara con la cual Dios nos medirá cuando estemos frente a Él.

Me pareció bueno para un final. Y me parece bueno para un principio. Que Dios los bendiga mucho, como siempre, más que nunca.

ÍNDICE